JN042583

講談社選書メチエ

786

人間非機械論

サイバネティクスが開く未来

西田洋平

MÉTIER

はじめに

これを読んでいるあなたは、きっと機械ではない。いや、もし今が二〇四五年だとしたら、あなたは機械だろうか。

二〇四五年は、技術的特異点、いわゆる「シンギュラリティ」に人類が到達すると予想されている年である。テクノロジーの進歩が臨界点に達し、人類のあり方に後戻りできない甚大な変容が生じるという。いくつか異なる議論はあるが、共通するのはＡＩ（人工知能）が人間の知能を超えると予想されている点である。超知的なＡＩがテクノロジーの進歩を支配することで、それまでとはまったく異なる世界が出現するという。一説によれば、人間の精神はコンピュータへとアップロードされ、身体は機械化される。人類は生物としてのくびきから解き放たれ、死をも克服する。テクノロジーによって、人間と機械の区別がなくなる、という話である。

まるでＳＦ映画のようだが、昨今のＡＩ関連のニュースを聞けば、フィクションとして笑い飛ばすことも難しく思えてくる。ＡＩがチェスの世界チャンピオンに勝利したのは前世紀のことであり、それより格段に難しいと思われた将棋や囲碁においてさえ、一流棋士がＡＩに負ける時代である。ＡＩが制御する自動車の公道走行実験は世界中で行われているし、相手の感情を認識するという人型ロボットにもてなされた経験がある人も少なくないだろう。ＡＩ搭載の対話ロボットが、ＳＦ映画よろしく、「人類を滅ぼす」と宣言した、といったちょっと出来すぎた話まで聞こえてくる。

　幸いなことに、おそらく多くの読者にとって、二〇四五年はまだ先の話だろう。だが、そうだとしても、あなたは本当に「自分は機械ではない」と言えるだろうか。私やあなたは、機械とはいったい何が異なるのか。生物と機械に違いがあるとすれば、それはどのような違いか。

　知能の定義という厄介な問題はとりあえずおくとしても、人間は機械にはない知性をもっていると長らく信じられてきた。しかしチェスや将棋といったボードゲームの世界では、我々はすでにＡＩに敵(かな)わない。文化や芸術といった創造的な領域では、人類はまだ優位を保っているようにも思えるが、必ずしも楽観視はできそうにない。文章、絵、音楽といったコンテンツの自動生成ＡＩは、近年ますます高度化している。ＡＩが料理のレシピを新作したとか、ＡＩと作成した小説が星新一の名を冠する文学賞に入賞したとかいった話もある。

　視点を小さく取れば、疑念はさらに大きくなる。私やあなたの身体を構成している物質は、文字通りただの物質である。二〇世紀半ばに成立した生命科学は、そうした物質間の機械的な相互作用として生命を理解することに成功したと考えられている。機械であれば、それを作製したり、改造したりすることも可能だろう。実際、遺伝子組換え食品はすでに市場に出回っているし、動物のクローン作製ビジネスも一部では成立しているらしい。人工的に合成された遺伝情報から成る「人工細菌」なるものも存在している。そのような時代にあって、「自分は機械ではない」と言い切ることはできるだろうか。

　とはいえ、本書はＡＩの書ではないし、生命科学の書でもない。ロボット工学の書でもないし、遺伝子工学の書でもない。衒学的な哲学談義でもなく、感傷的なＡＩ批判でも、神秘主義的な生命礼賛論でもない。

本書は、「サイバネティクス」と呼ばれる科学の、とくにその知られざる後期についての書である。

サイバネティクスとは、生物と機械を統一的な観点から理解しようと構想された、分野横断的な科学の名である。米国の数学者ノーバート・ウィーナーによって一九四八年に提唱されたが、彼が単独で生み出した学問というよりも、専門領域を異にするさまざまな学者が参画した、一種の知的ムーブメントであったという方が正確である。

サイバネティクスは、精神とコンピュータ、より一般化して言えば、生物と機械を同一視する思想として、今日まで広く受容されてきた。その影響力はきわめて大きく、戦後の情報技術の発展はもとより、現代の認知科学やＡＩ研究の源流の一つと言えるのがこのサイバネティクスである。生命現象を担う分子間の複雑な制御メカニズムを探究する生命科学や、その応用先としての最先端の医療技術も、初期サイバネティクスが示した機械論的思想をよく体現している。

サイバネティクスの影響力は、科学の内側のみにとどまるものではない。むしろ一般には、その文化的、社会的インパクトの大きさによって知られている。サイバネティクスは、情報、メッセージ、コミュニケーションといった情報系の諸概念の可能性を示すことで、二〇世紀後半以降の知的世界を先導してきたと言ってよい。

サイバネティクスから紡ぎ出されてきたイメージは、ユートピアとディストピアの奇妙な混合物である。肉体的な不自由から解放されたサイボーグ人間や、愛情深いＡＩが織りなす優しい世界。かと思えば、不気味な自律ロボットと、まやかしの快楽に耽る人間たちが退廃した世界を形作る。新たに創造されたサイバースペースは若者たちに自由を与え、新世代のカウンター・カルチャーの揺りかごとなる一方で、サイバー戦争という新規の悪夢をも生み出した。それだけではない、自然との調和を謳うエコロジーの思想から、より良き世界の実現を、と嘯くカルト宗教まで、サイバネティクスの産物は多種多様である。

だが、ここまでは類書でもすでに語られてきたことである。

サイバネティクスには、いまだ知られざるもう一つの顔が存在する。生物と機械を同一視する思想として生まれたサイバネティクスには、実は当初から、それとは相反する思想が内包されていた。その溝は次第に大きくなり、サイバネティクスという同じ学問の潮流にありながら、むしろ生物と機械を峻別する思想として、それは密かに結実していく。

本書の目的は、サイバネティクスの後者の顔、人間・生物非機械論としての顔を明らかにすることである。それはウィーナーの思想に胚胎され、その後継者たちによって育てられたもう一つのサイバネティクスである。本書では、それこそが本来のサイバネティクスであるという意味を込め、その基本思想を「サイバネティック・パラダイム」と呼ぶ。

ウィーナーという同じ人物に起源を持ちながら、生物と機械という謎をめぐってまったく異なる結論へと行き着くもう一つのサイバネティクス。未来社会を読み解く指針となりうる、知られざるその理論と思想について見ていこう。

本書は全体で7章から成る。

第1章では、現代情報社会にすっかり浸透した初期サイバネティクスの思想と、サイバネティクスの誕生について語る。第2章では、サイバネティクスに内包された相反する思想と、その一方がもう一つのサイバネティクスとして結実する直前までの様子を語る。

続く第3章から第5章は、サイバネティック・パラダイムの核となる三つの理論に相当する。第3章は、それまでのサイバネティクスの思想を百八十度転回させることになったハインツ・フォン・フェルスターのセカンド・オーダー・サイバネティクスについて取り上げる。第4章では、人間・生物・非機械論に明確な根拠を与えたオートポイエーシス論について、わかりやすく解説しよう。そして第5章では、サイバネティクスの転回によって明確化される現実構成主義の思想と、それが抱える諸問題の解法を示す。

第6章は、一種の応用問題として、サイバネティクスと連動した情報観の変容と、新しいサイバネティクスに触発された新しい情報学の潮流を概観する。

最後の第7章は、まとめと展望である。全体を総括したのち、サイバネティック・パラダイムの中で生まれつつある議論の一端を紹介し、今後の展望としよう。

人間非機械論●目次

第1章

機械は人間になり、人間は機械になる?

サイバネティクスの旅路

説明されるべきことを行う機械をつくれば、神の奇跡に対するうわべだけの許可証は、すぐに剝奪できる。

ウォーレン・マカロック

1　第三次ＡＩブームの先に

『マトリックス』と速読の夢

二〇二一年末、映画『マトリックス』シリーズの続編が十数年ぶりに公開された。シリーズ第一作目の公開は一九九九年のことだから、これは二〇年以上も人々の心を惹きつけてきた物語なのだろう。

この『マトリックス』シリーズ第一作目には、脳にプログラムをインストールする印象的なシーンがある。格闘技プログラムをインストールする主人公のネオは、数秒にしてあらゆる格闘技を身につけたタフなファイターに変身する。

私のような人間は、ここにあの速読の夢を見てしまう。格闘家にはなれなくてもよいが、プログラムのインストールのごとく、本の内容を一瞬のうちに理解できたらどんなによいだろうか、と。

図書館には、数万冊、数百万冊というスケールで人類の知が集積されている。書架いっぱいに排べられたそうした本を、すべて読破することは不可能である。一人の人間の一生というスケールをはるかに超えている。ならば、と本好きの人間なら、おそらく一度は夢見たことがあるだろう。せめて速読ができれば……と。かく言う私も例外ではない。見るからに怪しげな速読術にまで手を出したことがあるが、まったくモノにはならなかった。

映画『マトリックス』の第一作目が公開されたのは、二〇世紀もいよいよ終わろうとしていた時代である。世紀末の人々が近未来に対して抱いた夢想が、ＳＦ（サイエンス・フィクション）として結実したのがそれであるとすれば、当時の未来であった現代に生きる我々は、いったいどのような世界にいて、どのような夢を見ているだろうか。

二〇二二年は、ジェネレーティブＡＩと呼ばれるコンテンツ生成系のＡＩが大きく躍進した年だった。とくに同年十一月に公開された「ＣｈａｔＧＰＴ」は、人間とかなり自然な対話的やりとりが可能で、ＡＩという技術の可能性を改めて世に知らしめたと言ってよい。振り返ってみれば、二〇一〇年代の半ば以降、我々はＡＩの話を聞かない日はないと言っても過言ではない。一般のニュースにも、さまざまなＡＩが登場してきた。

グーグル・ディープマインド社が開発したＡＩの「アルファ碁」が、囲碁のトップ棋士の一人であるイ・セドルに勝利したと伝えられたのは二〇一六年三月のことである。

囲碁は、チェスの「ポーン」や将棋の「飛車」のようにそれ自体で何らかの意味をもつ「駒」ではなく、どれも等しい「石」を使う。そのため、チェスや将棋よりも打ち方の良し悪しを評価することが難しい。さらに盤面が大きく、一手の評価にあまり差が出ない。こうした特徴から、囲碁に強いプログラムを作成することはきわめて難しいと考えられてきた。実際、チェスは一九九七年に、将棋は二〇一二年に人間の一流プレイヤーがコンピュータに負けているが、囲碁に関しては今世紀中に実現するかどうか、との予測もあったほどである。それが二〇一六年という予想以上に早い時期に実現したというのだから、このニュースは世界に驚きをもって迎えられた。

ＡＩの活躍は、ボードゲームのような限られた世界の話だけではない。二〇一六年夏、東京大学医科学研究所に導入されているIBM社の「ワトソン」[1]が、がんの発見に利用されていたことが話題になった。何千万件というがんの研究論文を学習させた結果、人間の医師では判定が難しかったがんの種類を見抜き、実際に女性患者の命を救ったとのことである。

このワトソンは、二〇一一年に米国のクイズ番組で人間のクイズ王に勝利して以来、医療、金融、法務、経営など、さまざまな分野への適用が試みられている。その個々の取り組みは、これまでコンピュータには困難と考えられてきた創造的なものにも広がりつつあり、近年は料理のレシピの考案や、映画の予告編の作成にまで及んでいる。

また、AIを搭載した自動運転車の話題にも事欠かない。その実用化を目指す動きは慌ただしく、グーグルやアップルのようなIT企業から、ゼネラルモーターズや日産、ホンダといった大手自動車メーカー、さらに稀代の天才起業家イーロン・マスク率いるテスラまで、さまざまな企業が参入し、新会社を設立したり、互いに提携を結んだり、あるいはまた撤退したりと大忙しである。

この先には、いったい何があるのだろうか。テクノロジーによって、これからの世界はどう変わっていくのか。私の速読術には期待できないとしても、ワトソンはすでに「速読」をしているように見える。『マトリックス』は、人類が機械に支配された未来の世界の話であったが、現代の我々は、そうした世界の入り口に立っているのだろうか。

シンギュラリティの到来?

AIがいずれ人間の代わりになっていくという見立ては、社会に根強く浸透している。それを明確に、かつ劇的に示しているのが、シンギュラリティの議論である。

「シンギュラリティ（singularity）」とは特異点のことで、数学的には、たとえば無限大に発散するような点を意味する。近ごろ知られるようになったシンギュラリティは、将来起こりうると予想される技術的な特異点、すなわち、テクノロジーの進歩がそれまでの歴史的流れを逸脱するような無限大の発散を迎える点、それによって、人類のあり方に後戻りできないような甚大な変容が生じる点、と考えられている。

細かくみればさまざまな議論があるものの、シンギュラリティの引き金となるのは、人間の知性を超えるＡＩの誕生であるという見方が一般的である。たしかにＡＩが人間よりも賢くなれば、それまでの人間には推測できない技術的進歩が開始される可能性がある。とくにそうしたＡＩが、さらに優れたＡＩを開発できるなら、その繰り返しの結果として、論理的には無限に賢い知性が現れることになるだろう。人間が自分よりも賢いＡＩを作れるのなら、そのＡＩにも自分よりも賢いＡＩが作れるはずである。つまり、ひとたびＡＩが人間の知性を超えれば、その必然的帰結として、超知的なＡＩが支配する世界が出現する、というわけである。

未来学者なる肩書きを持つレイ・カーツワイルは、このシンギュラリティが二〇四五年に訪れるという衝撃的な予測をしている。[2]

カーツワイルの議論は、ＡＩやロボット工学に、遺伝子工学やナノテクノロジーをも加えた総合的な未来予測として構築されている。超知的なＡＩの出現だけでなく、人間の精神のソフトウェア化や、そのコンピュータへの転送、ナノマシンによる人体改造や精神改造、人体の機械化、その先にある人間と機械の区別の消失……と衝撃的な予測は枚挙にいとまがない。極めつけは、死の克服である。人体の機械化とそれへの精神のアップロードが可能になれば、不死になるも同然ということらしい。

カーツワイルが描く未来像は、少なくとも本人にとっては、あくまで期待に満ちあふれた楽観的なもののようである。しかし、シンギュラリティの議論にはまた脅威論もつきまとう。人間よりも賢いAIによって人類が滅ぼされるという恐怖のシナリオである。

意外かもしれないが、完全自動運転車の実用化に邁進する起業家のイーロン・マスクは、シンギュラリティに関しては脅威論の側に立っている。彼はかつてツイッター上で、AIの「核よりも危険な可能性」を指摘して話題になった。同様に脅威論の側に立つ識者は決して少なくない。マイクロソフトの創業者ビル・ゲイツも、AIの発展に期待する一方で、人間を超えるAIに対してはマスクと同様の懸念を表している。世界的な理論物理学者であったスティーヴン・ホーキングも、生前、BBCのインタビューで「完全なAIの開発は人類の終わりを招く[3]」と警告し、世間を驚かせた。

いずれにしても、本当に恐ろしいのは、彼らのような超一流の頭脳をもつインテリたちが、超知的なAIの出現を大真面目に考えていることである。これまでは、そうした話はあくまでフィクションとして、架空の物語として扱われてきた。それが現代では、いままさに現実化しつつある問題として、大真面目に語るべき問題として認識されているのである。

SFとして描かれたテクノロジーの現実化はそれほど珍しいことではないかもしれないが、これほどまでに世界に激震をもたらす可能性のある現実化は、これまであっただろうか。

ＳＦが描く未来像

シンギュラリティの到来という未来像は、そのインパクトの大きさゆえに、映画や小説のようなエンターテインメント作品の題材としてうってつけである。実際、シンギュラリティやそれ以後と思われる世界の具体的なイメージは、数々のエンターテインメント作品によって一般に広められてきた。

改めて言うまでもなく、『マトリックス』はそうした作品の一つである。この映画の冒頭で描かれる世界は、我々の日常的な現実とまったく同じように見える。我々が普段、この世界を疑いなく現実として認識しているように、映画の中の人々は、その世界を疑う余地のない現実として受け止めている。しかし中盤で、それは実はコンピュータによってつくりだされている仮想世界で、人間は脳に埋め込まれたプラグ経由でそれに接続されているだけだった！　という衝撃的な「現実」が明かされる。主人公を含む一部の人間たちだけが、ＡＩによって生かされているその「現実」に気づき、機械との戦いに挑んでいく、というストーリーである。

この『マトリックス』が、日本のアニメ映画『攻殻機動隊』（一九九五年）の影響を受けた作品であることはよく知られている。原作は士郎正宗の漫画で、二〇一七年にはハリウッドで実写映画にもなっている。

『マトリックス』では、機械との戦いは仮想現実と本当の「現実」を行き来しながら進められる。仮想現実に入るには、脳にプラグを挿入し、仮想現実をつくりだしているコンピュータに接続する必要がある。一方、『攻殻機動隊』の世界では、脳とコンピュータの関係はより一体化している。その世界には、脳にマイクロマシンを埋め込む「電脳化」と呼ばれる処置を施した人間が多数存在し、彼らはコンピュータ・ネットワークに直接アクセスできる。それどころか、同様に電脳化した他者にもアクセスが可能で、そうした他者に対して自分の知覚や感情までをも直接伝達することができる。

さらに、義手や義足といった概念を拡張した「義体」と呼ばれるテクノロジーも登場する。現実の義手や義足は、怪我や障害のある場合にやむを得ず用いられるのが普通だが、義体はむしろ身体能力を強化するために用いられる。身体の一部を機械に置き換える義体化を行えば、生身の人間には不可能な動きも可能となる。

この『攻殻機動隊』の世界には、脳神経系以外をすべて義体化した人間も存在している。それほどまでに身体の機械化が可能なら、脳神経系もいらないのではないか。そう考えるのも当然である。実際、その世界にはＡＩを搭載した人間そっくりの人造人間も登場する。

人間と見分けのつかない人造人間をモチーフとした作品と言えば、古くは一九八二年公開の映画『ブレードランナー』がある。フィリップ・Ｋ・ディックのＳＦ小説『アンドロイドは電気羊の夢を見るか？』が原作で、二〇一七年には続編となる映画も公開された。これは遺伝子工学を用いて作製される人造人間と本来の人間との区別が失われていく時代を描いており、「人間とは何か」という根本的な問いを提起する作品として、いまだにカルト的人気を誇っている。

こうした魅力的な作品群は、シンギュラリティ周辺のイメージという点において、どちらかと言えば脅威論の側に傾きがちのようである。これらがエンターテインメント作品として制作されているということもあるのだろう。しかし、こうした作品世界を特徴づける数々の設定は、カーツワイルが描く楽観的な未来像と驚くほど似通っている。

いずれの作品も、ＡＩだけが描かれているのではない。仮想空間と現実世界の融合、脳神経系と電子回路の一体化、脳へのプログラムのインストールや他者の脳への直接アクセス、機械化された身体に、遺伝子操作によって作られる人造人間……。それがユートピアであれディストピアであれ、こうして描かれてきたものは、同じ何らかの思想が反映されたものと言えそうである。

2　コンピューティング・パラダイムの浸透

情報処理という観点

シンギュラリティの議論やその周辺イメージを貫いている観点を一言で表すとすれば、「情報処理(information processing)」ということになるだろう。

情報処理とは、「情報に対して何らかの処理を施すこと」である。現代ではあまりに一般化した言葉だが、ここでは「処理」という言葉によって、情報を処理する機械、端的に言えば、コンピュータが示唆される点に注目しよう。

言うまでもなく、仮想空間はコンピュータによる情報処理によってつくりだされる。作品世界の脳神経系に接続されるのも情報処理機械としてのコンピュータであるし、機械化された身体の制御もコンピュータによる情報処理として行われる。脳や身体がそうしたコンピュータによって制御できるということは、脳や身体そのものも、情報処理を行うコンピュータのごとく捉えられているということである。

遺伝子操作はどうだろうか。現代の生命科学にとって、コンピュータはデータ解析のみならず、実験装置の制御にも必須のツールだが、遺伝情報を担うとされるＤＮＡ（デオキシリボ核酸）という分子そのものの操作には、必ずしもコンピュータは不可欠ではない。だがＤＮＡ中のＡ、Ｔ、Ｇ、Ｃという４つの塩基の機械的（メカニカル）な処理として見れば、実は遺伝子操作もコンピュータによる情報処理と大差がない。遺伝情報の意味とは無関係に、塩基配列はただ機械的に切ったり貼ったりされる。コンピュータでは機械的に電子情報が処理されるが、遺伝子操作では機械的に遺伝子情報が処理される。

つまり、情報処理という観点には、機械的に処理できるものとしての情報観が内在している。コンピュータの介在はわかりやすい特徴であって、必須のものではない。情報の「意味」という難問を不問に付したまま、「情報は機械的に処理できる」とする信念こそがその本質である。

「情報は機械的に処理できる」という前提があるからこそ、脳神経系が扱う情報は電子回路でも扱えるし、身体的情報も機械につなげて処理できるものとなる。脳にプログラムをインストールできるという発想は、さらに一歩進んで、脳も情報処理を行う一種の機械として捉えているわけである。脳へのインストールやそれへの直接アクセスというイメージに表れているように、情報処理という観点は、入出力をもつ機械として対象を捉えることとも結びついている。

こうした「情報処理」という観点を中心としたものの見方は、「情報処理パラダイム」や「コンピューティング・パラダイム」と呼ばれている。これらは多様な分野で、しかもさまざまな文脈で用いられている言葉であり、その内実を一義的に示すのは難しい。だが人間の知能をコンピュータによる情報処理として再現しようとするＡＩ研究は、明らかにこれを象徴する営みである。ほかに、たとえば心理学の分野では、人間の心理をコンピュータのような一種の情報処理機械として見る思考体系を「情報処理パラダイム」と呼んでいる。同様に、企業のような組織の経営を情報処理という観点で捉えるパラダイムは、経営組織論において「情報処理パラダイム」として術語化している。

映画『マトリックス』で示される世界観は、このパラダイムの究極形である。コンピュータによる情報処理によってつくりだされている仮想世界が、フェイクとして気づかれることなく、現実として受容されている。さらに映画の中のその仮想世界が、映画を観る我々自身の現実と変わらぬものとして描かれることで、我々自身のこの世界をも仮想世界として疑うように自然と導かれる。まるで、宇宙で生じるあらゆることは情報処理である、と宣言しているかのようである。

人間と機械の同一視

「あらゆること」とまで言わずとも、情報処理という観点では、人間の世界も機械の世界も同じに見えてくるという点が重要である。あなたがいま行っている「読書」を一種の情報処理として捉えるなら、人間は一種の情報処理機械、すなわちコンピュータのように見えてくる。ならばコンピュータも読書が可能だろう。いや、それはすでにプログラムのインストールやデータ入力というかたちの「読書」を行っているのだろうか。それなら我々も、面倒な読書などせずとも、脳に直接それをインプットできるのではないか……。

シンギュラリティに期待する者も、脅威として警告する者も、このようなパラダイムの中にいるという点では同じである。「人間を超えるＡＩ」や「完全なるＡＩ」を想定して恐れるということは、人間とＡＩを、全体として比較可能なものとして並置しているということである。全体として、というのは、チェスや囲碁の強さといった部分的な能力としてではなく、トータルとしての人間、あるいはその本質において――それが何であろうとも――という意味である。つまり、人間とコンピュータを真に同等に捉えているということである。

天才物理学者と言われたホーキングでさえ、この点は同じである。むしろ彼は、人間の脳をはっきりとコンピュータと同一視していた[4]。見た目も素材もまったく異なるものを同じであると主張できるのはなぜかと言えば、情報処理という観点が中心に据えられているからである。

ホーキングほど過激でないとしても、「情報」という言葉で真っ先に連想するものが「コンピュータ」であるならば、あなたも情報処理的な情報観の持ち主かもしれない。「(ある種の)情報はコンピュータで扱える」という漠然とした認識と、「情報はすべてコンピュータで扱える」という言明の間には、本来、大きな溝があるが、皮肉なことにコンピュータと違って曖昧(あいまい)な人間の思考は、簡単にこれを飛び越えてしまう。

我々が漠然とＡＩを恐れるのも、結局のところ、知らず知らずに後者のごとく捉えているからにほかならない。つまり、「情報はすべてコンピュータで扱える」と考えているからこそ、言い換えれば、コンピューティング・パラダイムにどっぷりと浸(つ)かっているからこそ、人間と同等か、それ以上に優れたＡＩの出現を恐れるのである。

したがって、ここで少し立ち止まって考えてみることもできる。もしもこのパラダイムに限界があるなら、言い換えれば、情報処理的な「情報」が情報の本質でないなら、人間とＡＩはまったく別物であるという可能性が出てくる。そうであるなら、ＡＩをむやみに恐れる必要はない。ＡＩは人間を補助する数ある機械の一つに過ぎず、いかにうまく使うかという問題だけが残るのかもしれない。

だが現時点ではこれは願望の一種に過ぎないから、とりあえず脇に置いておこう。

ところで、人間と機械が本質的に同じだとして、我々はそれを恐れるべきだろうか。ましてや、同じであるはずの機械と戦う必要はあるのだろうか。

『マトリックス』の主人公であるネオたちは機械との戦いに挑むが、脳にプログラムをインストールするあのシーンが象徴するように、情報処理機械という点で、実は自分たちも端（はな）から機械であるとも言える。ならばそこには機械が機械に挑むという、ただの勢力争いの構図しか存在しないことになる。機械同士の戦争があるだけである。

とはいえ、我々が恐れるのも無理はない。人間と機械の同一視には、もっと深刻な問題が潜んでいる。『マトリックス』を機械同士の戦争物語として片付けることができないほどに、これまでの人間のあり方と、その社会を脅かす問題である。

精神の機械化

人間と機械の同一視という事態を、別の角度から眺めてみよう。

機械という概念は比較的新しい概念だが、それでも近年に至るまで、普通は人間とは異なるものとして理解されてきた。それがいま同一視されつつあるということは、機械が人間に近づいているか、人間が機械に近づいているか、少なくともそのどちらかであるということになる。

実際のところ、この二つのプロセスはともに現に進行中であると言えよう。それも机上の空論としてではなく、リアルな事態として生じつつあると認識されている。

人間に近づきつつある機械とは、もちろんＡＩのことである。ＡＩとは、一言で言えば「精神化された機械」である。「ＡＩ（artificial intelligence）」という言葉は、一九五六年に開催されたいわゆるダートマス会議に端を発するが、それはまさにコンピュータという機械によって精神をシミュレートする試みとして提起されたものである。「ＣｈａｔＧＰＴ」や「ワトソン」といったＡＩは、近年におけるその到達点にほかならない。こうしたＡＩの開発は、機械を人間の側に引き寄せようとする試みであり、その結果として、機械が人間社会に深く入り込んでくるという事態が生じつつある。

こうした「機械の精神化」の裏側で生じているのが、「精神の機械化」[5]である。これは逆に、人間を機械の側に近づけようとする試みである。

精神の機械化は、現代の科学全般において行われていると言ってよい。だがその端的な例を一つ挙げるとすれば、「認知科学（cognitive science）」ということになるだろう。認知科学は、ダートマス会議をその起源とする見方があるほどＡＩ研究とは密接な関わりをもつ。人間の認知活動を主としてコンピュータをモデルとする情報処理プロセスとして探究するという点で、ちょうど逆方向のものと考えることができる。ＡＩ研究に比べれば目立たないが、我々の人間観に直接関わる学問である。

実は、我々への影響力という点でより深刻に捉えなければならないのは、機械の精神化よりも精神の機械化である。もちろん両者は互いに強く結びついている。たとえば高度なＡＩが一般化することで、我々自身の自己認識も少なからず影響を受ける。だがＡＩに代表される機械の精神化は、少なくとも表面的には、それまで我々とは別のものであった機械という存在を我々の側に引き入れるというだけであり、我々自身の自己認識に直接関わるものではない。

それに対して精神の機械化は、我々自身が機械の一種であると認めることであり、我々の自己認識そのものの問題である。そうした我々がかたちづくっている社会に対しても、甚大な影響力をもつ。ちょっと想像してみよう。もし我々が機械であるなら、これまで「人間ならでは」のものと信じられてきたさまざまな概念、たとえば、自律性や主体性、倫理や人権、自由、責任、法的秩序といった概念や、それらに基づく諸々の社会的制度は、崩れ去っていく可能性がある。我々がただの機械であり、人間の尊厳や根本的自由といったものと無関係であるならば、他者を道具として用いてもよいし、使い捨ててもよいだろう。機械なのだから、ダメになったら新しいものに取り替えればよいのである。長い歴史を経てようやく確立されてきた奴隷制の否定のような人類共通の価値観も、その土台を失うことになるかもしれない。

そうなれば、人間が機械の奴隷となることも甘んじて受け入れなければならないだろう。それを否定するための論拠は、精神の機械化によってすでに失われているのである。それでも『マトリックス』のネオたちのように機械に戦いを挑むことはできる。自分たちとは異なる存在として、「機械」として相手を見定め、戦いを挑むということそれ自体には、「人間」としての矜持(きょうじ)をみることさえできるかもしれない。だが彼らもまた本質的には機械であって、人間の尊厳なるものとは無縁の存在であるならば、そこにはどこまでも矛盾した絶望的な構図しか存在しないことになる。そのとき『マトリックス』は、機械に挑む人間たちの英雄譚などではなく、かといって、機械同士の単なる戦争物語として片付けることもできない、精神の機械化によってモノであることが露呈した人間たちが、その境遇を受け入れることができずにあがき続ける悲劇の物語として見えてきてしまう。

いずれにしても、こうした物語を支えている思考体系こそ、コンピューティング・パラダイムにほかならない。情報処理的な情報観を中心に据えることで、人間と機械の同一視は促進されていく。コンピューティング・パラダイムはそれとして気付かれぬまま、現代社会にすでにかなり浸透している。

しかし、これは決して当たり前のことではない。コンピュータが実用化されたのは二〇世紀半ばのことであり、「情報」という概念もつい最近まで重視されるような概念ではなかった。これほどまでに急速に浸透したこのパラダイムは、いったいどこから来たのだろうか。

先に挙げたエンターテインメント作品は、すべて「サイバーパンク（cyberpunk）」と称されるタイプの作品群である。仮想空間は「サイバースペース（cyberspace）」と呼ばれるし、機械化された人間は「サイボーグ（cyborg）」と呼ばれる。サイボーグは、「サイバネティック・オーガニズム（cybernetic organism）」を短縮した言葉である。

こうした言葉からも明らかなように、コンピューティング・パラダイムを導いたのはほかでもない、「サイバネティクス」である。

3　原点としてのサイバネティクス

対空高射砲の制御

サイバネティクスは、その名称こそ、米国の数学者ノーバート・ウィーナー（Norbert Wiener）にその発案の栄誉が帰せられるものの、彼一人によってすべてが始められたわけではない。偶然にも同じ一九四三年という年に著された二つの論文が交差したところに、のちにサイバネティクスと呼ばれることになる学問が生まれた。

論文の一つは、「行動、目的、目的論」[6]という奇妙なタイトルで、ウィーナーと、技術者のジュリアン・ビゲロー（Julian H. Bigelow）、医学博士のアルトゥーロ・ローゼンブリュート（Arturo Rosenblueth）の三名によって著された。

ウィーナーとビゲローは、第二次世界大戦中、ともに対空高射砲の制御装置の開発に携わっていた。対空高射砲とは、地上から航空機を攻撃するための兵器である。飛んでいる鳥を銃で狙い撃つのと原理的には同じだが、銃弾の速度に比べれば、鳥は止まっているようなものである。それに対して当時は航空機の性能が向上し、その速度がそれを撃ち落とそうとする砲弾の速度に近づいていた。従来的な砲撃の仕方では、対処できなくなってきていた。[7]

高射砲の命中率を上げるには、それまでの航空機の飛び方から少し未来の位置を推定し、砲弾と航空機が空中でちょうどぶつかるように、砲撃をうまく制御しなければならない。現代で言えば、飛んでいるミサイルをミサイルで撃ち落とそうとする話とほぼ同じである。隣国との関係で日本でも何度か話題になっているように、これは決して容易なことではない。

とはいえ、標的位置の推定は確率的問題であり、確率的問題の解析は、すでに数学者として歩みだしていたウィーナーの得意とするところだった。実際、ウィーナーの初期の業績は、ブラウン運動の確率論的解析である。水中で花粉から流出した微粒子は、熱運動する無数の水分子とぶつかって不規則に動く。この現象をブラウン運動というが、ウィーナーは、ブラウン運動する粒子の位置が一定時間後にどこにあるかという問題を、確率過程として定式化したことで知られていた。

ブラウン運動する粒子に比べれば、航空機の未来の位置ははるかに絞り込みやすい。航空機には種々の力学的制約があり、UFOでもなければブラウン運動のようなランダムな動きは不可能だからである。一方で、航空機は人間によって操縦される。位置の推定にとって、この点はかなり不利に働く。粒子と違って操縦士は知的だから、できるだけ動きを予測されないように努めるだろうし、高射砲からの砲撃が始まれば、その特徴を理解して避けようともするだろう。

実際、これはかなり複雑な問題である。それでも彼らは航空機の過去の動きから未来の位置を予測するための数学的モデルをつくりだすことに成功した。少なくともウィーナーは、そう信じることができた。だがこの件に関して彼が提出した報告書は、複雑な数式に埋もれた非常に抽象度の高いもので、他者にはほとんど理解されなかった。肝心の高射砲の改善にも至らず、事実上、失敗に終わったのである。[8]

こうした不幸にもかかわらず、この研究で彼らが得た洞察が、のちにサイバネティクスへとつながる先の論文を生み出すことになる。その種となったのは、「フィードバック（feedback）」という概念である。

フィードバック・ループの力

航空機の操縦では例として心もとないので、現代人にもっと身近な自動車の運転で説明しよう。右方向にややカーブした道路を自動車で走行するとき、運転者はハンドルをやや右方向に切る。この運転操作を、純粋にハンドルを回転させる角度によって決定する運転者はそうはいない。実際にどれだけ曲がるかは、ハンドルの回転角度だけでなく、そのときの走行速度や道路状況、ステアリングシステムの調整具合など、運転者が特段意識しないものまで含めて、さまざまなものに依存するからである。

実際の運転者は、自身のハンドル操作の結果として現実にどれだけ自動車が曲がりつつあるかを逐次把握しながら、ハンドル操作を微妙に調整し続けるだろう。そうすることで、首尾よくカーブを曲がっているはずである。

同様に、航空機の操縦士は、自身の操縦の結果に応じて、次の操縦を調整する。この繰り返しによって航空機は飛行している。ウィーナーらが得た洞察の一つは、この点にあった。

実は、航空機を撃ち落とそうとする側、つまり、高射砲を制御する側も同じような調整が必要である。実際の機械の作動は、油の差し具合や気象条件によって微妙に変化する。理想とわずかでも異なれば、砲弾の到達位置は大幅にズレてしまう。高射砲の命中率を上げるには、高射砲の実際の向きや角度を検知し、理想との差を計算して、再度向きや角度を調整したり、砲弾を打ち出す速度を調整したりする必要がある。[9]

機械の動きを制御するための命令を「入力」、機械の実際の動きが「出力」であるとすれば、これは出力に応じて入力を調整するということである。もし何らかの要因で出力の結果に過不足があるなら、その過不足分に応じた入力を再度与える。その出力の結果にまた過不足があるなら、それに応じた入力を再度与えてやればよい。

フィードバックとは、このように出力の結果を入力側に返すことで、理想的な状態をつくりだそうとする機構（メカニズム）のことである。

対空高射砲によって航空機を撃ち落とそうとするとき、こうしたフィードバックのループはいくつも存在している。航空機を制御するためのループだけではない。実際に砲撃が始まれば、航空機の制御の仕方を制御するためのループと、高射砲を制御するためのループや、高射砲の制御の仕方を制御するためのループも顕在化することになるだろう。たとえば、それまで右旋回していた航空機は、次の砲弾を避けるために左旋回に変更するかもしれない。いったん砲撃が始まれば、航空機はそれに応じて飛行の仕方自体を変える可能性が高い。ウィーナーたちが当初取り組んだ航空機の位置予測の問題は、このレベルのフィードバックを問題にしていたわけである。

ちなみに通常の砲弾は、発射後にその進行方向を変えることはできない。だが現代の多くのミサイルは、目標に向かって飛行中に経路を調整する「誘導ミサイル」である。それが可能であるのも、対象との距離が縮まるように飛行中にフィードバック機構を働かせているからである。

このように、それがどのようなものであれ、何らかの理想的な状態をつくりだそうとするとき、フィードバック・ループは現実的な力をもつ。入出力の調整を繰り返すことで、そこにどんな障害があろうとも、着実に理想へと向かっていく力をもっている。

ここでひとつ、重要なことを指摘しておこう。フィードバックという機構にとっては、目指されている状態と現実の状態との差だけが問題なのであって、その差がどのような要因によって生み出されているかということは、まったく問題ではない。高射砲の動きが潤滑油の不足によって鈍っているのか、可動部に入り込んだ砂によって鈍っているのか、それは問われる必要がない。そうした要因は、フィードバック・ループによる制御の機構とは、直接関係がない。

ある事象は、どのような要因によって、どのように変化するか。一般に、科学者の思考はそのように展開するものである。しかし重要なものに限っても、それをすべて調べ上げることは容易ではないし、そうした精緻な分析は、とくに戦時のような生死が問われる切迫した状況下では、無用の長物となる可能性が高い。生きること、生き残ることにとって、要因の判別は必須のことではない。現実の状態を「制御」することこそが重要である。

フィードバックという概念には、現実の状態を制御するための「実用性の科学」とでも呼ぶべきものを生み出す力が秘められていた。ウィーナーの戦時研究は、過度に数学的で、抽象度が高く、その実用性が活かされずに終わってしまったが、これはまったくの皮肉である。

行動、目的、目的論

実はフィードバックという機構自体は、ウィーナーたちの発案ではない。それどころか、とくに工学分野では以前からよく知られており、当時においてさえ、制御装置として一部商用化までなされていた。

では彼らの論文「行動、目的、目的論」の新しさはどこにあったのか。

それは、フィードバックという機構を、文字通り「行動、目的、目的論」といった概念と不可分の普遍的機構として再提起したところにある。だからこの論文には、数式は一つも出てこない。工学的文脈に縛られずに、行動と目的に関する一般科学の基盤として、フィードバック機構を見ようとしているからである。

工学的文脈からの離脱にあたって大きな役割を果たしたのは、医学博士のローゼンブリュートである。彼が加わったことで、生命現象におけるフィードバックの役割が見えてくることになった。

手がかりとなったのは、フィードバック機構の不具合として知られていた「発振」という現象である。先ほどは、まるで万能の機構であるかのように述べたが、実際にはフィードバック機構にも弱点がある。フィードバックに一定の遅延が伴う条件下では、入出力の制御が結果として過剰に働き、振動してしまうのである。行き過ぎ、戻り過ぎが継続的に発生し、一定の状態に収束しなくなってしまう。

ウィーナーたちは、ローゼンブリュートに対して、この「発振」と同等の現象が人体でも見られないかと尋ねた。たとえば、鉛筆を拾いあげるような動作において、行き過ぎ、戻り過ぎを繰り返してしまうような病理学的現象である。これに彼はすぐに返答することができた。小脳にある種の障害がある患者は、まさにそのような症状が見られる、と。[10]

これによって、彼らは生命現象においてもフィードバック機構が働いているという確信を得ることができた。人体に発振と同等の現象があるということは、人体にもフィードバック機構が潜んでいる可能性が高いということである。我々が普段、床に落ちた鉛筆をうまく拾うことができるのは、鉛筆と指先との距離が徐々に縮まるように、フィードバック機構をうまく働かせているからだと考えることができる。意識するとしないとにかかわらず、筋肉と神経系は、フィードバック機構を具現化した「循環する過程[11]」として機能しているという見立てである。

こうして執筆されたのが、「行動、目的、目的論」という論文である。生物や機械の目的に向かう動きは、ともにフィードバック機構によって記述できる。彼らはこの論文で、フィードバック機構を共通の基盤とする、新しい科学的探究領域が存在しうることを示そうとしたのである。

サイバネティクスの誕生

そして数年後、その新しい科学的探究領域として実際に構想されたのが「サイバネティクス」という学問である。サイバネティクスという言葉は、操舵手（そうだしゅ）、つまり「船の舵（かじ）をとる人」を意味するギリシア語の「キベルネテス」に由来する。少なくとも現在一般に通用する意味としては、ウィーナーが自著のタイトルとして用いたのが最初である。

ウィーナー自身によるサイバネティクスの定義は、日本語版のまえがきに、以下のように整理された形で掲載されている。

われわれの状況に関する二つの変量があるものとして、その一方はわれわれには制御できないもの、他の一方はわれわれに調節できるものであるとしましょう。そのとき制御できない変量の過去から現在にいたるまでの値にもとづいて、調節できる変量の値を適当に定め、われわれに最もつごうのよい状況をもたらせたいという望みがもたれます。それを達成する方法が Cybernetics にほかならないのです。[12]

これは一般化された定義なので、少々わかりにくいかもしれない。語源となった操舵手を例として、具体的に考えてみよう。

操舵手の場合、制御できないものは水の流れ、制御できるものは舵である。操舵手は、刻一刻と変わる水の流れに合わせて舵をうまく操作し、航路を進んでいくことが求められる。サイバネティクスは、これを達成する方法として考えられている。航路を外れないように、あるいは目的地へとたどり着くために、フィードバック機構が介在する必要があることは明らかだろう。

この定義から言えるのは、サイバネティクスという学問は、まずもって行動の科学として考えられているということである。さらに言えば、それは闇雲に動くという意味での行動ではなく、目的に向かう行動である。

科学にとって「目的」という概念は、長らく一種のタブーであったということは強調しておかなければならない。アリストテレスの時代から、目的のある行動は目的そのものによって理由づけられてきた。健康のための散歩は、健康になるという目的のために、鉛筆を拾うための行動は、鉛筆を拾うという目的のために、といった具合である。それ以上の理由づけは不可能か、不適切だったのである。このように目的との連関で事象を説明しようとする考え方が「目的論」であるが、自然現象も含めたすべての事象を目的との連関で捉えるなら、目的を定めるものとしての神のような存在が要請されることになる。目的という概念が科学にとっての鬼門であることがわかるだろう。

しかしウィーナーたちは、目的や目的論という言葉の使用をはばからなかった。フィードバック機構の普遍的役割が理解されたことで、「目的のある行動はいかにして可能か」という問いの正当性が見出されているからである。むしろ先の論文で目指されていたのは、状況を逆転させ、「目的のある行動（purposeful behavior）」や「目的論的（teleological）」という言葉を、フィードバック機構の存在と等価することであったと言える。[13]

これによって「目的」という得体の知れない概念が関与すると思われてきた事象を、機械論的に記述することが可能になるということが、決定的に重要である。初期サイバネティクスの独自性は、フィードバック機構を「目的論的」機構として位置づけることで、それまでの科学には存在し得なかった「目的論的機械論」という領野を開いたところにある。

機械文明の頂点へ

目的論的現象を機械論的に記述できるということは、原理的にはそれを実現する機械をつくりだすことができるということである。操舵手の勘や経験に頼ってきた舵の制御は、機械によって自動化することができる。同様に、自動的に目標を追尾する誘導ミサイルも可能であるし、飛んでいる虫を舌で捕らえるカメレオンも、床に落ちた鉛筆を拾う人間も、機械的に実現できるということになる。

これは直接には機械の精神化であり、機械の人間化、あるいは機械の生命化である。しかしその結果として、我々の深層では逆方向の変化、つまり、精神の機械化もまた促されるということに気づかなければならない。

このことを明確に意識し、むしろこの精神の機械化の方を積極的に推進しようとした人物がいた。神経生理学者のウォーレン・マカロック（Warren S. McCulloch）である。

先に述べたように、サイバネティクスはウィーナー一人によってではなく、多数の人間が関与する同時代的な企てとして生まれた。サイバネティクスという学問の誕生にあたってとくに中心的な役割を担ったのは、のちに述べる通称「メイシー会議」である。マカロックは、この会議の議長を務めたほどの人物で、その彼の思想がよく表されているのが、本章扉にも記した以下の言葉である。

説明されるべきことを行う機械をつくれば、神の奇跡に対するうわべだけの許可証は、すぐに剝奪できる。[14]

「神の奇跡」とは、それまで生命や精神の働き自体に対して抱かれてきた神秘の感覚、神の奇跡とし か言いようのない不思議さにほかならない。それが機械として実現可能であることが明らかにされることで、それらがもっていた神秘性は消失し、奇跡ではなくなるという。さらに、そうした奇跡なるものは「うわべだけの許可証」によって当座、存在していただけであり、奇跡などという称号は早急に剝奪されるべきだという心情も読み取れるだろう。

二〇世紀半ばの時点では、その時代精神はともかくとしても、人類のテクノロジーのレベルは依然として未熟であり、このような不遜な態度は一笑に付すこともできたかもしれない。しかし現代は実にさまざまな機械が実際に作製される時代である。しかもそうした機械は着々と我々の生活空間に入り込んできている。掃除機ロボットは主人が留守の間に部屋を綺麗にしてくれるし、家に帰ればひと声で明かりをつけてくれたり、好みの音楽を選定して流してくれたりする機械がある。そうした高度な機械がすぐそこにある時代が、すでに到来している。

マカロックが期待したように、それに付随して人々の感覚から生命や精神に対する神秘の感覚は失われつつあるように思われる。機械の精神化が精神の機械化へと反転し、我々を含めて、すべては機械であるという認識が急速に力を持ちつつある。

こうした「人間・生物＝機械」という感触こそ、サイバネティクスが広く世界にもたらしたものの本質である。現代情報社会に浸透しているコンピューティング・パラダイムは、人間・生物機械論と完全に共鳴している。人間や生物は機械である、との考えに、理性的に反論するのは容易ではない。それだけに、とくにインテリたちにとっては、これは拒否し難い現実観となっている。

現代の我々は、まさに神をも畏れぬ、機械文明の頂点へと向かっているのである。

この先には何があるのか。我々の未来は、このままシンギュラリティまで一直線に繋がっているのだろうか。面白いことにシンギュラリティのような言説では、空席となった神の座に再びつこうとしているのは機械であるように見える。超知的なＡＩは、スーパーインテリジェンスとして、神として崇められる存在になるのだろうか。

シンギュラリティの議論の背後にあるコンピューティング・パラダイムは、人間・生物機械論の思想と不可分であり、それらを導いたのがサイバネティクスという学問である。だがその同じサイバネティクスという学問が、まったく正反対の思想をも生み出しているということは、一般にほとんど知られていない。サイバネティクスはコンピューティング・パラダイムの起源でもあるが、実はもう一つのパラダイムの起源ともなっている。

本書では、そのもう一つのパラダイムを「サイバネティック・パラダイム（cybernetic paradigm）」と呼ぶことにして、次章以降、論じていくことにしよう。コンピューティング・パラダイムが人間・生物機械論であるのに対し、サイバネティック・パラダイムは、なんと人間・生物非機械論である。

第2章 制御と循環のはざまで

胚胎された岐路

このようにして新しい科学、サイバネティクスに貢献したわれわれは、控え目にいっても道徳的にはあまり愉快でない立場にある。

ノーバート・ウィーナー

サイバネティクスという学問は、相反する二つのパラダイム、コンピューティング・パラダイムとサイバネティック・パラダイムを導いた。本書の主題であるサイバネティック・パラダイムは、コンピューティング・パラダイムのアンチテーゼとして、ウィーナーその人のうちに胚胎されていた思想に端を発し、初期サイバネティクスからの分化というかたちで結実する。

本章では、初期サイバネティクスに内包された相反する思想と、その一方がもう一つのサイバネティクスとして結実する直前までの経緯を、駆け足で見ていこう。

1　フォン・ノイマンの論理

神経活動＝論理演算

前章では、サイバネティクスの起源となった論文として、ウィーナーたちの「行動、目的、目的論」を取り上げた。すでに述べたように、サイバネティクスにはもう一つ起源となった、同じく一九四三年発表の論文がある。あのマカロックと、若き天才ウォルター・ピッツ (Walter J. Pitts) によって著された「神経活動に内在する観念の論理的計算法」[1]という論文である。

難解なタイトルではあるが、彼らの主張の骨子はすでにそこに表れている。端的に言えば、「神経活動と論理演算は形式として同じである」という主張である。

彼らの主張を読み解くために、先に神経活動について少し見ておこう。

神経活動の基本的な単位は、ニューロンと呼ばれる神経細胞に生じる一過性の電気的な「発火」である。ニューロンの発火は、そのニューロンへの刺激が一定値（閾値(いきち)）以上であれば発生し、それ未満なら発生しないという特性がある。ニューロンに対して刺激があっても、発火の閾値に達していなければその刺激は無に等しい。逆に閾値に達していれば、刺激の大きさによらず、発火はつねに最大のものとして生じ、それ以上には大きくならない。

つまりニューロンは、刺激に反応して完全に発火するか、まったく発火しないかのどちらかである。これが「全か無かの法則」として知られるニューロンの基本的性質である。

ニューロンは、他のニューロンとシナプスと呼ばれる特殊な接合部を介してつながっている。各々のニューロンは、入力側のシナプスによってつながった他のニューロンの発火によって刺激を受ける。もし他のニューロンからの刺激がトータルとして閾値に達していれば、そのニューロンは発火する。そして今度は、出力側のシナプスと結合した他のニューロンに対して刺激を与える側になる。こうしてつながり合った多数のニューロンによって生じる発火の連鎖の総体が、すなわち神経活動であると理解されている。

マカロックとピッツは、ニューロンの発火が全か無かの法則によることから、個々のニューロンを「真か偽か」、「イエスかノーか」を判定できる形式論理的な命題とみなせることに着目した。するとシナプスを介してつながり合う複数のニューロンは、論理式として理解できる。ニューロン（N1）が発火する場合を「真」、発火しない場合を「偽」とすれば、たとえばシナプス前のニューロン（N1）が発火するときにシナプス後のニューロン（N2）が発火するなら、「N1が真であれば、N2も真であ

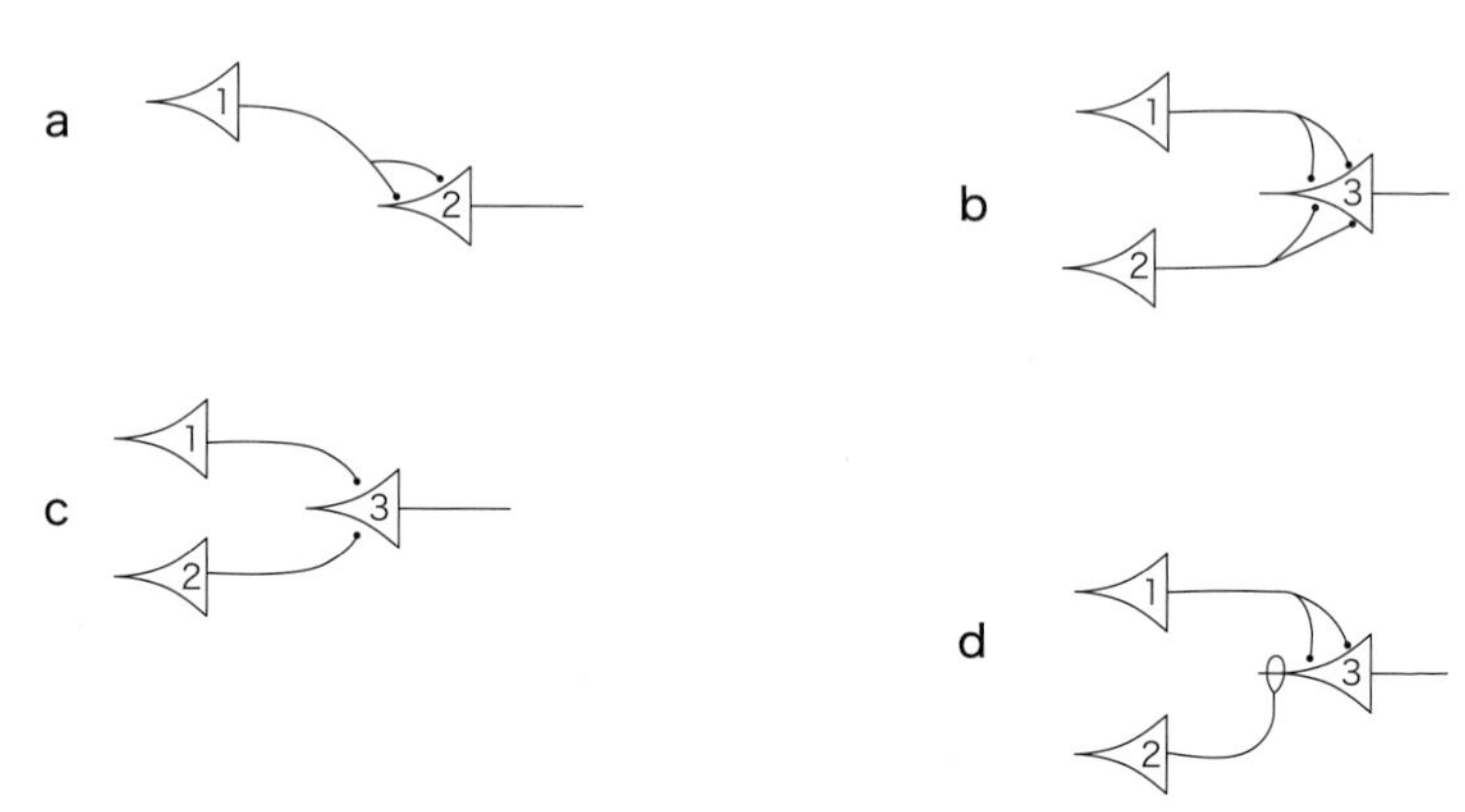

図2-1：形式ニューロンによる論理関係
（McCulloch, W. S., & Pitts, W., 1943, p.130, fig.1をもとに作成）

る」という論理式が成立していることになる。

彼らの論文には、このように形式的に捉えられたニューロン間の論理的関係が図示されている（図2―1）。「N1が真であれば、N2も真である」という最も単純な関係を表現しているのがaである。bは、シナプス前のニューロンが二つ（N1、N2）ある場合で、「N1またはN2が真であれば、N3も真である」という論理和（OR）の関係を表している。同様にcは「N1が真かつN2が真」という論理積（AND）の関係を、dは「N1が真でありN2が真ではない」という論理差（NOT）の関係を表している。ここでは閾値に達する刺激が二本の矢印として表現されていることがわかるだろう。

論理差の関係は奇妙に思えるかもしれないが、刺激を抑制するタイプのシナプスを想定したものである。これは実際に存在する。もっとも、実際の神経系の作動はさらに繊細かつ複雑である。全か無かの法則が成立しない場合があったり、閾値に達する刺激であっても反応しないタイミングがあったりする。閾値もニューロンによって異なるし、ニューロンやシナプスの形状も変化する。マカロックとピッツの議論は、本来はあくまでニューロンの形式的な理解に基づく「形式ニューロン」としてのものである。

このようにかなり単純化されたものであるとはいえ、マカロックとピッツのこのモデルによって神経活動が論理演算として見えてくるということが重要である。それによって、神秘的でさえある脳神経系の現象が、形式論理学の問題として解けるかもしれない、ということになってくるからである。

精神の情報処理モデル

神経活動の形式論理学への変換可能性は、さらに大きな意味をもっている。それは当時まだ開発途上にあったデジタルコンピュータとの関係から明らかになる。

神経活動が論理演算であるならば、形式ニューロンは0か1を入出力する論理素子と同じである。また、そうしたニューロンをつなぎ合わせた神経回路は、論理回路にほかならない。そして最も重要な点は、そうしたニューロンのネットワークは「計算することができる（computable）」。つまり、マカロックとピッツの論文は、のちにオートマトンの理論として確立されることになるコンピュータの抽象的モデルを、神経生理学の観点から先取りするものだったのである。

この点に着目したのが、のちにコンピュータの父と呼ばれることになるジョン・フォン・ノイマン（John von Neumann）である。フォン・ノイマンはかねてからウィーナーと親交があり、マカロックとピッツの論文を彼が読むきっかけを与えたのもウィーナーであったとされる。ウィーナーは、マカロックと専門領域が近いローゼンブリュートを通じて彼らの研究を知っていた。

サイバネティクスの揺籃期に、こうしてフォン・ノイマンがそこに加わったことの影響は計り知れないほど大きい。そのままでは精神の論理的、抽象的モデルに過ぎないマカロック－ピッツのモデルは、フォン・ノイマンによってデジタルコンピュータという具体的な形を与えられることになった。精神の働きを脳神経系における情報の機械的処理とみなす「精神の情報処理モデル」の原型が、ここに誕生したことになる。マカロック－ピッツの抽象的な精神のモデルが、フォン・ノイマンの具体的な機械としてのコンピュータと結びつくことで、「我々の精神の働きはコンピュータにおける情報処理と同じである」と捉えるコンピューティング・パラダイムの思想が、圧倒的な現実味を帯びて出現することになったのである。

情報理論で知られるクロード・シャノン（Claude E. Shannon）ものちにこの流れに加わり、サイバネティクスと機械的な情報処理との結びつきは決定的なものとなる。『マトリックス』の悪夢や、天才ホーキングの警告まで、ここから一直線につながっている。もちろん、もう一つのサイバネティクスへと至る小さな分岐を無視すれば、であるが。

このような経緯を踏まえれば、コンピューティング・パラダイムの本丸は、ウィーナーというよりもフォン・ノイマンにあることがわかるだろう。神経生理学の研究としては埋もれかねなかったマカロックとピッツの主張は、デジタルコンピュータの文脈からフォン・ノイマンによって掬い上げられたのである。コンピューティング・パラダイムの一般への浸透はまだかなり先のことであるが、少なくとも科学者たちの間では、フォン・ノイマンを通じて精神の情報処理モデルは広く受容されていく。

フォン・ノイマンは、第二次世界大戦中、弾道計算を行うためのデジタルコンピュータの開発に携わっていた。弾道計算という比較的単純な目的を考えれば、現在のＡＩのような機械の精神化はまだまだ先のことである。それに対して、彼がマカロック－ピッツのモデルに大きな関心を抱いたという事実は、コンピューティング・パラダイムの核となった科学者たちの思考をよく表している。一般の人々とは逆に、科学者たちの間では、機械の精神化よりも精神の機械化の方が圧倒的に先行していたのである。

フォン・ノイマンが開発を指揮したコンピュータの完成は戦後になるまで待たなければならなかったが、その後、機械の精神化の方も徐々に進行していく。ＡＩ研究は、一九五六年のダートマス会議の場において公式に開始され、マカロック－ピッツの形式ニューロンのモデルは、そのまま「マカロック－ピッツモデル」として広く知られるようになった。近年の第三次ＡＩブームの核はディープラーニングと呼ばれる手法にあるが、それへと至るニューラルネット研究の起源は、まさにこのマカロック－ピッツモデルにある。[2]

新たな人間・生物機械論

サイバネティクスは、マカロック－ピッツモデルとフィードバック機構が出会ったところに生み出された学問である。ではこの二つの研究に共通するものとは何だろうか。

端的に言えば、それは「新しい機械論」の可能性である。ウィーナーたちは、人間や生物の目的論的現象の中に、フィードバックによる制御が潜んでいることを見出し、フィードバック機構によって実現される「目的論的機械論」という新しい科学的探究領域を示そうとした。同様に、マカロックとピッツは、精神現象をつくりだすニューロン・ネットワークの中に形式論理学が潜んでいることを見出し、フォン・ノイマンのデジタルコンピュータによって具現化される「情報処理的機械論」に光を当てることになった。つまり両者とも、新しいタイプの人間・生物機械論の可能性に、新時代の夢を見たのである。

両者の間には相補的関係を見ることもできる。ウィーナーたちのフィードバック機構は、目的論的機械論という形で「生物＝機械論」の大枠を保証しているのに対し、マカロック－ピッツモデルは、フォン・ノイマンのコンピュータと結びつくことで「人間＝機械論」に具体的な輪郭を与えている。あるいは、フィードバック・ループが全体からのトップダウン的制御機構であるのに対し、形式ニューロンから始まるマカロック－ピッツモデルはボトムアップ的な制御機構であると言ってもよいかもしれない。いや、人間の身体に当てはめてみれば、前者は個々の筋肉や神経系の作動に、後者は中央制御的な頭脳に相当すると言えるから、トップダウン、ボトムアップという見立ては逆にすることもできる。

いずれにしても、サイバネティクスはこの二つを車の両輪として、人間と機械、生物と機械を同一の「システム（system）」とみなす新しい学問的潮流を生み出した。システムという言葉は、対象をその構成要素に還元するのではなく、全体としての機構（mechanism）、すなわちメカニズムに注目することを含意している。人間・生物と機械は、その構成要素が違っても、同一のメカニズムで理解できる同一のシステムとみなされる。この意味でも、サイバネティクスが新しい機械論（mechanism）であるのは当然ということになる。

ただし、ここでメタファーとなる「機械」は、それまでの機械論とは大きく異なっていることに注意が必要である。サイバネティクスでは、人間や生物は一種の「情報処理機械」として捉えられる。カントの時代の時計のメタファーや、産業革命時代の蒸気機関のメタファーから、ウィーナーのフィードバック機構、あるいはフォン・ノイマンのコンピュータのメタファーへと、移行するのである。哲学的言説としての人間・生物機械論それ自体は、かなり古くから存在している。しかし、時計や蒸気機関のような機械がメタファーである間は、それはあくまでメタファーであり、想像力によって多くを補う必要があった。ところが、情報処理機械という新たな機械は、その精妙さからメタファー以上のものとして機能し出す。人々はまさに機械そのものとして人間や生物を捉えるようになっていくのである。

実際、現在の人間・生物系の諸科学は、情報処理機械としての人間および生物という理解の基本線上にある。とくに精密な科学であろうとする分野ほど、それを強調する傾向にあると言ってよい。典型的なのは生物学である。たとえば、一九四〇年代に勃興した分子生物学が提示する生命観は、明確に分子的情報処理機械としてのそれである。ＤＮＡの二重らせん構造の解明と、それに続くＤＮＡ塩基配列の解析やその編集の技法は、まさに情報処理機械としての生物という見方を体現している。分子生物学はサイバネティクスとほぼ同時期に成立した学問であり、直接の因果関係を指摘することは難しいが、サイバネティクスを生み出したのと同じ機械論的な時代精神は共有されていたとみて間違いない。

実際、分子生物学の勃興に大きな役割を果たしたマックス・デルブリュックは、のちに述べるサイバネティクスの連続会議、通称メイシー会議に招待されている。残念ながら彼自身はサイバネティクスの重要性を理解できなかったが、彼に期待された役割は後にジャック・モノーが果たしたと言える。モノーは大腸菌におけるタンパク質合成のフィードバック的制御機構を解明し、一九六五年にノーベル賞を授与された。「微視的サイバネティクス」という言葉によって、その分子的制御の精妙さを示しているのが印象的である。

もう少しマクロな領域では、たとえば進化生物学者のエルンスト・マイアがいる。彼は目的論と機械論を調停する概念として、意識的に「プログラム」という言葉を用いた。もっと直接的に機械的に生物を再現しようとする研究も生まれている。ロドニー・ブルックスの虫水準のロボットたちは、掃除機ロボットとなってすでに我々のすぐ近くにいる。

さらに、コンピュータ上で生命を構成しようとする「人工生命（artificial life）」と呼ばれる研究領域もある。ＡＩ研究の開始から遅れることおよそ三〇年、米国ニューメキシコ州のロスアラモス国立研究所で国際会議が開催され、この新しい研究の開始が宣言された。会議を組織したクリストファー・ラングトンにそのきっかけを与えたのは、「ライフゲーム（Conway's Game of Life）」と呼ばれるある種のコンピュータ・シミュレーションだが、これはフォン・ノイマンが始めた「セル・オートマトン」の一種である。

フォン・ノイマンが晩年に力を注いだのは、ＡＩではなく、機械としての生物の謎に迫る自動機械（オートマトン）というテーマだった。とくに彼は細胞状（セル）の要素から成る「セル・オートマトン」と呼ばれるモデルを構築し、単純な要素から生まれる全体のふるまいをシミュレーションすることで、自己複製する機械というアイデアを追究した。このセル・オートマトンを引き継ぐように誕生したのが、人工生命という研究領域である。

セル・オートマトンでは、単純な論理的規則に従うだけの個々の要素が、その集合として面白い現象を見せる。一歩一歩、淡々と進行する機械的処理の結果として、魅惑的なパターンが出現する。形式ニューロンのネットワークによって出現する精神というアイデアとちょうど同じように、単純なセルの相互作用によって生み出される集合的現象として生命が考えられたわけである。両者とも、０と１に還元される論理演算によってあらゆる情報処理を行う論理マシンとしてのコンピュータのイメージと、ピッタリ重なっている。

フォン・ノイマンの見た世界は、論理による構築物としての秩序立った世界である。彼はまったく楽観的に、生物と機械、人間と機械の同等性を論理の力によって証明しようとした。彼自身、超人的な計算力や記憶力をもち、その思考はコンピュータのようだったというから、それも当然かもしれない。

コンピューティング・パラダイムを導いたサイバネティクスというイメージは、かなりの程度、こうしたフォン・ノイマンの世界観に由来している。それは人間および生物を情報処理機械とみなす機械論の新しいバージョンであり、その完成形と言っても過言ではない。それだけに、この人間・生物機械論は、現在に至るまで科学の基調をなしている。

2 ウィーナーの憂慮

メイシー会議の学際性

このようなフォン・ノイマン流の力強くも冷たい論理的世界像に、誰もが賛同していたわけではない。何と言っても、サイバネティクスの名付け親たるウィーナー自身、自分もそれに加担しているにもかかわらず、その影響力を憂慮していた。

コンピューティング・パラダイムのアンチテーゼとしてのサイバネティック・パラダイムの起源はここにあるのだが、その話に入る前に、少し時間をさかのぼって、サイバネティクスを生み出すことになった伝説的なメイシー会議について概観しておこう。サイバネティクスが他に類を見ないほど広範な影響力をもつ学問となった背景に、この会議の特殊性を見ることができるからである[3]。

メイシー会議の正式名称は「生物学と社会科学におけるフィードバック機構と循環的因果律システムに関する会議」といい、一九四六年三月八日から九日の日程で最初の会合が開かれた[4]。これはその後、一九五三年までの間に全十回開催された連続会議である。メイシー会議というのは通称で、ジョサイア・メイシー二世財団の後援を受けたことに由来する。開催地は、最終回を除いてすべて米国ニューヨークである。

会議名に「生物学と社会科学における」とあるように、参加者の属性は実に多様である。数学者や工学者、神経生理学者など、サイバネティクスの起源となった二つの論文と関係の深い分野の者たちだけでなく、心理学者や人類学者、社会学者など、人間科学や社会科学を専門とする者たちもそこに含まれていた。

メイシー会議の特徴は、この学際性にある。旧来の学問分野に縛られず、柔軟な思考を行うことのできる各分野の第一級の学者たちが、そこに集まったのである。

参加者の名を具体的に挙げてみよう。まず二つの論文の著者たち、ウィーナー、ビゲロー、ローゼンブリュートに、マカロックとピッツ、それに先に言及したフォン・ノイマンやシャノン、さらに医学・生物学分野からラファエル・ロレンテ・デ・ノやローレンス・キュビー、心理学分野からクルト・レヴィンやヴォルフガング・ケーラー、そして社会科学分野からグレゴリー・ベイトソンやマーガレット・ミードといった面々である。すでに述べたように、議長を務めたのはマカロックである。

　全十回のうち、最も熱気を帯びていたのは最初の会合だったと言われている。そこで二つの論文の著者たちの主張とフォン・ノイマンのデジタルコンピュータについての見解が混ぜ合わされ、多様な分野の参加者たちに提示されることになった。それは新しい人間観、生物観の可能性を示すものであり、人間科学や社会科学を専門とする者たちにも非常に刺激的なものとして映った。実際、最初の会合から数ヵ月後には、社会科学に的を絞った会議も開催され、タルコット・パーソンズなど戦後のアメリカ社会学を代表する者たちにも影響を与えることになった。

サイバネティクスという名はまだ生まれていなかったが、当初からそれは自然科学や工学といったいわゆる理系分野に限った話ではなかった。もしもサイバネティクスの本質が、フィードバック機構やコンピュータといった単なる機械であったなら、その影響力はもっと限定されていただろう。それらが人間や生物の理解という根本的問題と結びついて、コンピューティング・パラダイムやそれに即した新しい機械論ないしシステム論として受け止められたからこそ、多様な分野の研究者たちがそれに魅了されたのである。

余談だが、それに比べて昨今流行りの学際性は、その多くがせいぜい二つか三つの既存学問の協力といった程度のものであり、それらに共通する思想的基盤や、逆に本質的に矛盾する点などについては大して注意が払われていないことがほとんどであるように見える。

制御のための科学

ウィーナーの『サイバネティクス』の公刊は、このメイシー会議の期間中にあたる一九四八年のことである。すでに述べたように、サイバネティクスがもたらしたものは単なる機械ではなかったが、しかしもちろん機械の高度化を促す面もあった。むしろ一般には、その点で評価されたと言える。その証拠に、ウィーナーはしばしば「自動制御の父」とも呼ばれる。サイバネティクスによって機械の自動制御が進み、肉体労働だけでなく頭脳労働の機械化もなされるようになったという評価である。ウィーナー自身、サイバネティクスがもたらす産業的インパクトの大きさを自覚し、「第二次産業革命」[5]という言葉でそれを言い表してもいる。

だがそこに負の側面はないのだろうか。第一次産業革命によってなされた肉体労働の機械化は、いわゆる人間疎外という状況を生み出した。ではサイバネティクスによる頭脳労働の機械化は、一般の人々の生活にどのような影響を与えるだろうか。ウィーナーの憂慮の発露は、直接的にはこの点にあった。

機械による人間疎外という状況を告発した作品を一つだけ挙げよと言われれば、チャップリンの『モダン・タイムス』を思い浮かべる人が多いかもしれない。歯車に流されるチャップリンの滑稽な姿は、見るものに強い印象を残す。しかしこれは一九三六年の作品だから、サイバネティクスの登場以前のものである。サイバネティクス以後のそれにあたるのは、カート・ヴォネガット・ジュニアの長編小説『プレイヤー・ピアノ』という見方が有力だろうか。[6]

ヴォネガットは、とくに一九六〇年代から七〇年代にかけて、米国の学生たちに多大な影響を与えた作家として評価が高い。私はもっと後の世代だが、やはり学生時代に読んだ憶えがある。日本では、村上春樹や太田光を通じて彼の作品を知った読者も多いかもしれない。

そのヴォネガットの処女作として、一九五二年に出版された作品が『プレイヤー・ピアノ』である。この作品の主人公たちは、反機械の革命を企てる。その宣言文を読み上げるのは、皮肉なことに「フォン・ノイマン教授」である。いわく、「わたしはここに提案する。人間を機械の制御者として仕事にもどらせ、機械による人間の制御を縮小させよう」。[7]

ここで告発されている問題は、「機械による人間の制御」である。

先に述べたように、メイシー会議には人間科学や社会科学を専門とする者たちも多数参加していた。では彼らの議論には、この問題が含まれていたのだろうか。サイバネティクスの負の側面として、人間や社会が抱えることになるかもしれないこの種の問題に彼らは向き合っていたのか。

残念ながら、そうとは言えない。メイシー会議に参加した人間科学者や社会科学者たちは、新しい機械との関係で、一般の人々や社会がどのような影響を受けるかという問題を議論していたのではない。当時はまだ機械の精神化は緒についたばかりだから、無理もないことである。むしろこのタイプの議論は、高度な機械が身近になりつつある今日よくあるタイプの議論である。

当時の彼らの議論の対象は、もっと直接的だった。つまり、人間と機械との関係ではなく、人間や社会そのものが、機械として考えられたのである。まさに人間＝機械論であり、社会＝機械論ですらあった。

なんと冷淡な態度か、と思われるかもしれないが、それで彼らを糾弾するのはお門違いというものである。時は第二次世界大戦の終結直後、米国本土の被害はほとんどなかったとはいえ、世界を見渡せば戦争の惨禍は至る所に残っていた。飢餓、貧困、生態系の破壊といった問題もありふれていた。そうした状況を生み出したのは人間たちであり、その社会である。人々の暴走を食い止め、地球規模の破綻を回避したい。彼らはそうした心情から、「人間科学や社会科学を精緻にする」という使命に燃えていたのである。[8]

彼らの人間・社会機械論の核にあったのは、「適切な制御」という考え方である。機械であれば制御できるはずであり、それによってより良い状態をつくりだすことができるはずである。人間の感情を適切に制御できれば、戦争や暴動を食い止めることができるかもしれない。社会や生態系を適切に制御できれば、貧困の発生や環境破壊を回避できるかもしれない。

要するに、メイシー会議の参加者たちは、機械による人間の制御を問題にしたのではなく、むしろ人間や社会を機械として、適切に制御しようとしたわけである。彼らにとってサイバネティクスとは、何よりも制御のための科学だったのである。

だが問題は、この「制御」という発想それ自体にある。たしかにメイシー会議の参加者たちは、まったくの善意によって人間や社会の制御を企図したのだろう。しかしいかに善意であろうとも、とりわけ人間に対する制御には一種の非人間性が宿る。

作家であるヴォネガットは、この点をよく見抜いていた。『プレイヤー・ピアノ』で描かれている世界は、第三次世界大戦後の平和な世界である。新しい機械や効率的な組織形態のもと、人々は規格化された住宅を得て、一見して何不自由のない生活を送っている。多くの労働が機械化され、人々が働く必要はほとんどなくなっている。にもかかわらず、人々は決して満たされていない。酒浸りで、生きがいを失っている。

その世界で働く必要があるのは、技術者、管理者、官僚といった一握りのインテリたちだけである。彼らは自らを律し、その他の人々の生活を適切に制御すべく、懸命に働いている。

メイシー会議もまた、超一流の学者たちが集まった、インテリたちの会合だった。

人間の人間的利用

サイバネティクスの産みの親たるウィーナーは、端的に言って困惑していた。

一貫して表明されているのは、一般の人々が被るであろう、失業問題に対する憂慮である。機械はその働きとしては奴隷と同じであり、それと競争せざるを得ない人間は実質的に奴隷となってしまう。肉体労働に加えて単純な頭脳労働まで機械化されるとなると、その影響は計り知れない。それに比べれば、「恐慌でさえ愉快な遊び」[9]だとウィーナーは言う。

これはつまり、機械が人間化することで、人間が機械化される側面があるということである。人間を直接的に機械とみなして制御しようとしなくても、こうして人間の制御は進行していく。直接的であれ間接的であれ、結局のところサイバネティクスは「人間の制御」という問題にたどり着いてしまう。

ウィーナーはこの問題とどう向き合ったのか。サイバネティクスの一般向け解説書として書かれた『人間の人間的利用』（邦訳タイトルは『人間機械論』）の初版には、次のような熱い文章がある。

私は本書を、人間のこのような非人間的な利用（inhuman use of human beings）に対する抗議に捧げたいのである。なぜなら私は、人間に対しその全資質より少ないものを需め、実際の資質より少ないものしかもっていないものとして人間を扱うような人間の利用は、いかなるものでも、一つの冒瀆であり一つの浪費であると信ずるからである。[10]

これは彼の良心から発せられている一種の人間讃歌だろう。素直に捉えれば、人間の制御とは「人間に対しその全資質より少ないものを需め、実際の資質より少ないものしかもっていないものとして人間を扱う」ことにほかならない。だとすれば、ウィーナーはサイバネティクスに内在する「人間の制御」という方向性に反対だったのではないか。

だが彼は、サイバネティクスが人々の助けとなることを望んでいた。そう信じようとしたと言った方が正確かもしれない。先の引用文では「人間のこのような非人間的な利用」という部分にそのヒントがある。「このような」という言葉で指示されているのは、一言で言えば、権力者による人間の奴隷的扱いである。ここでは過酷な肉体労働だけでなく、単純な頭脳労働も含めて考えられている。つまり直接には、工場などで単純作業に従事させられることの「非人間性」が告発されているのである。しかし、いまやサイバネティクスによって肉体労働だけでなく単純な頭脳労働も機械化できる。人間がそのような奴隷的扱いを受ける必要はなくなる、というわけである。

ここにあるのは矛盾である。サイバネティックな機械は、たしかに奴隷的扱いを受ける人間を解放するかもしれない。しかし同時に、そうした機械と競争せざるを得ない人間は、再び奴隷と同じく制御されてしまうだろう。冒瀆や浪費として糾弾されている「人間の非人間的利用」は、サイバネティクスがもたらしてしまうものでもある。

ウィーナーは、サイバネティクスがこうした諸刃（もろは）の剣（つるぎ）であることを理解していた。人間的良心から、その両義性に当惑していた。それが表れているのが、本章扉に記した次の言葉である。

> このようにして新しい科学、サイバネティクスに貢献したわれわれは、控え目にいっても道徳的にはあまり愉快でない立場にある。[11]

とはいえ、「制御」という発想それ自体には深い洞察は見られない。ウィーナーにとっての一般大衆とは、他のインテリたちの暗黙的な了解と同じく、救ってやるべき存在だった。あえて明言してしまえば、適切な制御によって、それは可能なのである。『人間の人間的利用（*The human use of human beings*)』というタイトルにも、そうした姿勢が表れていると言えるかもしれない。これは権力者によってなされる「人間の非人間的利用」に対する意味で付けられているとはいえ、「利用」という言葉には明らかに上から目線の気配がある。

問題は、「制御」という発想に潜む、一種の暴力性なのである。

一般に、制御が普通の意味での機械に対してなされるのであれば何も問題はない。むしろ適切に制御できない機械など、不要であるばかりか危険ですらある。暴走する自動車や抑制の効かない電子レンジは人を殺しかねないから、適切に制御されなければならない。

しかしこの制御が、生物や、とりわけ人間に対してなされるとき、そこに倫理的問題が発生する。それが善意からであろうとなかろうと、個人の自由や自律といった、我々の基本的信念が脅かされるのである。

しかし、サイバネティクスが人間・生物機械論であり、制御の科学である以上、人間や社会を他の機械と同じように制御してはならないという道理はない。ウィーナーは、権力者によって「人間は、或る高級な神経系をもつ有機体といわれるものの行動器官のレベルにひき下げられてしまった[12]」と言い、権力者による「人間の機械化[13]」を危惧しているが、科学としてそれをするのがサイバネティクスなのである。サイバネティクスによる人間の機械化とその制御という問題を、彼は奴隷と権力者という闘いやすい問題にすり替えてしまっている。

結局のところウィーナーは、サイバネティクスに内在するこの根本的問題に正面から向き合わなかった。いや、科学者として、それに向き合う術(すべ)がなかったのである。

ウィーナーの議論には、たしかに彼の人間的良心が反映されている。だがそれは、強いて言えばただ感傷的な個人的理念でしかない。学問的な議論としては、それで済ますことはできない。先の人間讃歌を第二版で削除してしまったのは、そのためかもしれない。

サイバネティクスに内在する人間の機械化と人間の制御という問題を回避するには、人間が機械と異なることを示さなければならない。しかし科学として、むしろ人間と機械は同じであると宣言したのがサイバネティクスである。ウィーナー個人の良心とは裏腹に、先の書の邦訳タイトルが『人間機械論』とされてしまったのは強烈な皮肉である。

サイバネティクスの主流は、この人間機械論のまま二一世紀の今日まで来てしまった。ＡＩが台頭し、ビッグデータが解析されて、個々の人間がさまざまに制御される社会が到来しようとしている。

メイシー会議に参加したインテリたちの多くが、今日見られるようなサイバネティクスの応用を楽観的に希求したのに対し、ウィーナーは科学者としての見解と人間としての良心の間で板挟みになったまま、問題を解消するための具体的な術を見出すことはついにできなかった。

ちなみに、作家としての慧眼（けいがん）と言うべきだろうか、ヴォネガットの物語でも、すべてのインテリたちが機械化された体制に満足するわけではない。一部の者は思い悩み、体制に反旗をひるがえして、反機械の革命を主導する。しかし、それも失敗に終わる。

サイバネティック・パラダイムの起源

とはいえ、ウィーナーの考え方にまったく希望がなかったわけではない。それどころか、今日から見れば、サイバネティクスの分岐の芽は、彼の良心の中だけでなく、彼の思想の中にすでに用意されていたように見えるのである。

手がかりとなるのは、やはり制御という概念である。本書では、ここまでサイバネティクスが制御の科学であることを強調してきた。しかしウィーナー本人は必ずしもそれにこだわっていたわけではない。むしろ彼は、制御という概念をもっと広い文脈で捉えていた。

まず彼にとって制御とは、それ単独ではなく、「通信（communication）」と一体となったものだった。この学問を世に初めて提示したウィーナーの書『サイバネティクス』の副題は、「動物と機械における制御**と通信**」（強調は筆者）である。フィードバック制御は、出力の結果を入力側に返すことで目的の状態に近づいていく仕組みだが、「出力の結果を入力側に返す」には、通信が必要である。

そして通信によってやりとりされるのが「メッセージ（message）」である。たとえば、右に行き過ぎていれば左方向に、左に行き過ぎていれば右方向に、といったメッセージが通信される。何らかの理想的な状態をつくりだそうとするとき、フィードバック制御のメカニズムはたしかに強力である。だがそれをうまく機能させるには、こうしたメッセージが欠かせない。

ウィーナーは、初期の頃からこれらのことに気がついていた。「制御工学と通信工学との問題が、たがいに切りはなし得ないこと、またこれらの問題が電気工学の技術のみに関するものではなく、むしろメッセージという、はるかに基本的な概念に関するものであるということ」[14]を理解し、制御の理論をメッセージの理論の一部として捉えていたのである。

メッセージという概念によって、制御はあくまでその一形態、つまり、命令形のメッセージによってなされるものとして見えてくる。通信という概念も、命令形のメッセージによる制御よりもずっと広い文脈に置かれることになる。[15] 日本語で「通信」というと、電気工学の話として受け止められてしまうが、そのまま「コミュニケーション」と訳せば、社会科学もその射程に含まれることがわかるだろう。要するにウィーナーの視線は、制御工学や計算機科学の範疇（はんちゅう）に収まりきらない、広い意味での「情報学」の方へと向いていたのである。

さらに注目すべきは、制御という概念そのものを取り巻く、ウィーナーの暗黙的な世界観である。これについては情報学者の西垣通が深い考察を加えている。[16]

そもそもサイバネティクスという学問の目的は何だっただろうか。ひとまずはこれまで通り、「制御のため」と言っておこう。対空高射砲の制御という問題をきっかけとしていることからしても、その目的はやはり制御である。しかし、いったい何のための制御だろうか。

対空高射砲に限って言えば、「航空機を撃ち落とすため」である。だがなぜ撃ち落とす必要があるのかと言えば、自分たちが「爆撃されないようにするため」であり、戦争を「生き延びるため」である。サイバネティクスという名称の由来となった、船の操舵の場合はどうだろうか。舵をうまく操作して「航路を進んでいくため」であり、航海を無事成し遂げて、やはり「生き延びるため」である。

つまりサイバネティクスは、生き延びるための制御の科学であり、生きるための学問である。制御と言っても、全体の管理者としての視点から、世界を制御しようと企てているのではない。現実の不確かさに対処するため、制御できるものを制御して、生き延びようとするのである。制御できない水の流れに、制御できる舵によって立ち向かっていく方法が、サイバネティクスなのである。

ここにウィーナーとフォン・ノイマンの世界観の違いが表れている。両者はサイバネティクスという学問をつくり、その発展を支えた二本柱であるが、この二人の世界観は著しい対照をなしている。

先述のようにフォン・ノイマンは、淡々と進行する論理の構築物として世界を捉えた。イメージは、論理マシンとしてのコンピュータである。フォン・ノイマンにとっての世界とは、極論すれば一つの巨大なコンピュータであり、あらゆる現象はその機械的処理である。そしてその仕組みに精通することが、すなわち世界の制御可能性を高める方法である。

それに対してウィーナーは、世界の不確かさに目を向ける。ウィーナーにとって世界とは、理路整然としたものではない。不完全で、非合理的でさえあり、それに立ち向かっていくために確率論がある[17]。戦時中のウィーナーが、航空機の位置予測を確率的問題として解いていたことを思い出して欲しい。高射砲を構える者にとって、未来の航空機の位置は不確かなものであり、あくまで確率的に推測するしかない問題だった。

それだけではない。確率はつねに全体分の何かであるが、その全体を見通すことができないのが我々の世界である。未来の航空機の位置予測も、別の地点からそれを観測している者にとっては異なるものとなるかもしれない。撃たれまいとする航空機の操縦士なら、なおさら異なる未来を描くだろう。そこにあるのは、世界のすべてを見通す一つの視点ではなく、それぞれが置かれた場において何とか生き延びようと苦闘する、個々の行為者の視点である。

西垣は、ここにウィーナーの世界観の特徴を認め、次のようにまとめている。

ウィーナーが暗に仮定している世界とは、一元的な神の視点から俯瞰的に描写される世界ではなく、無数の「誰か」が眺めている世界の集まりである。（中略）つまり、サイバネティクスで想定されているのは、単なる確率的世界ではなく、あえて言えば、生き延びるための視点からみた個々の生命体の多元的世界に他ならないのである。[18]

これこそが、ウィーナーの思想に胚胎された、サイバネティック・パラダイムの核となる世界観である。フォン・ノイマンのコンピューティング・パラダイムと袂（たもと）を分かち、サイバネティック・パラダイムとして開花することになる、その思想の起源がここにある。サイバネティクスが別方向へと分化する未来は、このようにして準備されていたのである。

ただし、これは現在から遡って捉えることのできる彼の暗黙的な世界観であって、ウィーナー本人がそれ自体を学問的に展開させたとは言いがたい。それは無理もないことである。多元的世界を認めることは、唯一無二の真理の探求者を自負する科学者にとって、自己矛盾的な危うい態度だからである。

今日でも、唯一の客観世界を相手にするのが科学者としての正統（オーソドックス）的な態度である。一元的世界への信仰こそ、科学者として生きていくための免許状であると言っても過言ではない。[19] フォン・ノイマンに限らず、およそ科学者である限り、その信仰を放棄することは通常考えられない。

ウィーナーもまた例外ではなく、この意味でオーソドックスな科学者だった。科学者として、一元的な世界観を手放すことはできなかった。それがインテリ的な制御の思想や、「人間の利用」のような上から目線の態度へと通じているのだとしても、それは崇高な科学の営みに比べれば、瑣末（さまつ）な問題である。

ウィーナーはサイバネティクスの創始者として、それを通常の科学の範疇に収めようとするだけでなく、サイバネティクスが精密な科学の一つであることを願っていた。精密な科学は、観察される現象が観察者から離れている分野でこそ、その成功を収めてきたと彼は言い、一例として天文学を挙げている。対照的に、「観察者と観察される現象との結合を最小にすることが最も困難になるのは社会科学においてである」[20]と述べ、サイバネティクスの社会科学への安易な応用を警戒した。

皮肉なことに、これはサイバネティック・パラダイムとしてのちに明らかになる「観察」という問題系を先取りしている。社会科学への応用という局面に限らず、後述のようにサイバネティクスそのものが、実は「観察」という問題系と無関係ではいられない。いまから見れば、彼の多元的世界観はその表れであると言ってよい。

まだ水面下にあるとはいえ、ウィーナーの思想は、たしかにサイバネティック・パラダイムの起源だったのである。

3　ベイトソンの調和

メッセージとメタ・メッセージ

フォン・ノイマンの世界観と相容れない思想の持ち主だったのは、ウィーナーだけではない。

サイバネティクスによって作り出されたコンピュータによって、われわれの生きる世界を硬直化してしまうのだったら、なんのためのサイバネティクスか分かりません。[21]

これはウィーナー同様、メイシー会議の主要な参加者でありながら、サイバネティクスの影響力を憂慮したグレゴリー・ベイトソン（Gregory Bateson）の言葉である。彼はウィーナーよりも明確に制御の思想を危惧し、理念としてだけでなく、学問的にも反制御の科学の方へと向かう多くのアイデアを生んだ稀有な人物である。

ベイトソンの父ウィリアム・ベイトソンは遺伝学者で、メンデルの法則で有名なグレゴール・メンデルにあやかって彼をグレゴリーと名付けたらしい。しかし当の本人の興味は生物学には収まり切らず、人類学、社会学、精神医学など、実に多様な分野で活躍した人物である。それだけに彼の業績を要約するのは極めて困難だが、ここでは新しいサイバネティクスの胎動を感じる話題に的を絞ることにして、まずは「論理階型」について語ってみよう。

「論理階型（logical types）」とは、哲学者で数学者、論理学者でもあるバートランド・ラッセルが、自己言及に関わる論理的パラドックスを回避するために編み出した論理の一種の解釈法である。

よく知られた「嘘つきのパラドックス」という問題で考えてみよう。これは「私は嘘をついている」と言う人物を信用できるかという問題である。もし信用できると考えるならば、「私は嘘をついている」という言明は正しいことになり、この人物を信用できなくなる。しかし信用できないと考えるならば、「私は嘘をついている」という言明は正しくないことになり、嘘をついていないことになるから、この人物を信用できることになる。どちらにしても、信用できると信用できないの間で堂々巡りが発生してしまうという問題である。

このようなパラドックスを避けるため、「あるレベルの集合の正当な要素は、すべてそのすぐ下のレベルに属している必要がある」と考えたのがラッセルである。嘘つきのパラドックスの場合、当の人物の言明の集合に「私は嘘をついている」というような言明に関する言明を含めてはならない。言明の言明は、ただの言明よりもレベルが上であるから、区別する必要があるという考え方である。

通常、サイバネティクスはラッセルの解釈に従い、論理階型の混同を禁止する。論理的パラドックスに対して、コンピュータはイエスとノーの間で振動してしまうからである。この種のパラドックスによってＡＩやロボットが混乱するシーンはＳＦでもお馴染みだろう。制御の理論としてのサイバネティクスは、これを避けなければならない。

ベイトソンも論理階型を意識したという点では同じである。サイバネティクスの用語で言えば、メッセージとメッセージに関するメッセージ、すなわち「メタ・メッセージ」との区別を重視した数々の研究を行った。

有名なダブルバインド状況の分析はその典型である。[22] たとえば、母親が子供に「あなたのことを愛しているわ」というメッセージを発したとする。子供はそれを真に受けて抱きつこうとするが、母親は身体をこわばらせてしまう。これは愛のメッセージが憎悪のメタ・メッセージと衝突する例である。このような状況に置かれた子供は、自分も母親を愛すべきという命令と、愛してはならないという命令との間に拘束（バインド）され、いずれ精神病理的な症状を呈するようになってしまう。

この状況を脱するために必要なのは、自らが直面している矛盾自体を理解して、それについてのメッセージを発することであるとベイトソンは言う。しかしそれは、こうしたダブルバインド状況に置かれ続けた子供にとっては容易なことではない。だからその子供一人の精神疾患にフォーカスするのではなく、母親を含めた「家族」というコミュニケーション・システム全体のあり方にアプローチしなければならない。これがのちに「家族療法」の発展を導くことになる考え方である。

ここで論理階型に対するベイトソンの態度は、数学者や工学者のそれとはかなり異なっていることがわかるだろうか。メッセージとメタ・メッセージを区別するのは同じだが、単純にその混同を禁止するというよりも、むしろその全体をまとめて理解することを重視している。この点で、彼の議論は通常のサイバネティクスを超えて行くのである。

そもそも現実世界では、論理階型が複雑に絡み合うパラドックス的な状況は稀なことではないし、しかも悪いこととも限らない。ベイトソンは同様の構造を、たとえば動物が行う遊びや、人間のユーモアなどにも見出している。哺乳類の子供は概して遊び好きで、一見するとそれは闘いのように見えるが、遊びの場でやりとりされているのは単純な闘いのメッセージではない。「これは本当の闘いではない」というメタ・メッセージによって裏打ちされた闘いのメッセージである。

ベイトソンは、パラドックスを避けようと制御するのではなく、むしろパラドックスによって生じるある種の創造性を重視したと言うことができる。論理階型の絡み合いを切断して制御するのではなく、全体としての調和を得るにはどうしたらよいかという発想である。

制御の切断性

制御に対するベイトソンの問題意識は、サイバネティクスという学問それ自体にも向いている。

コンピュータの操作を例に考えてみよう。私はいま、ワープロソフトを使ってこれを書いている。私がコンピュータに対してキーボードで入力を与えると、内部で情報処理が行われ、モニター上に文字が出力される。そのようにして「私がコンピュータを制御している」と考えるのが普通の見方だろう。

それに対してベイトソンは、より大きな全体に着目する。この場合、私とコンピュータを一つのユニットとして考えるのである。すると制御という様相は消え、より大きな循環が見えてくる。すなわち、私の思考の変化が指の動きの変化を生むと、キーボードの状態が変化する。するとコンピュータ内に電気信号が発生し、諸々の処理へと連鎖して、モニター上の文字となって映し出される。それは私の網膜の状態を変化させ、私の思考の変化を生み、再び指の動きへと続いていく。ここにあるのは、コンピュータというシステムを制御する私ではなく、私というシステムを制御するコンピュータでもなく、両者が一つになった循環である。

システムは、その外部環境から切断して見たときに初めて制御されるシステムとして見えるのであって、システムとその環境という、より大きな関係性の全体を眺めれば、それ自体が大きな循環するシステムとして見えてくる。だからベイトソンは、サイバネティクスをシステムの制御ではなく、循環するシステムの理解をめざす学問として位置づけ直す。これまでのサイバネティクスは、制御という概念を重視することで、システム全体ではなくその一部を切断して見てしまっていたのだと言うのである。[23]

これは「自己（self）」の問題ともつながってくる。我々は普段、自己の境界は生物としての身体的境界にあると考えているから、人間を一つのシステムとして見ることに抵抗はない。しかしベイトソンは、人間を一つのシステムとして、あるいはコンピュータを一つのシステムとして見るのではなく、両者が一体となって作動しているその全体を一つのシステムとして見るように促す。

ここで勘違いしてはならないのは、ベイトソンはコンピュータと一体となった一種のサイボーグを自己として規定するわけではないということである。もしそうなら通俗的なサイバネティクスのイメージとも重なってくるが、それは彼の真意ではない。

ベイトソンは、杖を使って歩く盲人の例でそれを語っている。その人の自己は、杖の先から始まるのか、それとも杖の柄と皮膚の間か、あるいはどこかその中間か、と問いただし、どのように考えるとしても、自己というものの境界線を引こうとする限り、「盲人の動きを決定するシステム全体のサーキットを切断してしまう」[24]と指摘する。

つまり彼は、もはやどこかに境界を持つ自己なるものを見ていない。道の凹凸や障害物まで含めて、盲人の歩行に関係するサーキット（回路）の全体がシステムなのであって、それを理解することこそが重要だと考えている。そこに自己や制御といった概念を持ち込むと、理解すべきシステムの全体を恣意的に切断することになってしまう、と。

制御や自己という概念に潜むこうした切断性は、人間が自分自身を制御しようとする場合でさえ当てはまるとベイトソンは考えている。面白いのは、それをアルコール依存症の分析に応用してみせる点である。アルコール依存症の患者は、アルコールの誘惑に打ち勝つべく、自己を制御しようと努力するが、大抵はうまくいかない。なぜなら、彼らはアルコールや周囲の人間たち、その他の環境などからなる、より大きなシステムの一部としてすでに組み込まれているからである。そのようなシステムの中で自己を鼓舞して制御しようと努力しても勝ち目はない。そうした自己制御への期待は、西洋に特徴的な自己なる観念と強く結びついている、とベイトソンは批判的に見ている。

余談だが、では依存症からの脱却法としてどのような方策があるのかというと、まずは強い自己であろうとすることを諦めてシステムに降伏すること、それから彼が注目しているのは、自分をより大きなシステムの一部として考える、ある種の宗教的な方法である。[25]

制御という概念によってなされる全体からの切断は、その対象を入出力マシンとして捉えることでもある。全体から切断することで、どのような入力を与えると、どのような出力が返ってくるかという見方が生まれる。制御という概念は、そうして人間と機械を並置し、人間対機械、人間対環境、人間対人間といった対立を生み出してしまう。しかし少し視野を広げれば、そこにあるのは循環である。だからベイトソンは制御ではなく、循環による全体の調和を目指すのである。

精神の生態学

ベイトソンのシステムや自己の捉え方は、そのまま「精神（mind）」と呼ばれるものの理解にもつながっている。彼にとって精神とは、一人の人間に局在するものではないし、脳神経系と等値されるものでもない。先の議論によれば、一人の人間やその脳神経系は、恣意的に囲い込まれたシステムであり、本当に理解すべき全体から切断されたものに過ぎない。

ベイトソンいわく、精神とは「相互作用する部分（構成要素）の集まり」[26]である。何とも抽象的な定義だが、要するにこれまで述べてきたような大きなシステム全体が、すなわち精神である。「調和的にはたらく一つの大きなアンサンブル――試行錯誤の原理で動き、創造性を持つその全体――にこそ、精神は宿る」[27]と考えられている。

ここで思い出してほしいのは、彼にとってシステムとは、そのとき関係している全体であって、その多くが特定の状況に即した暫定的なものだということである。コンピュータと人間が織りなすシステムは、それが一体となって作動している限りそのシステムである。杖を頼りに歩く盲人のシステムは、歩くのをやめたとたんに消え去る運命にある。

そうしたシステムは、何層にも折り重なってさまざまなスケールで存在している。一個の体細胞をめぐるシステムから、多数の人間が織りなす複雑なコミュニケーション・システム、果ては生態系全体の進化というスケールまで、さまざまなシステムが同時に存在し、そのそれぞれが精神的特性をもっていると考えられている。

精神の生態学という言葉は、このような精神の捉え方に由来している。何層にも折り重なった多様な精神が調和的に働く世界、それがベイトソンの見ている世界である。

肝心な点は、そうした「精神として見た世界」[28]は、物理的世界とは異なる「差異（difference）」の原理によって成り立っているという点である。

ベイトソンに倣って、きこりが斧で木を切るシーンを思い浮かべてみよう。[29]きこりは直前の一振りによって木に作られた切り目を目掛けて、斧を振っていく。この切り目は、同じ木の表面上で、他とは異なる部分として、つまり差異として存在している。この差異は、きこりの網膜に差異を作り出し、彼の脳内の差異へと変換される。通常の言葉で言えば、きこりによって見られ、認識される。するとそれが彼の筋内に差異を作り出し、斧の動きの差異となる。つまり、そこを目掛けて実際に斧が振られ、その結果として、木に再び差異が作られる。

きこりによる木の伐採は、このように差異が別の差異に変換されながら巡っていくシステムとして理解される。きこりが認識する、きこりが木を切る、という捉え方は適切ではない。精神とは、きこりが持っているものではなく、循環するシステムの全体に宿っているものであり、そこを巡っているのが差異であるという。

ベイトソンは、こうした理解のもとに「情報」を定義する。すなわち、情報とは「差異を生む差異(A difference which makes a difference)」[30]である。

ベイトソンが見ているのは、「差異こそがはたらいて結果を生んで」[31]いく世界であり、つまりは情報的世界である。彼はそれを「クレアトゥーラ」と呼び、もう一つの世界である「プレローマ」との区別の重要性を説いている。プレローマとは、従来の科学がもっぱら相手にしてきた物理的世界であり、「力と衝撃が物事の原因となる世界」[32]である。言うまでもなく、ベイトソンにとってサイバネティクスとは、クレアトゥーラを相手にする科学である。

プレローマとクレアトゥーラという世界の区別は、オカルティックな心理学者として有名なユングに由来する。詳細は割愛するが、この用語自体の出自は、さらにグノーシス主義にまで遡るという。グノーシス主義とは、古代地中海世界の宗教思想で、今日の神秘主義の源流の一つとしても知られる思想である。

さて、そろそろ怪しげな雰囲気が漂ってきただろうか。ユング、オカルト、グノーシス主義、そして精神の生態学。それだけではない。メタレベルを学習するイルカや、幻覚剤の一つであるＬＳＤの効果に関する言及、禅を中心とする東洋思想への接近など、ベイトソンの思想は非常にユニークで魅力的だが、同時にサイバネティックな怪しさに満ちている。

実際、人と機械を一つの調和的システムとする捉え方は、通俗的なサイバネティクスのイメージを強化するものであるし、確固とした自己の否定は、ドラッグや瞑想によって自己が溶けていくような体験と接続され、サイバーパンク的世界観を支えることになった。生態系全体の調和を重視する考えも、エコロジーの思想やヒッピー文化と結びつき、怪しげなニューサイエンスの教説として祭り上げられてしまった感がある。

ベイトソンの思想は、サイバネティクスと連続的でありながら、まったく新しい要素をふんだんに含んでいる。彼は制御よりも循環に着目し、それによって生まれる調和を重視した。調和と言っても、一神教的な秩序立った調和ではなく、多様な精神が蠢（うごめ）くようなサイケデリックな調和である。今日におけるサイバネティクスのイメージが、フォン・ノイマン的な機械の冷たい論理に終始せず、カリフォルニアの白昼夢のような明るさと、オカルティックな生命感まで併せ持っているのは、もっぱら彼がもたらしたこうした思想のためである。

とはいえ、こうしたベイトソンの思想が以降の人々に体系的に受け継がれたかというと、残念ながらそうとは言えない。呆れるほど多くの分野を渡り歩いたベイトソンはたしかに知の巨人だが、その学問的影響力は限定的である。彼に続く展開は、各分野の個別テーマに終始しているものが大半で、ベイトソンという個人を超えた体系として彼の思想が受け入れられているとは言いがたい。体系としてのベイトソンの思想は、学問的に受容されたというよりも、文化的に消費されてしまったという方がはるかに正確である。

4　フェルスターの再帰計算

プロセスとしての認知

本章の最後に、学問としてのサイバネティクスを本当の意味で転回させることになる人物を紹介しておこう。オーストリア出身の物理学者、ハインツ・フォン・フェルスター (Heinz von Foerster) である。

ウィーナーに胚胎されていたサイバネティック・パラダイムは、フェルスターによってもう一つのサイバネティクスとして結実することになる。しかし本題となるそれは次章にまわすことにして、ここではその準備となった彼の前期の思想を確認しておこう。フェルスターの経歴は、サイバネティクスにもたらした「転回」に準じて、工学的なニュアンスの強い前期と、哲学的な傾向のある後期に分けて考えることができるからである。

ただし、彼の業績の前期と後期の間に思想的な断絶があるかというと、決してそうではない。サイバネティクスの思想史に詳しい橋本渉は、フェルスターが初期に探究した記憶をめぐる問題を一つの軸として、その連続性を説いている。[33] そこでここでも橋本が示す基本線に即して、フェルスターの前期に相当する思想を概観しておこう。

ウィーナーやフォン・ノイマン、ベイトソンとは違い、フェルスターはメイシー会議の初期メンバーではない。彼が会議に参加するようになったのは、一九四九年の第六回会合からである。しかしその後、議事録の編集にも携わり、サイバネティクスに精通する人物となっていく。

フェルスターとサイバネティクスとの関係は、「エビングハウスの忘却曲線」として知られる記憶実験の解釈がきっかけとなっている。今日でも勉強法や記憶法の本などでときどき言及されるこの実験は、被験者に無意味な音節を記憶させ、一定時間後にどれだけそれが残っているかを確かめるというものである。その結果として得られるのが忘却曲線で、最初の数十分でかなりを忘れ、その後はゆるやかに忘却していくことを示すものとなっている。

当初、この忘却曲線は数学的にうまく説明しきれないことが問題だった。結果的には、一定時間後にどれだけ覚えているかを確認するという実験手順そのものの中に、再学習というフィードバックが含まれていることがその原因だったが、この再学習を考慮に入れた新しい数学的モデルを構築し、実験結果に近い曲線を得ることに成功したのがフェルスターである。それがマカロックの目に留まったことで、彼とサイバネティクスとの関係が始まることになった。

フェルスターの数学的モデルの成功は、記憶の想起が再学習とセットであることを証明するものだったと言ってよい。考えてみれば当然のことだが、記憶の想起が再学習にもなってしまうという事実は我々もしばしば忘れがちである。たとえば子供の頃の記憶は想起するたびに強化され、しばしば改変さえされていく。過去の写真を見てみたら、自分の記憶とはかなり違っていたということはよくあることだろう。

それに対し、コンピュータにおけるデータの記録（セーブ）とその呼び出し（ロード）は、まったく異なっている。コンピュータでは、セーブしたデータはいくらロードしても変わらず、それが勝手に強化されたり改変されたりすることはない。よく使うデータがアクセスされやすいように調整されることはあっても、そのデータ自体が勝手に改変されることは決してない。もしそんなことが起こるなら、コンピュータによる情報処理は安心してできなくなってしまう。

こうした明らかな違いにもかかわらず、我々は普段、コンピュータによる情報処理のメタファーで、逆に自分たちの記憶を考えてしまっている。脳のどこかに不変的な記憶がしっかりと保持されていて、必要に応じてそれにアクセスしているという捉え方である。人間における記憶と想起を、機械におけるデータの制御と同じように理解してしまっているのである。

これはまさに初期サイバネティクスに特徴的な、コンピューティング・パラダイムによる脳の理解だが、それをいち早く批判したのがフェルスターだった。彼にとって記憶とは、それ単体として固定化されたデータなどではなく、想起や再学習と不可分な、ダイナミックな認知のプロセスとして存在するものである。したがって機械と人間を同じ枠組みで考えることはできない。機械における情報処理と、人間や生物におけるプロセスとしての認知を対比させるこうしたフェルスターの思想は、本書が主題とする科学としての人間・生物非機械論へとつながっていくことになる。

フェルスターにとって記憶研究とは、ダイナミックなプロセスとしての認知全体の中に位置付けられなければならないものである。橋本は、記憶をめぐるこうした問題意識が、循環的な認知プロセス一般の探究へとつながり、その延長線上にサイバネティクスの転回が導かれたとみている。[34]記憶という問題をプロセスとしての認知の全体から切り離してはならないというフェルスターの考えは、ベイトソンのシステム観とも類似している。しかしフェルスターは、認知プロセスの内的メカニズムにこだわり、その循環的作動にさらに迫っていく。その途上に現れるのが、次に述べる二種類の仮想的なマシンである。

トリビアル・マシンとノントリビアル・マシン

フェルスターは、プロセスとしての認知のモデルを探究する中で、さまざまなアイデアを提起し、思考実験を行っている。その中で最も有名なものが「トリビアル・マシン」と「ノントリビアル・マシン」という概念上の機械である。[35]

「トリビアル（trivial）」とは「単純な」という意味で、トリビアル・マシンとは単純な入出力マシンを意味する。「トリビアル」という言葉で実際に意味されている性質はこれから示すとして、ここではある入力xに対し、fという処理を行い、yという出力を行うトリビアル・マシンを考えよう（図2―2）。

このマシンの働きは、$y=f(x)$という数式で表せる。xとして何かを入力すると、yとして何かが出力される。この入出力関係を定めているのがマシンの機能（ファンクション）fであり、数学的には関数（ファンクション）fである。

このfは、基本的にマシンの製作者以外には自明ではない。fがわからない状態では、それがどんな働きをするマシンかわからない。そこでマシンを外部から観察することしかできない観察者は、このfを推定するために、さまざまなxを入力して、それに対応する出力yを確認していく分析作業が必要になる。

たとえばxとして1、2、3、4という数値を入力したとき、yとして2、4、6、8という数値が出力されたとしよう。この場合、fはxを2倍にする関数、すなわち$f=2x$と推定できる。fがわかれば入力から出力が予測可能であり、それは前に何を入力したかという履歴にも依存しない。1を入力すればいつでも2が出力されるし、3を入力すればいつでも6が出力される。これが「トリビアル」という言葉で意味されている性質の骨子である。

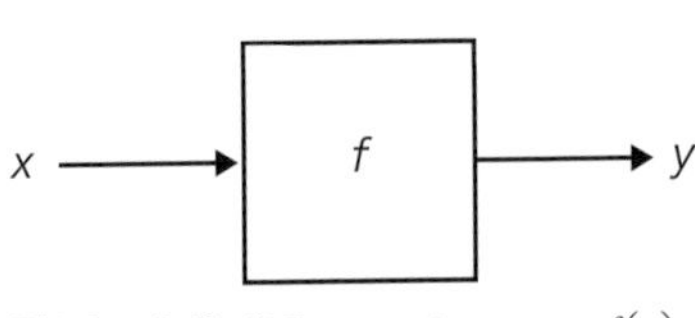

図2-2：トリビアル・マシン　$y=f(x)$
(von Foerster, H., 1970a=2003, p.140, fig.3をもとに筆者作成)

マシンの機能は、べつに数値処理でなくてもかまわない。たとえば電力と食パンを入力すると、熱と焼けた食パンを出力するマシンは、トーストするというfをもつトリビアル・マシンである。同様に、電力と25度という数値を入力すると、室温を25度にするという出力を行うエアコンもトリビアル・マシンである。

人間が必要とするマシンの多くはトリビアル・マシンであり、そうでなければ困ってしまう。こんがりと焼けた食パンを出力するはずのトースターが、ときどき焼けていない食パンを出力するのなら、そのマシンは壊れていると言われるだろう。

もう一つの装置であるノントリビアル・マシンは、この壊れたトースターに似ている。1を入力したとき、あるときは2を出力し、またあるときは3を出力するようなマシンである。ただし、マシンという言葉は、ここでは「きちんと定義された規則をもつ装置」という意味だから、壊れたトースターをノントリビアル・マシンと呼ぶのは語弊があるかもしれない。ノントリビアル・マシンは、規則通りに、一見、規則的とは思えないような働きをするマシンだからである。

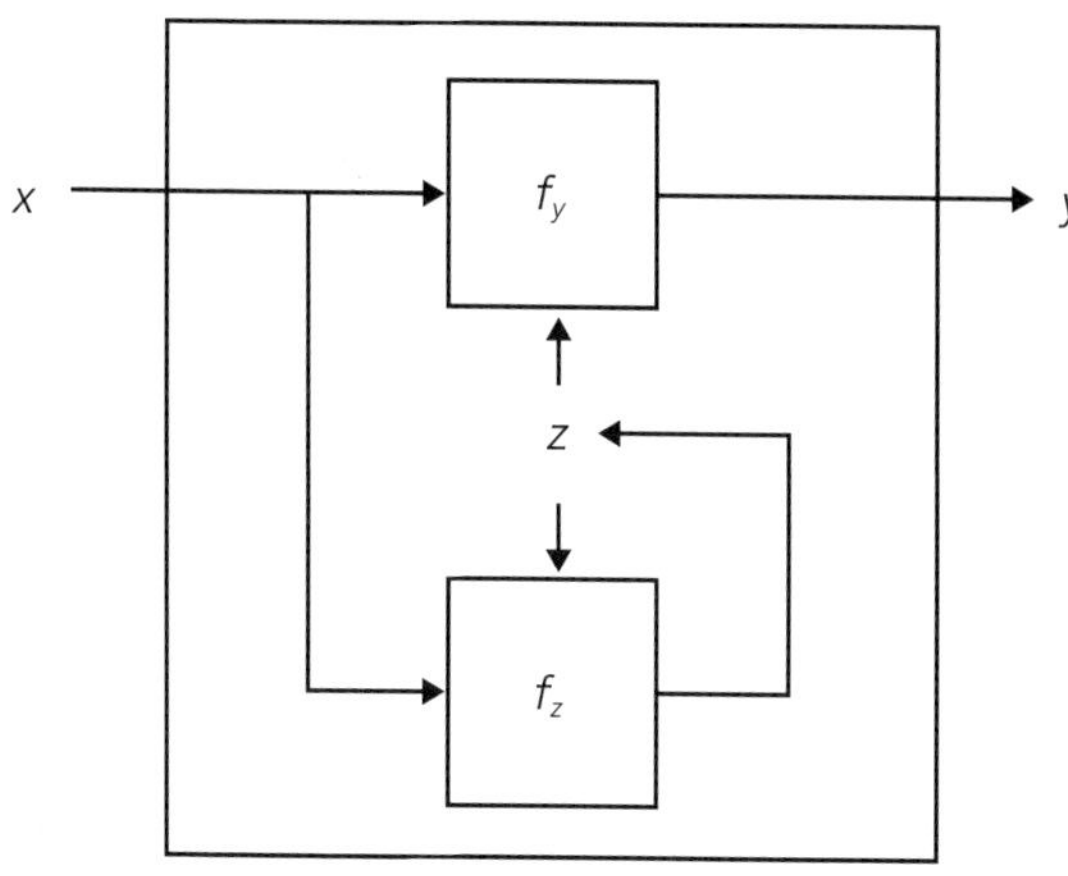

図2-3：ノントリビアル・マシン
$y=f_y(x, z)$;　$z'=f_z(x, z)$
（von Foerster, H., 1970a=2003, p.140, fig.3および1993=2003, p.311, fig.3をもとに筆者作成）

図で説明しよう（図２—３）。ノントリビアル・マシンも、入力 x と出力 y をもつ入出力マシンであることは同じである。違いは、内部状態 z をもつことである。内部状態 z は、マシンの入出力関係の決定に関わる。たとえば、z がⅠという値のときは、1を入力したときに2を出力し、z がⅡという値のときは、同じ1を入力しても3を出力する、といった具合である。この関係性は、x と z を入力として、y を出力する内部的なトリビアル・マシン f_y として記述できる。一方、内部状態 z の値は、入力 x とそ

のときの z 自身の値によって変化する。こちらは、x と z を入力として、次の時点の z（z' とする）を出力するトリビアル・マシン f_z として記述できる。つまりノントリビアル・マシンは、二つのトリビアル・マシンを内部にもつマシンと言うことができる。

計算の限界

ノントリビアル・マシンは、その名の通り単純（トリビアル）ではない。その動きを具体的に追うため、フェルスターが別の箇所で示している推移規則[36]を少し改変したものを表2—1に示そう。ここでは最低限のノントリビアル・マシンとして、ⅠおよびⅡという二つの内部状態をもつマシンを想定し、内部状態 z がⅠのときの推移規則を表の左側に、内部状態 z がⅡのときの推移規則を表の右側に記した。

では、このマシンに1を入力してみよう。内部状態 z がⅠのときもⅡのときも、x が1のときの y は0、つまり、出力は0である。同様に、2を入力すると、マシンはつねに1を出力する。ここまでは入力から出力が予測可能で、履歴にも依存しないから、このマシンはトリビアル・マシンのように見える。

しかし、3を入力すると事態は一変する。内部状態 z がⅠのときは0を、Ⅱのときは1を出力する。3を連続的に入力すると、マシンの出力は0、1、0、1、……と振動する。なぜなら、入力値3によって内部状態が変わるからである。次の時点の内部状態を示す z' がⅠ、Ⅱ、Ⅰ、Ⅱ、……と切り替わることに注目してほしい。

4を連続的に入力したときは、さらに不可解である。4を入力し始めたときに、内部状態がたまたまⅠであれば1が連続的に出力され、Ⅱであれば0が連続的に出力されるからである。

ノントリビアル・マシンの特徴は、このように入力から出力が予測困難で、その動きが履歴に依存するところにある。しかもここでは、マシン内部の推移規則が表２―１のようにすでにわかっているものとして説明した。つまり我々は、マシンのいわば製作者だったのである。問題は、このマシンを外部から観察することしかできない観察者が、表２―１のような推移規則をどこまで推定できるかである。

z＝Ⅰのとき			z＝Ⅱのとき		
x	y	z'	x	y	z'
1	0	Ⅰ	1	0	Ⅰ
2	1	Ⅱ	2	1	Ⅱ
3	0	Ⅱ	3	1	Ⅰ
4	1	Ⅰ	4	0	Ⅱ

表2-1：ノントリビアル・マシンの推移規則の例

この分析作業は、トリビアル・マシンのときのように個々の入力に対応する出力を記録するだけでは不十分である。ノントリビアル・マシンは履歴に依存するから、事前にどんな入力をしているときにどんな出力となるか、つまり、連続した入力系列に対応する出力系列を記録しなければならない。どの程度の長さを記録すべきかは、マシンの内部状態の数に依存するが、それ自体、外部から推定しなければならない。

ひとまず外部から定めることができるのは、取りうる入力の数と出力の数だけである。表２―１に示したマシンの場合、入力は1～4の4通り、出力は0か1かの2通りである。1つの入力に対して出力は2通り考えられ、そうした入力が4通りあるから、個々の入出力関係は全部で2の4乗、すなわち16通り考えられる。内部状態はこの入出力関係に影響してこそ意味があるので、有効な内部状態の数は同じく16である。表2―1は2枚の表でできているが、これを16枚分、考える必要があるということである。

しかも、その16枚の表それぞれに書き込むことのできる個々の入出力関係が16通りあるから、図2―3で示した内部的なトリビアル・マシンf_yとして可能な数は、16の16乗、すなわち18446744073709551616である。もう一つの内部的なトリビアル・マシンf_zを決定するのは、さらに大変である。次の時点の内部状態は16通り、それが4通りの入力それぞれに対応しうるから16の4乗、さらにそのそれぞれを現時点の16通りの内部状態に応じて考えなければならないから、そのまた16乗となり、10の77乗以上の数となる。

これは「計算の限界をこえている」[37]とフェルスターは言う。この世には、知ることのできないマシン、分析的に決定不能なマシンが存在する、と。

10の77乗という数は、本当に計算の限界を超えているのか、ちょっと考えてみよう。少し前まで世界最速と言われたスーパーコンピュータの「京」を使って、1秒間に1京回、つまり10の16乗回の計算をするとしよう。10の77乗回の計算には、10の61乗秒かかる。現在の宇宙の年齢と考えられている１４０億年は、秒に換算すると10の17乗のオーダーだから、宇宙の誕生直後から計算し始めたとしてもまったく歯が立たない。たしかに計算の限界を超えていると言えそうである。

再帰計算の渦の中へ

ノントリビアル・マシンでは、計算の結果を再び同じ計算にかける循環的な計算、「再帰計算

（recursive computation）」が行われている。この循環が一つ入るだけで、計算量が跳ね上がることは注目に値する。それだけで圧倒的な複雑さが出現するのである。

しかも先の例は、ノントリビアル・マシンとしてはかなり単純なタイプのものである。取りうる入出力の数が少し増えるだけでも、可能な組み合わせの数はさらにぐんと増える。もっと複雑な内部構造を考えることもできるし、複数のマシンが結合した関係を想定することもできる。

直感的には、認知の複雑さや精妙さ、あるいは生物の不思議さは、このあたりに由来しそうである。だがトリビアル・マシンとノントリビアル・マシンの区別を、そのまま機械と人間・生物の区別に結びつけるのは早計である。

たしかに再帰計算という循環が入ることで、可能性の幅は大きく広がる。しかし、単純に可能な組み合わせの数だけ比較するなら、チェスや囲碁の打ち手のパターンも負けてはいない。オセロですでに10の60乗、チェスでは10の１２０乗、将棋では10の２２０乗に達し、囲碁に至ってはなんと10の３６０乗である。先のノントリビアル・マシン同様、とてもしらみつぶしに当たることはできないオーダーである。[38]

あるいは、先ほど論じた「計算の限界」にも、異論があるかもしれない。たしかに現代のコンピュータの延長線上ではまったく歯が立たないが、未来永劫そうだろうか。まったく異なる原理のコンピュータ、たとえば量子コンピュータが十分に実用化されたなら、計算できてしまうかもしれない。

いずれにしても、数字の大きさだけで何か明確な区別を行うことは困難である。数字である限り、それはあくまで程度の差であって、機械と人間・生物を峻別する基準とは言いがたい。より生物的な機械や、より機械的な人間といった中間的な存在も考えられてしまって、結局は機械と人間・生物を連続の相のもとに見ていることになる。

実はフェルスターのここでの議論の力点は、機械と人間・生物の区別にあるのではない。彼がトリビアル・マシンとノントリビアル・マシンという二種類のマシンの観察から導く結論は、予想外なものである。

こうした観察によって、記憶と学習を探し求める問いは正反対の方向へと転換する。我々は、生物をトリビアル・マシンに変える環境のメカニズムを探すのではなく、環境をトリビアル・マシンに変えることを可能とする、生物の中のメカニズムを見つけなければならない。[39]

おそらくフェルスターにとっては、生物も環境も、ほとんどすべてがそもそも「単純ではない」という意味でノントリビアルである。その点、世界の不確かさに目を向けるウィーナーと似ている。ノントリビアルな世界に存在するノントリビアルであるはずの生物を、「トリビアル・マシンに変える環境のメカニズム」とは何のことか。これは条件反射の実験を思い浮かべるとわかりやすい。犬に餌を与える時にいつもベルを鳴らすようにすると、そのうちベルだけでよだれを垂らすようになる、という有名なあの実験である。

従来の研究では、この場合のベルのような環境のメカニズムによって生物のトリビアル化を行い、記憶や学習という能力を探ろうとしてきた。しかし本当に探究が必要なのは、ノントリビアルな環境をトリビアル化する、生物の側のメカニズムであるとフェルスターは主張している。犬はさまざまな環境に適応でき、たとえばベルの音を餌と結びつけることができる。同様に我々が「もうすぐ雨が降るだろう」とか、「あの人ならこうするだろう」といった予測が可能なのも、環境をトリビアル化しているからである。

ではそれを可能にするメカニズムとは、いったいどのようなものだろうか。

それこそがノントリビアル・マシンに内包された、再帰計算という循環的メカニズムなのではないか、と思うかもしれないが、残念ながらそう単純ではない。

実際、フェルスターの当初からの関心である記憶という能力は、ノントリビアル・マシンのメカニズムには投影することができない。フェルスターはこれを数式によって説明しているが[40]、ここではその要点だけ述べよう。ノントリビアル・マシンの出力は、たしかに再帰計算というメカニズムを通じて生まれる内部状態に依存し、それが過去の入力系列に依存するという意味では、そこに過去が反映されていると言える。しかし数式的に解析してみれば、それは加算的に集約されてしまう、いわば過去の象徴に過ぎず、過ぎ去ったことを再現すること、つまり、その過去を記憶として想起することはできないということが明らかになる。

したがって、ノントリビアル・マシンのメカニズムをプロセスとしての認知一般のメカニズムとして位置付けることはできない。「単純ではない」という意味では、たしかに認知や生物はノントリビアルだが、具体的なメカニズムとしては、ノントリビアル・マシンでは十分ではないのである。

そもそも、ノントリビアル・マシンといえども入出力マシンであり、推移規則によって制御されるシステムであるということを思い出す必要がある。フェルスターの先の言は、生物を制御するメカニズムではなく、生物が制御するメカニズムの探究を求めていた。ノントリビアル・マシンによる再帰計算には過去が反映されているが、それは与えられた規則に依存する過去であり、生物が制御した結果ではない。

我々は、生物が制御するメカニズムを求めて、再帰計算の規則を制御する再帰計算の中へと、分け入っていかなければならないのである。

第3章

セカンド・オーダーへの浮上

観察することを観察する

サイバネティクス学者は、自分自身の領域に参入することによって、自分自身の活動を説明しなければならない。そのときサイバネティクスは、サイバネティクスのサイバネティクス、すなわち、セカンド・オーダー・サイバネティクスとなるのである。

ハインツ・フォン・フェルスター

ウィーナーに胚胎されていたサイバネティック・パラダイムは、後期フェルスターによってもう一つのサイバネティクス、セカンド・オーダー・サイバネティクスとして結実する。それは従来のサイバネティクスの世界観を打ち壊し、まったく正反対の思想へとつながる大転回であるだけでなく、正真正銘の科学としての出自を持ちながら、普通の意味でのそれを超えて、ほとんど哲学と言ってよい領域へと突入していくものとなる。

本章の中心となるのは、一九七三年に発表された「現実構成について」[1]と題するフェルスターの論文である。「セカンド・オーダー・サイバネティクスにおける記念碑的論文」[2]とも呼ばれるその中で、彼は数々の着想を披露している。本章では、そのいくつかをピックアップし、本書なりの解釈とともに再構成することで、後期フェルスターの思想の怒濤の如き進撃を見ていこう。それは科学としては思いもしなかったような世界へと、あなたを連れていくことになるはずである。

1　自己の制御を制御する

汎関数の再帰計算

前章の最後で論じたのは、計算の結果を再び同じ計算にかける「再帰計算」の可能性と、ノントリビアル・マシンにおけるその限界だった。再帰計算が一つ入るだけで、マシンの複雑さは分析不可能なまでに増大するが、にもかかわらず、ノントリビアル・マシンと呼ばれるそうしたマシンには、記憶能力を投影することができない。

実はフェルスターの考察は、そこで終わってはいない。彼はマシンのメカニズムに一工夫を加えることで、さらに一歩を踏み出している。それ自体はまだサイバネティクスの転回前にあたるが、これからの議論と関係が深いため、ここではまずその一歩を確認しておこう。

前章で論じたノントリビアル・マシンのメカニズムを規定する二つの数式を、改めて示しておく。

$$y=f_y(x,\ z);\qquad z'=f_z(x,\ z)$$

xはマシンへの入力、yはマシンからの出力であり、その関係を定めているのが関数f_yである。f_yは入力xだけでなく、内部状態zにも依存する。内部状態zの値は、もう一つの関数であるf_zによって入力xと直前のzの値に応じた形で更新されていく。この部分が再帰計算を直接表現している部分であり、ノントリビアル・マシンのノントリビアルたる所以（ゆえん）だった。

このマシンの具体的な動き方は、関数f_yと関数f_zによって定められている。問題はまさにこの点、つまり、すでに定められているという点にある。再帰計算といっても、数学的には同じ関数をただ繰り返し適用するという、かなり単純な話である。その関数自体の形、言い換えれば、このマシンの動き方の規則それ自体は、変わらないことが想定されていたわけである。

フェルスターはここから一歩踏み出して、マシンの動き方の規則それ自体が変わるようなマシンを考えた。関数の形が変化するということだが、その変化も関数で表すなら、関数の関数が想定されることになる。関数同士の関係性は、通常、「汎関数（functional）」と呼ばれるとして、彼は先の二つの式をそのまま汎関数の形にスライドさせた次の二つの式を提示する。[3]

$$f_y = F_y[x, f_z]; \quad f_z' = F_z[x, f_z]$$

ここで汎関数にあたるのは、大文字のF_yとF_zである。F_yは、入力xとともに、内部状態を定める関数f_zを引数として、入出力関係を定める関数f_yを規定している。同様に、汎関数F_zは、入力xとともに、その時の内部状態を定める関数f_zを引数として、次の時点の内部状態を定める関数f_z'を規定している。こうして言葉で表現するとちょっとややこしいが、要するに、マシンの動き方を定める関数f_yとf_z自体を、その都度、計算によって求めるということである。通常のノントリビアル・マシンに比べて、一段階、式のレベルが上がっていることがわかるだろうか。

興味深いのは、汎関数によって拡張されたこの形のノントリビアル・マシンは、どうやら記憶に近いものを扱えそうだということである。このマシンの入出力関係を規定する関数f_yは、過去の入力系列だけでなく、過去の関数f_yにも依存することが数式的に示せる。[4] この場合も通常のノントリビアル・マシンと同じく、入力xの歴史は集約されて象徴的にしか残らないが、入出力関係を規定する関数f_yの歴史は損なわれずに残る。マシンがかつてどのように動いたかということが、現在の動き方を定める再帰計算プロセスに反映される形になるのである。

前章で確認したフェルスターの主張は、ノントリビアルな環境をトリビアル化する、生物の側のメカニズムの探究が必要だということだった。不確かな世界を生き延びるため、生物は環境内に何らかの秩序を見出し、それに見合った行動ができるようになる必要がある。それが「生物による環境のトリビアル化」だが、そのためには生物が自分自身のメカニズムを制御できなければならない。

汎関数の再帰計算という形で拡張されたノントリビアル・マシンは、この要件を満たしていると言えるだろうか。このマシンは自身の動き方を定める関数f_yをその都度計算によって求めているのだから、自身のメカニズムを自身で制御していると言えそうである。機械の制御という文脈で馴染みのある表現で言い換えれば、拡張されたノントリビアル・マシンは、数値ではなくプログラムを計算する機械である。

しかし、そうした制御がどのように制御されているかという点にまで視野を広げれば、このマシンでは二つの汎関数F_y、F_zという形で、やはりすでに定められているということに気づくだろう。だからさらに遡って、汎関数の汎関数を考える必要がある。いや、それではキリがない。関数の関数の関数の……といくら遡っても、結局はその最後の関数によって全体が制御されていることになってしまう。

この無限後退を食い止める唯一の方法は、それらをループ状につなげることである。簡単に言えば、関数Aが関数Bの形を決定し、関数Bが関数Aの形を決定するようなループを作るのである。フォルスターが一九七三年の論文で披露した着想は、まさにその形式のものだった。

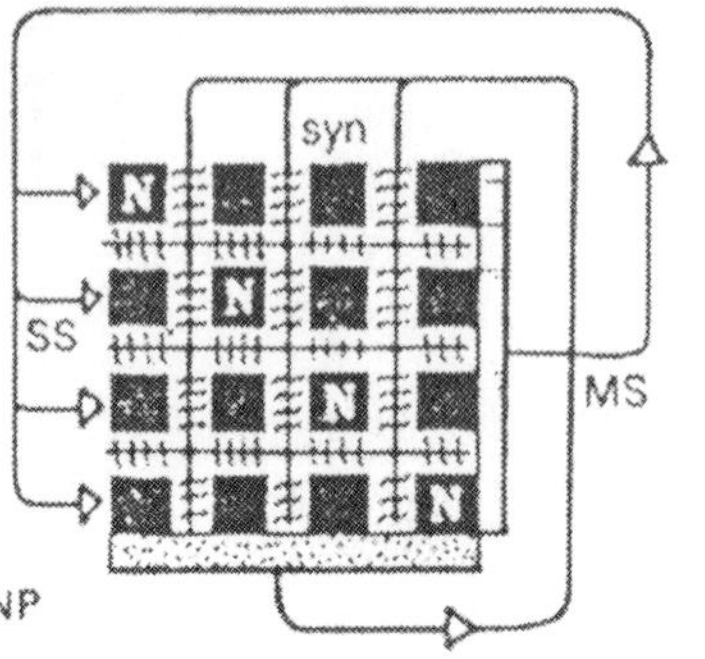

二重の閉鎖性モデル

汎関数的に互いに互いを決定し合うループ状のシステムとして想定されたのは、神経システムである。[5] このモデルは、神経システムの機能的全体を大まかに捉えるものであり、「感覚運動性の回路（senso-motoric circuit）」と「神経内分泌性の回路（inner-secretoric-neuronal circuit）」が組み合わされたものとして成り立っている。[6] 二つの回路の関係性は、図3—1のように図示される。

図3-1：感覚運動性回路と神経内分泌性回路の組み合わせとして捉えられた神経システム
（von Foerster, H., 1973=2003, p.224, fig.18）

　図3—1の水平方向の流れは、感覚運動性の回路を表している。左端のSSは感覚表面（sensory surface）のことで、視覚や聴覚、触覚などの感覚を受容する器官を意味している。そこに何らかの刺激が加わると、黒い四角形で表現されたニューロンの束へとそれが伝達され、シナプス間隙をまたいでさらに次のニューロン束へと伝達されていく。右端のMSは運動表面（motor surface）、つまり、筋肉や関節などの運動を作り出す器官である。神経刺激はこのように左から右へと流れ、最終的には運動表面で何らかの運動となるが、その結果は外部経路を通じて再び感覚表面で感知される。上部に示された右から左への流れは、それを表している。

　一方、垂直方向の流れは、神経内分泌性の回路である。下端のNPは内分泌系全体を制御するとされる下垂体（neuropituitary）である。神経内分泌性の刺激は、この図では上から下へと流れていき、下垂体へとフィードバックされる。実際、内分泌性の刺激であるホルモンは、他のホルモンによってその分泌の促進や抑制がなされていることがわかっている。

重要なのはここからである。NPで表現された下垂体には、シナプス間隙にステロイドホルモンを放出することで、シナプスの作動の仕方を調整する役割もある。つまり、垂直方向の流れとして示されている神経内分泌性の回路は、こうしたホルモンを通じて、水平方向の流れとして示されている感覚運動性の回路の作動の仕方を制御している。

では逆方向の制御、感覚運動性の回路による、神経内分泌性の回路の制御はなされているのだろうか。フェルスターは明記していないが、これを考えるのも難しくはない。たとえばハグをすることで、俗に幸せホルモンと呼ばれる「オキシトシン」が下垂体から分泌されることがわかっている。あるいはストレスを感じることで放出される、いわゆるストレスホルモンを想定してもよいだろう。これらは感覚運動性の回路による、神経内分泌性の回路の制御の例と言えそうである。

以上をまとめてみよう。まず、感覚運動性の回路と神経内分泌性の回路は、それぞれの刺激の流れとしてはその回路の中で閉じている。それぞれの回路の中で、同じ関数の再帰的適用という意味での再帰計算が行われている状況である。だがそのそれぞれの作動の仕方、その関数の形は不変ではない。感覚運動性の回路は神経内分泌性の回路を、神経内分泌性の回路は感覚運動性の回路を制御するような関係にあるとみることができる。つまり、一方の関数の形がもう一方の関数によって制御されるような、互いに互いの汎関数となるような関係性である。

フェルスターは、このような状況を「二重の閉鎖性（double closure）」[7]という言葉で言い表している。その閉鎖性をより明確にするため、ドーナツ状の立体、トーラス（torus）も描かれている（図3―2）。これは図3―1の水平方向の端と端をつなげ、さらに垂直方向の端と端をつなげることで出現する立体である。この図では、システムの切れ目のように見えていた境界線が消えて、システム全体の閉鎖性がより際立って見える。

図3-2：図3-1を立体で表現したもの
(von Foerster, H., 1973=2003, p.225, fig.19)

自律性の起源

以上のようなフェルスターの神経システムのモデルにも、もちろん限界はある。感覚運動性の回路以外も考えられるだろうし、実際の内分泌系は甲状腺や副腎皮質といった他の器官と連携した調整がなされているから、おそらく批判的に見ることも可能だろう。だがそうだとしても、この議論の要点はそこにはない。

すでに述べたように、先のモデルは神経システムの機能的全体を捉えようとしたものである。それによって明らかにされているのは、二重の閉鎖性である。それは互いに互いを制御し合う閉鎖的な関係性であり、そこには外部からその全体を制御するようなさらに大きな関数がない。互いが互いの関数の形を決定し合うループ状の関係をとることで、関数の関数を求める無限後退が食い止められている。

つまり、二重の閉鎖性モデルは、外部から制御されない形式がありうること、全体として自らの制御を制御する、自己制御という様態がありうることを示している。重要なのはこの点である。フェルスターはここに「制御の制御（regulation of regulation）」の同義語としての「自律性（autonomy）」の起源を見るのである。[8] 生物の自律性は、このような制御の再帰的メカニズムによって規定できると考えるのである。

念のため付言しておけば、「制御の制御」という言葉には注意が必要である。これはもちろん、ただの関数の関数を意味しているのではない。それでは制御のレベルが一段上昇するだけで、制御されていることに変わりはない。この言葉で指し示されているのはそうではなく、互いに互いを制御し合う閉じた関係性であり、「制御の制御による閉鎖系」として理解すべきものである。

ここで「閉じている」ということは、決定的な意味をもっている。制御関係において、システムは閉じているか、開いているかのどちらかである。従来のサイバネティクスが考えてきたシステムは、基本的にすべて開いたシステムだった。計算不可能なほどに複雑な振る舞いをするノントリビアル・マシンでさえ、推移規則によって制御されるシステムであり、その規則を定める他者に開かれたシステムである。開いたシステムである限り、その複雑さの違いはあくまで程度の差であり、それが機械と人間・生物を峻別する基準となるとは言いがたい。しかし、「閉じる」ことで事態は一変する。閉じているか、開いているかという点で、程度の差とは根本的に異なる断絶が現れる。

別の側面からも考えてみよう。先に述べたように、汎関数によって拡張されたノントリビアル・マシンは、数値ではなくプログラムを計算する機械である。これは極めて複雑な作動をする機械となるだろうが、それでもまだそのプログラムをどのように計算するかを決定するプログラム、すなわちメタ・プログラムは外部から与えられている。関数の関数の関数の……といくら遡っても、メタ・メタ・メタ……プログラムは用意されたものであり、外部から制御されていることに変わりはない。それに対して制御の制御による閉鎖系では、プログラムするものとされるものが一致する。プログラマーとプログラムが一致するのである。そのような機械は少なくともいまのところ存在しない。

我々はいま、サイバネティクスの分岐点に立っている。これまでのサイバネティクスは生物を、制御されるシステムとして、他律システムとして捉えてきた。だからその基本思想は人間・生物機械論だったわけである。しかし、機械の複雑さとは根本的に異なる生物の「自律性」を認めることで、その見方は百八十度転回する。生物は、制御されるシステムから制御するシステムへ、他律システムから自律システムへと変貌を遂げるのである。

これは次章で論じるオートポイエーシス論と相まって、サイバネティック・パラダイムが人間・生物非機械論の立場をとることの理論的根拠となる。そしてこれがもう一つのサイバネティクスの出発点である。フェルスターの以降の議論は、すべて生物に特有な自律性を認めるところから始まっているとみなすことが可能である。実は彼本人の思想の変遷は必ずしもそうとは言えないところがあるのだが、はたから見ればそう見えるし、そう捉えると理解しやすい。[9]

制御の再帰的メカニズムとして生物の自律性を認めることは、生物を外的に制御する方法ではなく、生物自身の内的な循環を理解する方向へと舵を切ることにほかならない。制御と循環のはざまを漂ってきた新しいサイバネティクスへと向かう小舟は、以降、循環の方へと振り切っていくことになる。

2　環境のトリビアル化

環境に情報はない

生物が環境の中に秩序を見出すことで、環境の単純化、トリビアル化を行うには、生物が自分自身のメカニズムを制御できなければならなかった。制御の再帰的メカニズムとして生物の自律性を認めることで、ひとまずこの要件は満たされたと言ってよい。

しかし、自律性はあくまで環境のトリビアル化に必要な条件であって、実際にどのようなメカニズムで環境のトリビアル化がなされるのか、生物自身のその内的メカニズムはまだ明らかではない。もちろん大枠としては、それは制御の再帰的メカニズムでなければならない。しかしそれだけでは、生物が自身の環境をどのように認知し、どのように対処可能なものとするか、その内実はわからない。

最大の問題は、自律性を規定するメカニズムを閉鎖的なものとして理解した点にある。自律システムが必然的に閉じたシステムなのだとしたら、システムの外部であるはずの環境は、どうやって認知されるのだろうか。

前章で論じたように、従来のサイバネティクスは制御の理論である。一般的な理解では、制御は命令形のメッセージの中でやりとりされる情報によって具体的になされる。この意味での情報は、システムへの入力として外部から与えられるものであり、いわば命令そのものである。

サイバネティクスの代名詞的機械である自動制御装置は、フィードバック機構によってこの制御を自動化する。しかしベイトソンのように、より大きなシステムとしてそれを眺めれば、そう制御するよう人間によって命令が与えられていることがわかる。たとえば、部屋を暖めたければエアコンを暖房モードで起動して温度を設定する。そのようにセットされれば、エアコンはそのフィードバック機構に従って自動的に部屋をその温度にまで暖めるが、そのようにセットしている、命令しているのは人間である。この場合、人間は制御の一段上にあたる、制御の制御をしていることになる。

　ところが制御の制御による閉鎖系では、事情はまったく異なってくる。そこでは互いに互いを制御し合う関係が成立している。つまり、制御関係として閉じている。したがって外部から命令を与えるものは存在しない。命令にあたる入力情報もない、ということになる。

　制御関係として閉じたシステムは、閉じているがゆえに情報の入出力関係を語ることができない。システムが外部にある情報を取り込んで、それに従って動作するという見方は否定されなければならない。実際、フェルスターは「環境は情報を含んでいない」と断言してはばからない。システムが認知して適切に対処すべき情報は、外部にはないとされるのである。

　至るところに情報が存在し、それを適切に処理することが至上命令であるかのように過ごしているのが、現代情報社会の我々ではないだろうか。フェルスターの見解は、それに真っ向から対立する考え方である。そう考えれば、たしかに面白い主張である。だが我々は、環境を適切に認知して、それに対処することを可能にするメカニズムを求めているというのに、これでは「赤信号を見て止まる」といったごくありふれた動作すら、理解不能なものとなってしまう。

　この問題を解くためのヒントは、フェルスターの続く言にある。彼は先の言明のすぐあとに「環境はあるがままにある」と宣言する。一見して奇妙な発言だが、その真意を推し量ればそれほど奇妙なことではない。その意味するところは、環境はあるがままにあるだけで、それを区別したり評価したりするのは我々の側、システムの側だということである。

ここでの目的からして、実はこれは当然である。我々が求めていたのは、生物のトリビアル化を行う環境の側のメカニズムではない。「赤信号だから止まる」という理解の仕方は、ベルが鳴ったら餌がもらえるというのと同じく、生物をトリビアル化する環境の側のメカニズムに着目するものにほかならない。我々が求めていたのはそれとは正反対のもの、つまり、環境のトリビアル化を行う生物の側のメカニズムだったはずである。

したがって、「環境は情報を含んでいない」という言明も、慎重に解釈する必要がある。これは環境との相互作用を否定する発言ではない。そうではなく、環境を何らかの形で区別したり、評価したりするような情報は、環境そのものの中にはない、という意味として捉えるべきである。つまり、情報があるとすればそれは生物の側、システムの側だということになる。

情報という概念を命令そのものとして素朴に捉えるとしてもこれは妥当する。制御されるシステム、つまり他律システムは「汝、〜すべし」との命令を外部から受けるシステムである。一方、自己を制御するシステム、つまり自律システムは「我、〜すべし」との命令を自分に下すシステムである。この意味でも、自律システムでは情報はシステムの側になければならない。

差異化なきコード化

では、システムの側の情報とは、いったいどのようにして成り立っているのだろうか。

自律システムは環境から情報を受け取らない。そもそも、環境に情報はない。とはいっても、システムが環境とまったく無関係に、勝手に情報をつくりだしているわけではないはずである。もしそうなら、我々は好き勝手に空想する世界に生きていることになってしまう。

この問題に対する直接的な回答は、「差異化なきコード化の原則（principle of undifferentiated encoding）」[11]と呼ばれる知覚に関する原則にみることができる。

まず、環境はシステムに直接作用する代わりに、システム側の神経細胞によって「コード化」される。コード化とは、一般には、情報を別の表現体系に変換することをいう。たとえば「A」という文字は、コンピュータ内では二進数で「1000001」とコード化されるのが普通である。同様に、環境は何らかのかたちで認知システムにコード化されるというわけである。

ただし、環境に情報は存在しないのだから、ここでの「コード化」には注意が必要である。通常の意味とは違って、コード化の前に、コード化を待っている情報なるものが存在しているわけではないからである。神経細胞は、環境内に存在する情報をコード化するのではない。強いて言えば、自身に対する環境からの刺激をコード化するのである。

重要なのは、それが差異化なきコード化であるという点である。「差異化なき」という形容詞には、ここでは「刺激の質とは関係なく」という意味が込められている。刺激の質とは、光とか音とか温度とか、知覚の対象となるものの物理的性質と考えられているものである。我々は通常、そうした刺激の質こそが知覚されるものだと思っているが、それらは認知システムにコード化されないというのである。

一見、不思議に感じる主張ではあるのだが、実際、感覚受容器を構成する細胞にとっては、光も音も温度も、その刺激の質はたしかに関係がない。もちろん、視覚に関わる受容細胞は電磁波に、聴覚に関わる受容細胞は気圧の周期的変動に反応する。その意味では、刺激の質も関わりがあると言ってもよい。だが電磁波であれ気圧の変化であれ、その細胞は自身が反応する限りにおいて反応し、最終的にはすべて電気化学的な信号を生み出す。つまり細胞には、自身に反応を引き起こす原因が何であるかは関係がない。

もし認知システムが外的な何かの性質をコード化するのだとしたら、その何かがシステムの側に直接影響を及ぼしていることになる。それでは環境から命令として情報が入力されていることになってしまう。環境がシステムに直接作用していることになってしまって、「コード化」という言葉も意味がなくなってしまう。[12]

では認知システムへのコード化に刺激の質が関わらないのだとしたら、いったい何がコード化されるのか。考えられているのは、刺激の量ないし強さである。

実際、個々の神経細胞は、刺激の量や強さに見合った分だけ反応する。受容細胞のそれぞれは、反応する限り反応し、その分だけ電気化学的な信号を生み出す。それによって我々は、リンゴに赤という色を見たり、石の堅さとマシュマロの柔らかさを区別したりすることができる。

刺激の量といっても、それは細胞側、システム側にとっての量であって、環境内の対象がもつ何らかの物理量ではない。刺激の量とは、あくまでその細胞が刺激として反応する限りにおいての量である。

これは我々の日常経験からも納得することができるだろう。たとえばひとの家にあがるとき、その家に特有の匂いを感じることがある。だがその場にしばらくいれば、おそらく匂い分子の変化はほとんどないのにその匂いは感じられなくなる。あるいは、同じ強さの光でも、昼間に見るのと夜中に見るのとでは感じ方がまったく異なる。夜中のトイレの光はとても眩しく感じる。

こうした現象の多くは、生物学的にもすでに詳細な説明がなされている。たとえば暗いところでは虹彩が開いてより光を取り入れるようになるし、夜は細胞の中で光を感知するタンパク質が増加するという側面もある。そもそも視細胞には、明るいところで機能するものと暗いところで機能するものとがあり、役割分担がなされているという。生物にはそうしたさまざまな仕組みが備わっていて、あくまでシステムの側が、自身の基準において感知する量がコード化されているのである[13]。

現実の計算

認知システムは自身の状態に即して量としてのみ環境をコード化する。にもかかわらず、我々の経験世界は実に多様なものにあふれている。刺激の質はコード化されないのに、赤を赤と感じたり、石を石と認識したり、マシュマロをマシュマロとして経験したりできるのはなぜだろうか。我々のこの豊かな世界は、どのようにして成立しているのだろうか。

フェルスターは、それこそが認知の問題であるという。そしてここで再登場するのが、プロセスとしての認知のモデルであり、その途上で探究されてきた再帰的メカニズムである。

前章で見たように、フェルスターは初期の頃から認知をプロセスとして位置づけてきた。彼にとって記憶とは、コンピュータのハードディスクに固定化されたデータのようなものではなく、想起や再学習と不可分な形で存在するダイナミックな認知のプロセスだった。同様に、我々が認知して対処しようとする「現実」も、認知のプロセスとの関係で捉えられる。いやそれどころか、現実という問題こそ、認知にとっての本質的な問題として位置づけられる。

フェルスターの基本見解を示そう。彼は認知プロセスを「現実の計算（computing a reality）」[14]を行う再帰的プロセスとして理解する。

なお、ここで考えられている計算とは最も広い意味での計算であって、変換したり、修飾したり、並び替えたり、まとめたり、といったあらゆる操作のことである。しかも形式的な操作だけでなく、意味的な操作も含めて考えられている。

認知プロセスが現実の計算プロセスであるなら、我々がいまこの瞬間にも経験しているこの世界、この現実も、認知プロセスとしての計算によって成立しているということになる。それはいったい、どのような計算なのか。少し具体的に考えてみよう。

いまここにマシュマロがあるとする。それが認知システムに与える刺激は、たとえば網膜上の個々の細胞によってコード化される。それらはシステムの計算プロセスによってまとめられて、網膜像となるだろう。同様に、他の感覚、たとえば触覚や嗅覚においてコード化される刺激も、やはり計算プロセスによってまとめられる。そしてさらに感覚同士の相関が計算され、統合される。それはさらに高次の計算へと展開され、最終的には「これはマシュマロだ」といった認識や発言、あるいはそれを食べるといった行動として帰結する。

フェルスターの言う計算とはあらゆる操作のことだったから、これらはすべて認知システムによる計算プロセスである。「ここにマシュマロがある」という現実は、このような計算に次ぐ計算、計算の再帰的プロセスによって成立していると考えられている。通常は刺激の質と思われているマシュマロの白さや柔らかさも、このような計算プロセスの中で生み出されていることになる。

我々の現実が、認知システムによってなされるこうした計算の再帰的プロセスによって成り立っているのだとしたら、「現実」という言葉によって意味されるものの内実は、一般的なニュアンスとはかなり異なるものとなってくる。実際、フェルスターはそのことをはっきりと自覚している。日本語にすると区別がつかないが、彼にとっての現実とは、「the reality」ではなく「a reality」として考えるべき問題である。すなわち、誰もが同様に特定できる確固とした現実、定冠詞付きの現実ではなく、不特定の現実、さまざまな可能性のある中で成立するとある現実、それが問われているのである。

しかもそうした現実は、プロセスとしての認知によって生み出されているのだから、あるとき成立していた現実がそのままずっと成立しているという保証はない。「現実」の計算の結果は「行動」としてひとまず解答されるが、それは暫定的な解答である。たとえばマシュマロだと思って口にしたものが、実は消しゴムだったということもあるかもしれない。行動の結果は知覚され、再び計算として展開される。認知の計算プロセスは無限に続いていくのである。

さらに思い出すべきは、自律システムの雛形（ひながた）としての二重の閉鎖性モデルである。感覚運動性の回路は神経内分泌性の回路の作動の仕方を制御する一方で、神経内分泌性の回路は感覚運動性の回路の作動の仕方を制御していた。自律システムでは、そうして互いに互いを制御し合う関係がつくられている。こうした関係まで考慮すれば、事態はさらに込み入っていることがわかるだろう。端的に言えば、現実の計算を行う計算方法自体、つねに再計算されているし、それ自体もまた再計算されている。計算方法自体が計算されているということは、どのように刺激をコード化するかということもまた、認知システム全体の計算のうちにあるということである。それどころか、刺激の原因となるものの存在自体、認知システムによる計算とともにあると言わなければならない。先ほどは、電磁波や気圧の周期的変動といった物理的な原因は、元からそれとして環境に存在するかのように論じたが、厳密には、それらも認知システムの計算を通じてつくられている、構成されているのである。

こうして浮き上がってくるのが、第5章で詳しく述べることになる「構成主義」の現実観である。自律システムにおける認知とは、無限に続く計算の再帰的プロセスであり、我々が経験する現実はそうしてつくられている、構成されているという考え方である。

構成主義的な現実観は、生物による環境のトリビアル化という見方を、さらに深い意味で裏付けるものとなる。認知のプロセスに着目すれば、客観的な現実がまずあって、それに最適化されていくのが生物であるという見方は正しくない。個々の生物は認知の計算プロセスによって環境を独自の仕方で秩序づけ、それを対処可能なものとして構成している。しかもそれは、無限に修正され続ける自律的なプロセスである。生物は、認知の再帰的な計算プロセスを通じて、環境をトリビアル化しつつ構成し続けているのである。

3　認知的盲点

構成主義の現実観

我々は、制御のメカニズムとしてのフィードバック・システムから始まって、自分で自分を制御する自律システムの仕組みを理解し、自律システムによる現実の構成という議論へと辿り着いたところである。現実の構成性とは、いまこの瞬間にもあるこの現実が、認知のプロセスによってつくられている、構成されているということである。

現実というものを映像的なイメージで理解している人には、もしかするとこれは、さほど驚くべきことには感じられないかもしれない。昨今はつくられた画像や映像が巷（ちまた）にあふれているし、睡眠中に見る夢もたしかに構成されたものと言えるだろう。だが改めて考えてみて欲しい。先の議論はもちろん視覚に関する構成性だけを述べているのではない。あなたが現実として理解しているものすべて、つまり、時計や空調の音も、コーヒーの香りも、あなたがいま手にとっているこの本の感触も、すべてあなた自身が認知のプロセスによってつくっているという話である。

そんな現実観は、我々の日常的な感覚とはかけ離れている。我々にとって現実とは、そのあるがままに受け止めることしかできないものであり、だからこそ、どうしようもなく「リアル」なものとして現前するもののはずである。私が現実をつくっているのだとしたら、なぜ私が望むような現実をつくれないのだろうか。現実をつくっているのがほかならぬこの私なら、存在するのは私だけで、それ以外の世界はすべて幻だと言わなければならないのではないか。

これらは当然の疑問であり、現実構成主義に対するよくある批判ポイントでもある。とはいえ、現実の構成性を主張するとしても、このどちらの疑問にも否定的に応答することは可能である。本来は慎重な検討を要する論点ではあるのだが、いまはここに読者を置き去りにすることを防ぐため、ごく簡単にだけ答えておこう。

一つ目の疑問に答えるのは比較的容易である。私が構成しているのに、私の自由にならないのはなぜか。これは誤解されやすい点だが、たしかに認知システムは自律的に計算を行い、現実を構成する。しかしだからといって、我々が望むように自由に計算できるわけではない。ここでいう計算とは、人間が行う計算とは似て非なるものだからである。

意識的に行う行為を比喩的に「計算する」と言うように、人間が行う計算は意識的に行われる行為の最たるものである。しかし認知システムによる計算は、意識とは関わりなく勝手に進行する計算である。同じことは、自律システムというときの「自律」にも当てはまる。システムが自律的だというときの自律は、人間が自律的に意思決定するというときの自律と同じではない。人間の自由意志とはひとまず異なるものであり、やはり意識とは関わりなく成立する自律である。

したがって自律的な計算といっても、我々が望むように現実を決められるわけではない。だから当然、我々が自由に世界を構成できると主張されているわけでもない。むしろそれでも認知システムは「自律的」であり、「計算」しているのだというのが面白いところである。ここでいう自律性とは、制御の制御による閉鎖系という形で実現している制御に関する閉じた関係性のことである。認知システムによる計算とは、そうした意味で自律的なシステムの作動そのものである。

二つ目の疑問はもっと本質的で、哲学的な吟味が必要となる問題である。提起されているのは、現実構成主義は哲学的には独我論として知られる立場なのか、という疑問である。

独我論とは、本当に存在しているのは自分だけで、他のすべては自分の意識内容に過ぎないという考え方である。独善的な態度を助長したり、現実世界の厳しさに目を背けて逃避する印象があったりするためか、独我論は一般にあまり評判のよくない考え方である。そしてたしかに現実の構成性を強調すると、独我論に陥るようにも思われる。

しかし、現実構成主義は、少なくとも独我論に直結する主張ではない。独我論との関係については第5章で再び取り上げるので、ここではとりあえず次のように述べておこう。現実構成主義者はシステムによって現実が構成されると考えるが、システムに制約を与える外的なものの存在は依然として措定されている、と。

一つだけ例を出そう。我々の認識がどのようなものであろうとも、我々は水中で呼吸することができない。水は我々の呼吸をはばむ制約として存在しているからである。水という客体、あるいは制約としてのその認識もまた認知システムによって構成されているものだが、それはシステムが無からつくりだすものでもない。むしろそれは運動結果の知覚というかたちで、認知システムの現実計算に否応なく反映されていくものである。

つまり、現実構成主義は、自身にとっての現実という意味では、現実は構成されるものと考える。しかしそれは、ナイーブには現実そのものと呼べるような、システム外的な制約が存在することをむしろ前提としたモデルである。「環境はあるがままにある」という言明は、だからまったく正しい。

この場合の「環境」は、後者の意味ということになる。

しかし我々は普段、そうした外的なものそのもの、いわば「あるがままの世界」に直接アクセスしていると思い込んでいる。我々が知覚する通りに、世界がそのまま実在すると信じて疑わない。実はそれこそが、フェルスターの提起する問題の核心である。

実際には、世界は我々の認知の結果として出現している。世界は我々と切り離せない。しかしフェルスターは、我々は普段、そのことが見えていないと説く。そこで出てくるのが、次に述べる盲点の話である。

図3-3：マリオットの盲点
(von Foerster, H., 1973=2003, p.212, fig.1)

マリオットの盲点

とりあえず実験してみよう。実験装置は、図３—３[15]とあなたの右目だけである。左目を閉じて、右目だけで★を見つめてみてほしい。そしてそのまま本か頭をゆっくりと前後に動かしてみる。するとどうだろう、図と目の間がある一定の距離になったときだけ、●が消えてしまうはずである。ぼんやりするといった感じではなく、完全に消えて無くなる距離があるはずである。そのまま本を上下左右に平行移動させても、●は見えないままである。

フェルスターが好んだこの実験は、一般には「マリオットの盲点（Mariotte blind spot）」と呼ばれている視野の中の暗点の存在を浮かび上がらせる実験である。これは眼球の一部に光の受容細胞が存在しないことが原因となって生じる、純粋に生理学的な現象である。図3—4[16]に示した右目の水平断面図でいうと、●からのびる直線の到達先が受容細胞の存在しない部分である。そこは視神経が眼球から出ていく場所だから、カメラを置くことができないのである。右目を★に固定させた状態で、●からの光がちょうどその場所に重なるように調整してやれば、当然●は見えなくなる。

マリオットの盲点は、このように眼球の構造に由来するものであって、何ら不思議なものではない。それは脊椎動物の目の構造上、どうしても存在する。我々の視界には、いつもこの盲点が見えないシミとして存在している。

不思議なのは、それが普段はまったく知覚されていないということである。視覚によって知覚されるものは、何でもシミなく知覚される。我々にとって視覚的盲点は存在しない。それどころか、盲点が存在しないということにすら気づいていない。普段の我々には、盲点は存在するものでもないし、存在しないものでもない。[17]

本書の流れからすれば、この話は現実の構成性を実験的に示唆するものとして捉えるのが自然かもしれない。認知システムがシミを見えないように加工している、そのように現実の視覚的イメージをつくりだしている、構成していると言えそうだからである。

だがフェルスターの意図は、もう一段メタなところにある。この盲点という現象を通じて、彼が説こうとしている真の問題がわかるだろうか。

勘違いしてはならないのは、彼は盲点によって本当の世界が見えていないと言っているのではない、ということである。よくある錯覚の話とはこの点が異なる。本当は同じ長さの線分が違う長さに見えるとか、本当は同じ色が違う色に見えるとか、錯覚の例はいろいろと知られている。錯覚とは「本当のことが見えていない」ということを強調するものである。なぜそのような錯覚が、つまり勘違いが発生するのか、なぜ本当の世界が見えないのか、そういったことを探るのが錯覚の研究である。

フェルスターが説きたいのは、そういうことではない。視覚的盲点の存在そのものは、まったく問題ではない。「問題は、見えないということではなく、見えないということが見えないということ」[18]なのである。

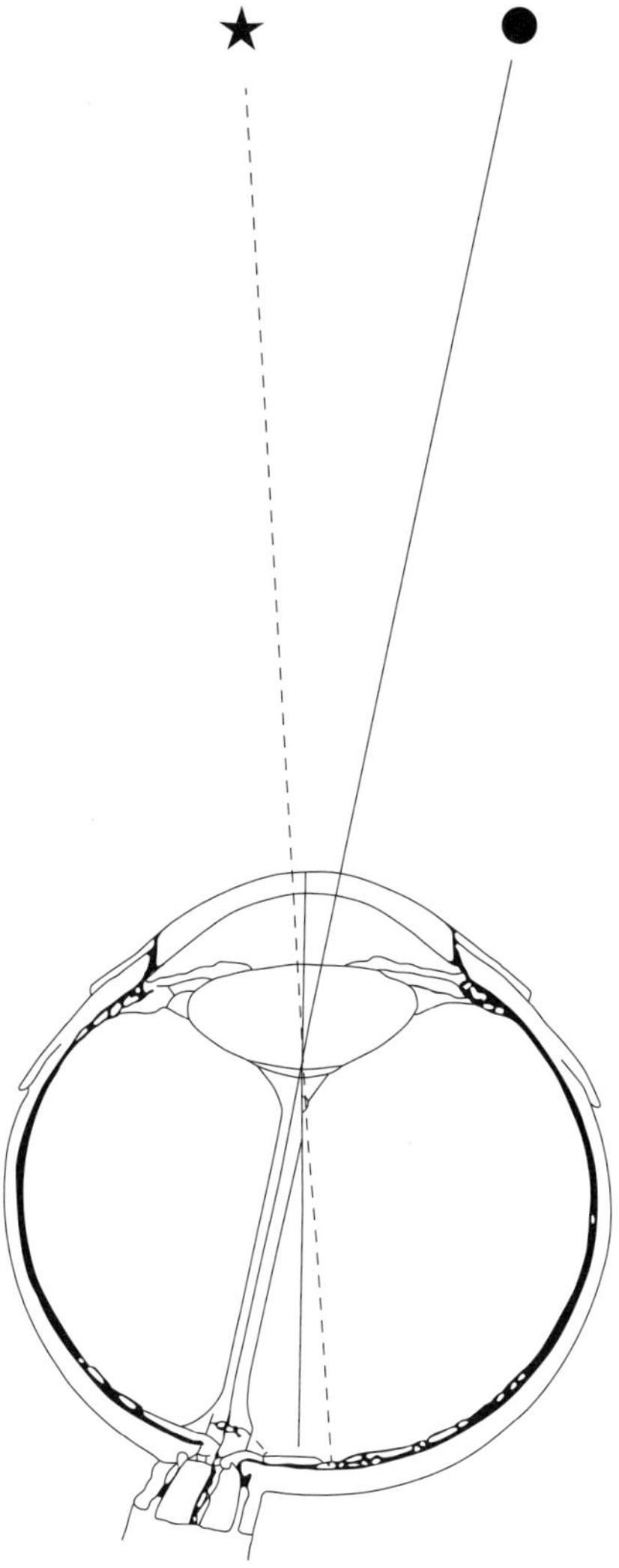

図3-4：人間の右目の水平断面図
(von Foerster, H., 1984, p.5, fig.2)

マリオットの盲点は、我々の普段の視界では織り込み済みになっていて、その存在を問うことすら不可能になっている。つまり盲点が存在するとか存在しないとかいうこと自体、問われることがない。それが真の問題なのである。盲点をめぐる問題が見えないということそれ自体が、いわば認知レベルの盲点現象として存在しているということである。

そして、盲点に関するこの認知的盲点と同じ現象が、認知という問題そのものについても生じているとフェルスターは考えている。先の言を踏襲すれば、次のように言えるだろう。問題は、認知できていないということではなく、認知できていないということを認知できていないということである。

客観を疑え！

念のため確認しておこう。問題は、認知できていないということではない。とくに本当の世界、「あるがままの世界」を認知できていないということではない。そもそも、それを認知できていないかどうかは我々にはわからない。認知できていないと明言できるのは、認知できることがわかっているときだけである。だから正確には、認知できているとも、認知できていないとも言うことができない。

対象が何であれ、それは同じである。我々は認知できているかもしれないし、認知できていないかもしれない。いずれにしても、認知の成否を強調すると、「何を」認知できているかという問題に帰着してしまう。しかしそれが何であれ、認知できていないということは問題ではない。

問題は、認知できていないということを認知できていないということである。厳密に言えば、この場合も認知できていないかどうかはわからない。しかしその趣旨は、マリオットの盲点のときと同じである。端的に言えば、認知という問題それ自体が問われないということが問題なのである。認知に関する認知的な盲点現象、つまり、「認知の問題全体が、自分自身の認知的盲点に何事もなく片付けられてしまって、その不在さえももはや見ることができない」[19]ということが問題なのである。

では、なぜそうなってしまっているのだろうか。認知という問題は、なぜ問われないのだろうか。原因は、我々が常識として保持している「客観」としての現実観にあるとフェルスターは考えている。我々は普段、「あるがままの世界」に直接アクセスしていると思い込んでいて、見るもの、聞くもの、知覚するもののすべてが、世界にそのまま存在すると信じて疑わない。ストローでジュースを飲むように、世界はこちら側に直接入力されていると感じている。だからそれらを「いかに」認知しているのかという問いは、問われる必要がない。そればかりか、それは問いとして存在すらしていない。

ということは、我々はひとまず客観としての現実観を手放さなければならないということになる。それを前提としていたら、認知について問うことすらできないのだから。

前節でみたように、フェルスターは「the reality」としての現実と「a reality」としての現実を区別していた。直接アクセスできると思い込まれている「あるがままの世界」とは、誰もが同様に特定できるはずの客観的現実であり、「the reality」にほかならない。

プロセスとしての認知の探究という彼の当初からの問題意識を考えれば、「the reality」は手放されなければならない。認知について問おうとしているのに、それを不可能にしてしまうのが「the reality」だからである。つまり、現実を「the reality」ではなく「a reality」として扱うフェルスターの立場は、現実の構成性を理解した結果として出現しているというよりも、むしろ認知について考えるための前提であったと言った方がよい。

とはいえ「the reality」を脇に置き、「a reality」を前提として認知のプロセスについて考えていくことで、現実の構成性が理解され、「the reality」という現実観はますます疑わしいものとなっていく。そうして所与の「the reality」を否定的に捉える立場は、循環的に強化されていく。

ただしそれは、科学者としてはやはりかなり危うい態度であるということに注意されたい。言うまでもなく、科学は客観性を重視する。それはまさに「the reality」の領域である。一般に科学とは、科学者の主観から独立した客観的現実が存在することを前提として、主観に依存しない普遍的真実なるものを探究する営みとして理解されている。科学者とは、なんびとにも左右されない「真理」を探究していることを誇りにしているような人たちである。そうした中で、それを否定するような立場をとることになるわけだから、これは容易なことではない。

だがこれは「認知」という問題を科学的に突き詰める中でたどり着いている境地でもある。サイバネティクスは科学であるというだけでなく、むしろ科学的態度を極限まで先鋭化させた結果として生まれてきているものである。ウィーナーやフォン・ノイマンの思考が、目的論的機械論や人間・生物機械論といった壮大な科学的野心と共にあったことを思い出してほしい。フェルスターの議論は、明らかにその延長線上にある。にもかかわらず、それはいまや一般的な科学とはかけ離れた思想を提示するところまで来ているわけである。

実際、我々はすでに伝統的には哲学として考えられてきた領域へと突入している。とくに「認識論(epistemology)」と呼ばれる、我々の認識そのものについて探究する領域である。

我々は、所与の世界を前提とすることをやめて、認識そのものについて考えなければならない。「何を」認知するのかと問う前に、「いかに」認知するのかと問うのである。[20] 科学の前提となってきた「現実」、「客観性」、「真理」といった概念は、そのうえで改めて捉えなおす必要がある。

4　ファースト・オーダーからセカンド・オーダーへ

観察という問題系

認知に対して我々がとるべきアプローチの仕方は、すでに明らかである。すなわち、「何を」認知するかではなく、「いかに」認知するかである。「いかに」認知するかという問いに対するテクニカルな回答も、すでに大筋で得られている。現実の計算プロセスとして先に論じたことがそれである。

ここで明確にしたいのは、これらの認識論的な含意である。認識の「何を」にあたる対象を、あらかじめ与えられている客観的なものと考えないということは、認識の「いかに」を決める認識主体の方に、その議論のフォーカスを移すということにほかならない。認識されるものは、認識するものとの関係において捉えられなければならない。認識するものを「観察者」と呼ぶことにすれば、世界は観察者と無関係に与えられるものではなく、観察者との関係において問われなければならないものということになる。

観察者と世界という対関係をつくりだしているのは、観察という行為である。主観と客観、主体と

図3-5：M・C・エッシャー『版画の画廊』
（リトグラフ、1956年）

客体が独立に存在していて、それらを関係づけるのが観察行為であると考えるのは正しくない。両者を別々のものとして解きほぐすことはできない。観察者によって観察されることで世界は成立するが、その世界の中にすでに観察者自身が含まれている。

図3―5は、だまし絵で有名なエッシャーの『版画の画廊（*Print Gallery*）』と呼ばれる作品である。左端の男性は、港町の情景が描かれた作品を眺めている。そこには船とたくさんの建物が描かれていて、そのうちの一つの窓辺には女性が佇（たたず）んでいる。彼女の階下には画廊があり、たくさんの作品が飾られている。そのうちの一つを眺めているのは、最初の男性である。

この男性は、最初は画廊で作品を眺める人物に見える。だが視線をぐるりと回すうちに、実はその作品の中に含まれている人物であることがわかる。この男性の立場になってみれば、第三者的に作品を眺めていたつもりが、実は自分もそこに含まれている、それどころか、それはそうした自分が眺めることで成立させている世界であることに気づくのである。

観察者とその世界は、まさにこのようなかたちで分かち難く結びついている。観察者と世界の関係がそのように措定されるなら、両者を無理やり切り離すわけにはいかない。しかし、それをしてしまうのが「オーソドックスな立場[21]」であるとフェルスターは言う。

実際、観察者を無視した記述に成功している分野ほど、より精密な科学として称賛される傾向にある。サイバネティクスの生みの親であるウィーナーは、サイバネティクスが精密科学であることを願ったがために、その社会科学への安易な応用に注意を促していた。社会科学では、観察する側とされる側、観察者と観察される社会との関係が近く、両者を仮想的にでも切り離すことが困難だからである。それに対してベイトソンは、観察者としてニューギニアの部族社会に入り込み、人類学的研究を行った[22]。現地の人々との交流なしに、その社会を観察することは不可能だっただろう。だが同時に、彼の存在は観察される社会の側にも影響を与える。観察者としての彼は、観察される社会の中に位置しながら、その社会を観察したわけである。

このような自己包摂的、自己言及的な関係は、パラドックスの元になる。だからオーソドックスな立場では、単純にこれを禁止する。有名な例を出そう。ある町で、自分の髭を剃らない人すべての髭を剃る理髪師は、理髪師自身の髭を剃るのか。自分で剃らないのであれば、自分が剃る必要があるが、自分で剃るのであれば、自分が剃らないことになる。このパラドックスは、理髪師自身もその町の一員であることに起因する。だからそれを避けるには、理髪師を他の町民とは別の存在として切り離してやる必要がある。

もちろんこれは、前章で述べた「論理階型」の混同を禁止する話と同じである。ベイトソンにとっては、こうした自己包摂的、自己言及的な関係は忌避すべきパラドックスなどではなかった。彼は論理階型の違いを意識しながらも、それらを全体として理解することを目指した。むしろそこに存在する、ある種の創造性を肯定的に捉えたのだった。

とはいえベイトソンが、フェルスターと同じように観察者と世界の関係性を理解し、観察という問題系を正当なものとして見据えていたかというと、残念ながらそうとは言えないところがある。とくに彼はその思想の集大成として「精神」を位置づけるとき、観察者と世界を切り離すというオーソドックスな立場に留まってしまったように見える。

ベイトソンが例にした、きこりが木を切るシーンを思い出してみよう。観察者と観察される世界という対関係を見るならば、きこりという観察者と、切られるべき木を含む世界がそこにはある。ベイトソンの提案は、それらを精神という一つの大きなシステムとして捉えようというものだった。

これは観察者と観察される世界をセットにしているわけだから、一見、フェルスターと同じような立場にも見える。だが本来は、そのような大きなシステムとして全体を眺める観察者、きこりを基本的な観察者とするならば、きこりを含むシーン全体を観察するメタレベルの観察者まで考慮に入れなければならない。ここでのベイトソンは、そのように世界を眺める観察者を想定していない。こうした精神が幾重にも折り重なって働く世界それ自体は、クレアトゥーラの世界として、観察者とは無関係に、あたかも所与のものであるかのようにその全体としての調和が語られてしまう。

たしかにベイトソンもオーソドックスな科学の立場を批判的に見ていたし、科学が前提とする客観性に対する懐疑心も持ち合わせていた。だからフェルスターの問題意識の多くは、ベイトソンから引き継がれたものと捉えることも可能である。だがベイトソンは、フェルスターのようには観察という問題系にフォーカスすることがなかった。それを横目で見つつも、一般受けする言説に変えて提示しようとしたふしがある。

ともあれ、フェルスターとともにここで我々がなさなければならないのは、観察することを観察することである。いかにパラドックスが科学的に害悪であろうと、観察者と世界のだまし絵的な関係に気づいたいま、それを見て見ぬふりをするわけにはいかない。もとより我々はパラドックスの中にいる。町の一員である理髪師と同じように、観察者は観察される当の世界にいる。ならばオーソドックスな科学の立場にしがみつくのはやめて、観察をめぐる循環の中へと飛び込んでいかなければならない。

大事なのは、こうした議論自体、自分自身の観察によって成立しているということである。我々は普段、自分が観察者であるということを忘れている。だが実際には、このように説明している私も、これを読んでいるあなたも、また観察者である。我々は、我々自身が観察していることを観察しなければならない。サイバネティクスが明確に新たな一歩を踏み出すのは、このときである。

サイバネティクス学者は、自分自身の領域に参入することによって、自分自身の活動を説明しなければならない。そのときサイバネティクスは、サイバネティクスのサイバネティクス、すなわち、セカンド・オーダー・サイバネティクスとなるのである。[23]

セカンド・オーダー・サイバネティクス

ここで「セカンド・オーダー（second-order）」という言葉の意味を確認しておこう。日本語では「二次」とか「二階」とか表現することができるが、本書ではそのまま「セカンド・オーダー」と表記する。

フェルスターは、ある概念がそれ自身へと適用されるような状況に対してこの言葉を用いている。たとえば、認知の認知、観察の観察、制御の制御などである。おわかりの通り、本章で扱ってきた話題の多くはこの意味でのセカンド・オーダーという点で共通している。論文「現実構成について」を含むフェルスターの主要な論考をまとめた書籍のタイトルも、『理解の理解（*Understanding understanding*）』である。したがって「セカンド・オーダー・サイバネティクス」という名称こそ、ここにきてようやく登場したところだが、その内実は、本章でこれまで論じてきたものの総体であると考えても差し支えない。

とはいっても、文字通り解釈すれば、セカンド・オーダー・サイバネティクスとは「サイバネティクスのサイバネティクス」である。その意味するところをここで明確にしておく意義は、決して小さくはないだろう。

フェルスターが唱える新しいサイバネティクスが「セカンド・オーダー」であるということは、これまでのサイバネティクスは「ファースト・オーダー」のサイバネティクスであったということになる。前章までに確認したように、これまでのサイバネティクスは、機械と人間・生物を同じシステムとして捉えてきた。眼前の対象に対し、「それはどのようなシステムか」という問いを立て、そのメカニズムを探究してきた。観察対象であるシステムは、所与の世界にあるものとして、科学的に語られてきた。

しかし、観察自体を問う必要が出てきた以上、もはやそのような素朴な態度を貫くわけにはいかない。眼前の対象を所与の現実としてただ受け入れるのではなく、そのような観察の仕方自体に目を向ける必要がある。観察対象がそのようにあるというよりも、そのように観察されていることに気づかなければならない。

ではそのような観察を行う観察者とは、いったい何者だろうか。サイバネティックな観察を行う観察者とは、直接には、たとえばウィーナーであり、フォン・ノイマンである。だが同時に、そのように語る私も観察者であるし、それを聞くあなたも観察者である。我々に共通するのは人間であるということである。つまり、観察者とは人間である。そして人間は、サイバネティクスという学問がその研究対象としてきた、まさにそのシステムでもある。

要するに、こういうことである。我々は、サイバネティクスによって観察されるシステムでありながら、そのように観察するシステムでもある。サイバネティクスによって語られるシステムの少なくとも一部は、サイバネティクスを語るシステムでもあるのだ！

したがって、サイバネティクスが理論的に完全であるためには、サイバネティクスという理論を語るシステムを、当のサイバネティクスの中において示さなければならない。言い換えれば、サイバネティクスはそれ自身の中にサイバネティクスを含まなければならない。サイバネティクスそれ自体をサイバネティックに語ること、それこそが「サイバネティクスのサイバネティクス」の意味であり、この議論が「セカンド・オーダー」と呼ばれる所以である。

めまいがするような状況だが、それがセカンド・オーダーというものの特徴である。オーソドックスな科学の立場では、これまで忌避されてきたのも肯けるだろう。しかし、むしろ科学的に真摯であろうとするならば、我々は、自身が置かれているこの状況を直視して、それを受け入れる以外に方法はない。

観察という問題系に注意して、もう一度整理してみよう。

フェルスターは、ファースト・オーダー・サイバネティクスを「観察されたシステム（observed systems）」のサイバネティクスと呼び、セカンド・オーダー・サイバネティクスを「観察するシステム（observing systems）」のサイバネティクスと位置付ける。[24] 原語の「observing systems」という表現には、二重の意味が込められていることに注意が必要である。[25]

一つは、ストレートに理解してよい。すなわち、眼前にあるシステムが「観察するシステム」であるということ、つまり、相手が観察者であるということである。観察対象として見出されているのが「観察するシステム」であり、観察者として観察されたシステムが念頭に置かれるという意味では、ファースト・オーダー・サイバネティクスと大差ないと考えることもできる。

それに対してもう一つの意味は、もっと厄介である。こちらは原語は同じでも「システムを観察すること（observing systems）」と訳すことができるだろう。この場合、サイバネティクスの直接の観察対象となるのは「観察すること」である。つまり、観察という問題系それ自体が、観察の対象となるのである。

この場合の「観察するシステム」は、観察の対象というよりも、観察する主体のことを指していると言ってもよい。すなわち、眼前にあるシステムではなく、私自身が「観察するシステム」であるということ、私自身が観察者であるということを自覚するということである。セカンド・オーダー・サイバネティクスは、まさに自分自身が観察することを観察するわけである。

実はこうしたセカンド・オーダーへの浮上は、サイバネティクスが精神の働きを問い始めたときにすでに運命づけられていたと言ってよい。その問い自体が、問おうとしているまさにその精神の働きなのだから、その問い自体を含み込むこと、そう問う者自身を含み込むことから逃れることはできない。サイバネティクスがセカンド・オーダー・サイバネティクスとなるのは、必然だったのである。

観察するものとされるもの

かくしてセカンド・オーダー・サイバネティクスは理論それ自体が大きな循環構造をもつことになる。それはまだ完全なものとは言えないが、試みとしてなら、本章に登場した議論だけでもその輪郭を描いてみせることはできる。[26]

大前提となるのは、我々は観察者であり、観察者として議論を行うということである。

観察者としての我々が最初に目をつけたのは、制御の制御による閉鎖系として実現される自律システムのメカニズムだった。自分自身のメカニズムを制御することができるシステムは、認知の計算プロセスによって環境を独自の仕方で秩序づけ、それを対処可能なものとすることができる。これがすなわち、ノントリビアルな環境のトリビアル化だった。

環境のトリビアル化とは、システムにとっての現実をつくりだすことにほかならない。認知のプロセスに着目すれば、客観的な現実がまずあって、それに最適化されていくという見方は正しくない。自律システムは無限に修正し続ける認知の計算プロセスとして、現実を構成するのである。

この認知と現実構成の理論は、観察者としての我々自身の問題として、認識論的に捉え直すことができる。我々は普段、自分自身が認知システムとして現実を構成していることを忘れている。客観的現実を前提とすることによって、観察という問題系を認知的盲点に置いてしまっている。しかし我々はつねにすでに観察するシステムである。我々はいままさに観察するシステムとして、観察者としてこの議論を行っている。

……そして振り出しに戻る。我々のここでの議論の出発点は、自律システムのメカニズムだった。自律システムは認知システムであり、認知システムであることは観察者であるための要件である。そのような観察者として、我々はいままさにこの議論を行っている……。

我々は、こうして観察者としての自分自身を説明するループの中に、自分自身を置いている。そのような現実を構成しつつ、まさにその現実の中にいる。本章の議論全体がセカンド・オーダー・サイバネティクスであると言えるのは、実際には、この大きな循環構造のためである。

ただし、これはあくまでラフスケッチであって、探究すべき領域はまだ多く残っている。セカンド・オーダー・サイバネティクスの登場によって、ファースト・オーダー・サイバネティクスには存在し得なかった問いの地平が一挙に開けてくるのである。それは通常の機械とは異なるシステム、自律システムに関する問題群であり、人間・生物・非機械論と一体不可分の関係にある。

観察という問題系に対応して、それには大きく二つの方向性があると言えるだろう。

一つは、観察されるものの方、つまり、構成される世界の側をさらに探究する方向である。もちろん世界はそれ単独ではなく、自律システムとの関係において、観察者との関係において問われなければならない。観察者としての私と観察される世界は相対的関係にある。セカンド・オーダーへと浮上後の世界は、フォン・ノイマン的な一元的な世界ではなく、ウィーナーが暗黙のうちに仮定した多元的世界である。

だがまだ明らかでないのは、次のような問題群である。すなわち、自律システムによる現実の計算プロセスは、どのようにして世界を安定的なものとして構成するか。私が構成していながら、独我論ではないというのはどういうことか。個々に構成される世界の共有は可能か。さらに、科学の前提となってきた現実、客観性、真理といった諸概念も、構成主義的な観点から捉え直されなければならない。これらについては、第5章で見ることにしよう。

新しいサイバネティクスが探究すべきもう一つの方向は、観察するものの方、観察者や観察そのものの方にさらに迫る方向である。こちらには、観察者とはどのような存在者か、観察するとはどういうことか、もっと基本的な生物の自律性や、その認知との関係はいかなるものか、といった問いが存在する。これらに対しては、難解であることで知られるマトゥラーナとヴァレラのオートポイエーシス論によってその基本的な解答が用意されることになる。そもそもフェルスターの議論は、マトゥラーナの思想の影響下で成立したと言うべき側面がある。[27] そこで次章では、こちらの方向をまず見てみることにしよう。

第4章

オートポイエーシスの衝撃

生命システムとは何か

オートポイエーシスは生命システムの組織化を特徴づける、必要かつ十分な概念である。

ウンベルト・マトゥラーナ
&フランシスコ・ヴァレラ

一九七三年、フェルスターの論文「現実構成について」が発表されたその同じ年、南米チリの生物学者マトゥラーナとヴァレラは、「オートポイエーシス」なる新たな概念を世に送り出した。[1] それは生命システムに特徴的な組織化の仕方を指し示す概念で、生物の自律性はその帰結として論証されることになる。ウィーナーに端を発するサイバネティック・パラダイムは、これによって正式に、生物非機械論として確立されることになる。

とはいえ、彼らの議論はかなり難解である。オートポイエーシスという言葉こそ、いまではそれなりの知名度を得たが、彼らの主張が一般に正しく受け止められているかというと、残念ながらそうではない。少なくとも生物学の主流からは距離を置かれているし、より視野を広げてみても、各論者がそれぞれに解釈して独自に議論を展開させているというのが実情である。

そこで本章では、オリジナルの議論になるべく忠実に、しかしわかりやすく解説することに努めたい。[2] 実際、彼らの言葉遣いは独特で、先行研究の参照もほとんどなく、予備知識のない者には取り付く島のない印象を与える。また彼らは自分たちの議論を「機械論」として提示しているから、その論旨が誤解されるのも無理もないところがある。

さらに輪をかけて難しくしているのが、議論全体の循環である。その意味するところは、本書の読者にはもうおわかりだろう。そう、オートポイエーシス論はフェルスターのセカンド・オーダー・サイバネティクスと同様の構造を持っている。いや、それ以上に明確に、観察者と観察される世界の円環を示して見せたのがこの理論なのである。オートポイエーシス論としては見逃されがちなこの点は、本章の最後で見ることにしよう。

1　生命の定義

オートポイエーシス

生命とは何か。この素朴にして本質的な問いは、もはや現代の生物学者の問いではなくなっている。すでに解決されたからではない。解決されたと思い込んでいるか、解決する価値がないと考えているか、あるいは単に、考える暇がないからである。

一九六〇年、チリ大学医学部生物学科に着任した生物学者、ウンベルト・マトゥラーナ（Humbert R. Maturana）がこの疑問に正対することになったのは、学生たちのおかげである。もっとも、彼の場合はずっと念頭にあった問いのようではある。しかし学生たちから問われることで、彼らを納得させるだけの答えが用意できないばかりか、彼自身を納得させる答えをも持ち合わせていないという事実に改めて気付かされたのである。

念のために言っておけば、当時もいまも、生物学的に認められた「生命の定義」らしきものは一応存在している。第一に、自己複製すること、第二に、エネルギーや物質の代謝があること、そして第三に、外界から区切られていること。これらすべてが揃ったものが生命であるというのが、現代でも通用する一般的な理解である。

だがこれは、我々が生物として認める限りの存在に共通する性質を、ただ列挙しただけのものである。このリストが完全であると言うためには、生命とは何かを知らなければならないが、それはこのリストによって答えようとしたまさにその問いである。これでは堂々巡りではないか。それがマトゥラーナの当初の問題意識だった。

彼の念頭にあったのは、「生命システムの固有性とは何か」という問いである。「生物はどのようなシステムか」と言い換えてもよい。すでに述べたように、システムとは、対象をその構成要素やその性質によってではなく、全体としての機構、メカニズムによって理解しようとする立場を含意している。つまり彼が求めたのは、生物に共通する性質のリストそれ自体を導くような、生命特有のメカニズムである。

そしてその答えとして提示されることになったのが、「オートポイエーシス（autopoiesis）」という概念である。「オート」は自己、「ポイエーシス」は産出や創造を意味するギリシア語で、この二つをつなぎ合わせた「オートポイエーシス」という言葉は、マトゥラーナとその共同研究者であったフランシスコ・ヴァレラ（Francisco J. Varela）の造語である。

ひとまず、初めてオートポイエーシスが定義された箇所を、ここに新たに訳出しておこう。[3]

オートポイエティック・マシンとは、構成素の産出（変形および破壊）プロセスのネットワークとして組織化された（単位体として規定された）機械である。このネットワークがその構成素を産出する。それら構成素は、(i)相互作用と変形をつうじて、それらを産出したプロセス（関係）のネットワークを絶えず再生産し実現する。(ii)同様に構成素は、空間内の具体的な単位体としてのそれ（機械）の構成素となる。その空間内において、それら（構成素）は当該のネットワークが実現する位相的領域を特定することによって存在する。[4]

安心して欲しい、これを一読して理解できる人などほとんどいない。

構成と構造

まずは問われていることを正確に理解する必要がある。

システムという言葉が、メカニズムに着目するものであることはすでに述べた。ここで改めて強調しておきたいのは、メカニズムといっても、オートポイエーシス論においては、とくにそのシステムをそのシステムたらしめる全体的なメカニズムに焦点が当たっているということである。

それを端的に示すのが「organization」という言葉である。これは、「機械を単位体として規定し、単位体としての相互作用と変形のダイナミクスを決定する諸関係[5]」と定義されている。従来、日本語では「構成」や「有機構成」と訳されることが多かったが、本書では文脈に応じて「組織」や「組織化」という表現も併用することにしたい。そうすることで、問われていることがより明確になるからである。

すなわち、オートポイエーシス論における根本的な問いは、「生命システムはどのように組織化されているか」と言い表すことができる。問われているのは、組織化の仕方である。生命を一つのシステムとしてまとめあげ――単位体として規定し――、そのあり方を決めている全体的なメカニズム

——単位体としての相互作用と変形のダイナミクスを決定する諸関係——が問われているのである。

この「organization」と対になる言葉は、「structure」である。これは慣習に従って「構造」と訳すことにしよう。構造は、システムを具体的な機械として実現させる構成素と、そうした構成素間の実際の諸関係を指す。構成が、抽象的だがシステムをシステムたらしめる重要さをもつのに対し、構造は、具体的だがシステムにとってはひとまず二次的なものと言える。

構成と構造を正しく区別することが、オートポイエーシス論を理解するための第一歩である。これらは生物に限らず、機械一般に当てはまる概念として提示されている。そこで生命システムについて考える前に、ここではコーヒーマシンを例として、両者の関係を明確にしてみよう。

よくあるドリップ式のコーヒーマシンを思い浮かべてみて欲しい。この種のマシンは、水を加熱して湯にする仕掛けと、湯をコーヒー粉の上に落としてコーヒーを抽出する仕掛けによって成り立っている。重要なのは、この二つの仕掛けとその関係が適切に設定されていなければ、コーヒーマシンはコーヒーマシンとしての用をなさないということである。

各々の仕掛けが適切に作動しなければならないことは言うまでもない。ここでは二つの仕掛けの関係に注目してみよう。たとえば、水の加熱が問題なくなされるとしても、加熱が不十分なうちに次の仕掛けへと湯が受け渡され、それがコーヒー粉の上に落ちることになれば、低温のせいでコーヒーはうまく抽出されない。逆に、加熱ばかり進行して次の仕掛けへと湯がなかなか受け渡されなければ、それはコーヒーマシンというよりもスチーム式の加湿器になってしまう。

つまり、コーヒーマシンをコーヒーマシンたらしめているのは、水を湯にしたり、湯をコーヒー粉の上に落としたりする個々のメカニズムというよりも、それらが適切につなぎ合わされた全体的なメカニズムである。コーヒーマシンがコーヒーマシンであるためには、システムとしてそのように組織化されていなければならない。これがすなわち、コーヒーマシンの構成である。

一方、そうした組織化の仕方を現実のものとして成立させる構造の方は、多様でありうる。構造として一番わかりやすいのは、構成素の素材である。コーヒーマシンの素材はプラスチックであってもよいし、金属であってもよい。あるいは、水タンクの具体的な容量を考えてもよい。それは一リットルであってもよいし、その半分であってもよいだろう。さらに、二つの仕掛けを関係付ける、具体的な様式を考えることもできる。それはもちろん温度計なら可能だが、諸々の条件が一定であると仮定できるなら、単純に作動時間であってもよいかもしれない。

これらはすべて、コーヒーマシンの構造にあたる。そうした構造がどうであれ、全体として適切に組織化されていれば、コーヒーマシンはコーヒーマシンとして機能する。コーヒーマシンというシステムがそれとして成立するためには、構成を変えることはできないが、構成が保たれる範囲内であれば、構造はいくらでも変えることができる。

まったく同様に考えれば、生命システムにとって本質的と言えるのも、構造ではなく、構成であるということになる。現実の生物を形作る構成素は、現在知られている限り主にはタンパク質だが、ひょっとするとシリコンであってもよいのかもしれない。構成素間の関係も、化学的相互作用ではなく、電気的相互作用であってもよいかもしれない。そう考えてみると、いかにもサイバネティックな話に思えてくる。

だが勘違いしてはならない。繰り返しになるが、重要なのは構成であって構造ではない。生命システムの構成が保たれる限り、たしかにどんな構造でもよいのだが、肝心なのはその構成の方である。そして構成という点では、むしろそれまでのサイバネティクスとは正反対の結論に至るのが彼らの議論である。なにしろ、機械の構成と生命の構成は、まったく異なるというのだから。

オートポイエーシス論によれば、生命システムはオートポイエーシスとして構成されている。それはいったい、どのような組織化の仕方なのか。いよいよそれに迫ることにしよう。

生命システムの組織化

先に示した定義によれば、オートポイエティックなシステムとは、第一義的には「構成素の産出プロセスのネットワークとして組織化されたシステム」である。だがその要点は、次のような相互産出的な関係性にある。すなわち、構成素が相互作用することで、プロセスのネットワークをつくりだすと同時に、このプロセスのネットワークによってこそ、まさにその構成素が産出される、という関係性である。[6]

抽象的な説明では混乱を招くのは必至だろう。オートポイエーシス論において想定されている生命システムは、主に細胞である。そこでここでも細胞を例に具体的に考えてみよう。

分子生物学的に言えば、細胞の構成素とは、核酸、タンパク質、脂質、糖といった生体高分子と、それらの一部ともなる有機低分子、それから水分子と各種の無機化合物である。そうした細胞の構成素は密に相互作用しており、それらの産出、変形、破壊といった生化学的プロセスの複雑なネットワークを形成している。一般に生物学では、これを代謝と呼んでいる。

わかりやすいのは、この代謝のネットワークによって、細胞を細胞として区切る「細胞膜」が形成、維持されていることである。細胞膜は、代謝ネットワークを一定の空間内に囲い込むことで、代謝の各プロセスの連鎖を保証する。それによって細胞の構成素が首尾よく産出されていくわけである。当然と言うべきか、細胞膜によって保証される代謝ネットワークのプロセスには、細胞膜自体を形成、維持するプロセスも含まれている。面白いのはこの点である。つまり、代謝ネットワークによって細胞膜が形成、維持されるとともに、その細胞膜によって代謝ネットワークが形成、維持されているのである。

構成素が相互作用することでプロセスのネットワークをつくりだすと同時に、このプロセスのネットワークによってこそ、まさにその構成素が産出される、というオートポイエティックな関係性は、ひとまずこのような代謝と細胞膜の相互依存関係として理解することができるだろう。[7]

厳密に言えば、細胞膜や具体的な代謝プロセスはシステムの構造であり、構成としてのシステムの領域、彼らの言葉で言えば位相的領域が、システム自身によって形成、維持されているということが重要である。「位相的」という言葉は、ここでは実体的、物質的な関係性ではなく、ある種の数学的、論理的な関係性を指し示すために用いられていると言ってよい。

これは細胞膜が空間を区切るためだけのただの物理的障壁ではないということからも、うかがい知ることができる。細胞膜にはところどころにタンパク質が貫通していて、それによって特定の物質が、必要なときに必要なだけ通過するように調整されている。さらにそうした膜タンパク質の存在自体、常に調整されている。細胞膜や、その瞬間に現実化している具体的な物質のやりとりとしての構造ではなく、自らの作動を通じて常に形成、維持されているプロセスの動的なネットワークとしての構成こそが、オートポイエーシスの本質である。

　オートポイエティック・システムでは、構成素の相互作用プロセスとそのプロセスのネットワークとが、互いに互いの存在の条件をつくりだすような関係をとる。だからそのどちらかだけが先にあると言うことはできない。[8] ネットワークは構成素の相互作用プロセスの連鎖として成立しているから、当然、構成素の相互作用プロセスなしにはあり得ない。同様に、構成素の相互作用プロセスも、全体的なネットワークが存在してこそ、その中で可能となる。

　便宜上、構成素という言葉は最初から使われているが、そもそもシステムの存在以前に何かがその構成素であるということはあり得ない。これは通常の機械でも同じだが、オートポイエティック・システムでは、構成素はまさにそのシステムによって産出されるという点に特徴がある。

　つまり、オートポイエティック・システムは自らを産出し、自らによって産出されるようなシステムである。このような組織化の仕方を具体的にイメージすることが困難なのは当然である。自己言及のパラドックスに似た、自己産出のパラドックスとでも言うべき事態が現実化した組織化の仕方が、オートポイエーシスだからである。

　よって、ここでもまたエッシャーのだまし絵に助けを請おう。図4―1は『描く手（*Drawing Hands*）』と呼ばれる作品である。これはマトゥラーナとヴァレラもオートポイエーシス論の一般向けの解説書の中で引用している作品である。[9]

見てわかる通り、絵の中の右手は左手によって描かれ、左手は右手によって描かれている。この状況を、最初に一方の手があって、それが他方の手を描いているというふうに描写することはできない。描く手が存在するためには、もう一方の手によってそれが描かれなければならない。しかしそのもう一方の手が存在するためには、やはり他方の手がまず描かれなければならない。右手は左手を産出し、左手は右手を産出する。しかしそれは二本の手という全体があって初めて存在可能な産出関係である。その意味では、各々の手は二本の手という全体によって産出されると言ってもよい。しかし二本の手という全体は、まぎれもなく各々の手が産出している。

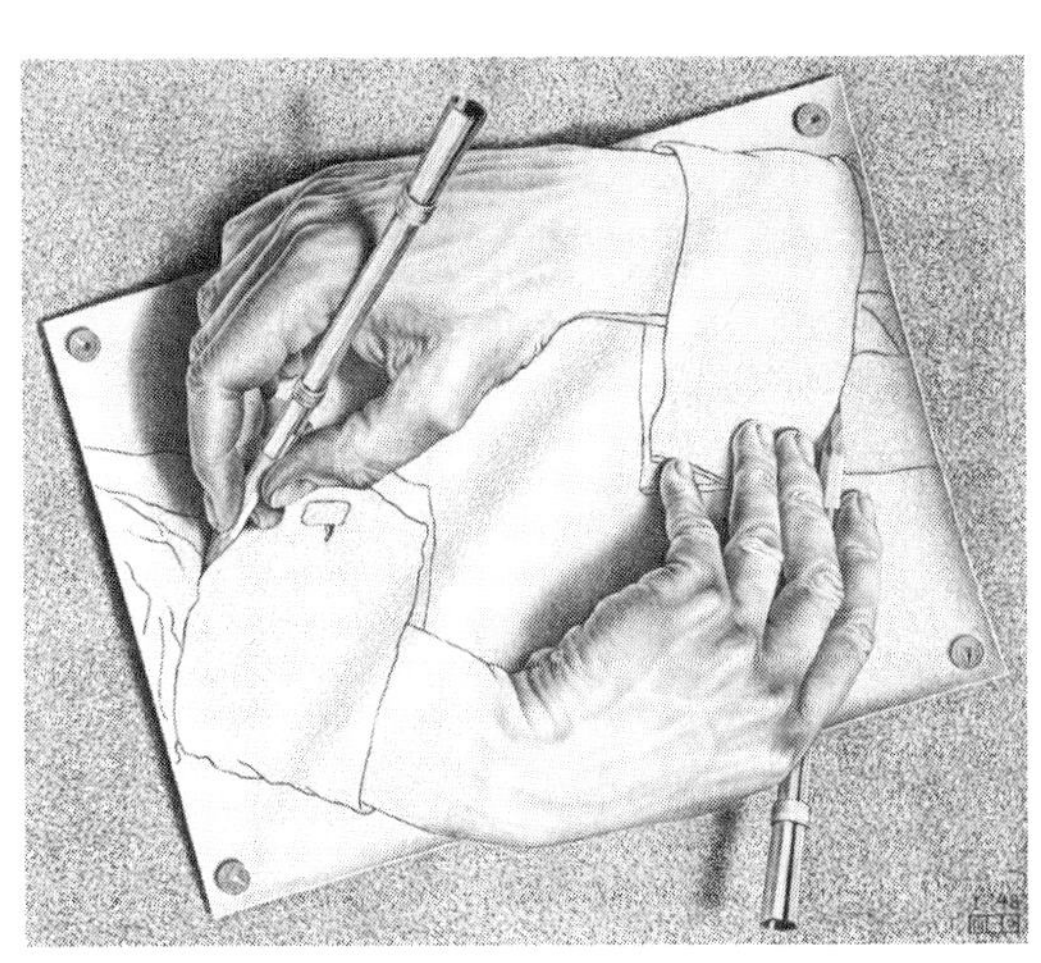

図4-1：M・C・エッシャー『描く手』
（リトグラフ、1948年）

この作品は、自らを産出し、自らによって産出されるオートポイエーシスという組織化の仕方の見事なメタファーとなっている。難点があるとすれば、それが絵であるがゆえに、描かれている事態のダイナミックな様相が鑑賞者の想像力に委ねられていることくらいだろう。だが実際、オートポイエティック・システムはどの一瞬を切り取ってみても、その本質を理解することはできない。

連鎖する産出関係として規定されるのがオートポイエーシスだから、そのダイナミクスが重要なのである。

オートポイエティック・システムのダイナミクスを止めてしまえば、それはもはやシステムとして存立し得ない。ダイナミクスの存在は、オートポイエティック・システムの前提である。オートポイエティック・システムは産出プロセスのネットワークとして定義されるがゆえに、それを止めてしまえばシステムとすら言うことができない。

これがコーヒーマシンや自動車なら、たとえマシンとしてそれが停止していても、少なくとも物質的にはそれはそれとして存在し続けることができる。しかしオートポイエティック・システムは産出をめぐるシステムだから、産出され続けなければ物質的な構造も崩れていくだけである。細胞もその代謝プロセスの連鎖をどこかで止めてしまえば、いずれ瓦解してしまう[10]。

要するにオートポイエティック・システムとは、自己を産出し続けているがゆえに存在するシステムである。自己を産出し続けることで自らを存在せしめるシステム、端的に言えば、自分で自分をつくり続けるシステムが、オートポイエティック・システムである。自己（オート）を産出（ポイエーシス）するという意味の「オートポイエーシス」というネーミングは、事態を的確に表したものなのである。

最後にもう一度、オリジナルの定義を見直しておこう。

オートポイエティック・システムとは、「構成素の産出（変形および破壊）プロセスのネットワーク」として組織化されたシステムである。その詳細は、概ね先の(i)に対応する。すなわち、構成素は「相互作用と変形をつうじて、それらを産出したプロセス（関係）のネットワークを絶えず再生産し実現する」。つまり、構成素が相互作用するプロセスが連鎖的に進行することで、全体がネットワークとして組織化されたシステム、プロセスのネットワークであるがゆえに、絶えずそのように組織化され続けるシステムがオートポイエティック・システムである。

同時に、「このネットワークがその構成素を産出する」関係にあることも重要である。こちらは先の(ii)に対応すると考えてみよう。[11]「構成素は、空間内の具体的な単位体としてのそれ（機械）の構成素となる。その空間内において、それら（構成素）は当該のネットワークが実現する位相的領域を特定することによって存在する」。この文は構成素によるシステムの具体化と特定化の話が加わっていてわかりにくいが、その骨子はネットワークによる構成素の産出にあると見ることができる。すなわち、構成素はシステムを具体的なネットワークとして実現させる一方で、実現されたそのネットワークにおいてこそ、その構成素として存在する。構成素は、自身がつくりだすネットワークによって構成素として産出され、そのシステムを特定のシステムとして存在せしめるということである。

2　生物非機械論の確立

自律性

以上のようなオートポイエーシスという組織化の帰結は、極めて重要である。それによって生命システムは、非オートポイエティックなシステムとはまったく異なる種々の性質をもつことになるからである。

マトゥラーナとヴァレラの当初の議論では、オートポイエーシスという組織化に由来する性質として、次の四つの性質が挙げられた[12]。自律性、自己同一性、単位体であること、そして入出力の不在である。このうち自律性は、オートポイエーシスのもっとも基本的かつ重要な性質である。

前節では、オートポイエーシスのイメージとして、エッシャーの『描く手』を取り上げた。ここではその一方の手が、理由はともかく少し異なる動きをしたらどうなるか考えてみよう。二つの手のうちの一方の手が、これを手Aとすれば、その動きが少し変化すると、それによって描かれるもう一方の手Bの構造が変化することになる。手Bの構造の変化は、手Bの動きを変化させることになるだろう。そうして手Bの動きが少し変化すると、それによって描かれる手Aの構造が変化し、手Aの動きもまた変化することになる。

最初に想定した手Aの動きの変化は、このようにして手Bの変化が連鎖したものと考えることができる。いや、その手Bの変化は、その前の手Aの変化に由来するはずである。しかしこれはどこまでいっても同じである。要するに、手Aは手Bの動きを決定し、手Bは手Aの動きを決定しているわけである。

どこかで聞いた話ではないだろうか。そう、これはフェルスターの「二重の閉鎖性」モデル（94ページ）と同じである。二重の閉鎖性とは、ドーナツ型の立体であるトーラスに象徴されたような、互いが互いの関数の形を決定し合う閉じた関係性のことだった。そのような関係性が成立することで、そのシステムは全体として自らの制御を制御する、自律システムとして存在することになるのだった。

オートポイエーシス論で論じられる自律性も、基本的には同じである。マトゥラーナとヴァレラは、「あるシステムがそれ自身の諸法則、何が自分自身にとって固有のものなのかを特定できるとき、そのシステムは自律的だ」[13]と述べている。「それ自身の諸法則」とは、それ自身の制御の方法と言ってよい。手Aと手Bが相互産出関係を通じて互いの動きを決定し合うように、オートポイエティック・システムは自らの作動によって自らを産出し続けることで、それ自身の制御の方法をそれ自身で常に特定している。つまり、それ自身の制御を制御している。オートポイエーシスという自己産出的な組織化によって、フェルスターの「制御の制御による閉鎖系」が端的に実現しているわけである。

したがって、オートポイエティック・システムも「自律的（autonomous）」[14]なシステムである。しかもフェルスターのモデルでは、互いの関数の形の調整を通じた自己制御であるとも言えるのに対し、オートポイエーシスでは互いの関数そのものの産出を通じた自己制御が実現していると言ってよい。構成素の自己産出という組織化の帰結として、考えられる限りもっともラディカルな自律性が出現していると言える。[15]

オートポイエティック・システムの自律性は、オートポイエーシスという組織化の帰結であるがゆえに、システムが存続する限り常に保持されている。外部からどんな攪乱（かくらん）を受けようとも、オートポイエティック・システムは「あらゆる変化をそれ自身の組織化の維持へと従属させる」[16]。これは自律性の別表現となっているから、もう一つ別の例で説明してみよう。

単細胞生物である大腸菌は、主な栄養源であるグルコース（ブドウ糖）が不足すると、代わりにラクトース（乳糖）を利用するように変化する。グルコースの不足という事態に対して、ラクトースを取り込むためのタンパク質の産出と、ラクトースを分解するためのタンパク質の産出によって対処する。[17]それによってシステムの構造は変化することになるが、オートポイエーシスという構成（組織化）は不変のまま維持される。

いやむしろ、オートポイエーシスという組織化ゆえに、システムはその構造を変化させると言った方がよい。オートポイエティック・システムは定義からして自分で自分をつくり続けるシステムだから、システムが存続する限り、どんな変化も自分をつくり続けることに帰着する。この意味で、あらゆる変化は常にオートポイエーシスという組織化の維持へと従属させられている。ラクトースを利用するためのタンパク質の産出は、大腸菌の全体的な代謝ネットワークとしての組織化を維持することに寄与するがゆえに、そのような構造変化が生じると言ってよい。

つまりオートポイエティック・システムは、他からもたらされる変化に従属するのではない。他の何かに従属するのではなく、自分自身の組織化の維持にすべてを従属させる。大腸菌は、栄養源の不足という危機的な事態でさえも、構成素の自己産出を通じて自身の組織化の維持へと結びつける。より正確に言えば、そうした事態にもかかわらず構成素の産出プロセスの連鎖が継続することそのものが、すなわちオートポイエーシスという組織化の維持となっている。

これはシステムが壊れない限り、永遠に続く。もしオートポイエーシスを維持できないほどの変化が生じるなら、そのシステムはただ崩壊するだけである。オートポイエティック・システムは、それが存続する限り、どんなときも常に自分自身を組織化し続けるがゆえに「自律的」なのである。

なお、オートポイエティックなシステムが自律的であるのに対し、「アロポイエティック（allopoietic）」

なシステムは他律的である。「オート」は「自己」を意味していたが、「アロ」はその反対の「他（他者）」を意味している。つまり「アロポイエーシス」とは、他者を産出するような組織化のことである。アロポイエティック・システムは、それ自身とは異なるものの産出に従属する。それゆえ他律的である。

人間によって作られた機械は、いまのところすべてアロポイエティック・システムである。[18] 前節で話題にしたコーヒーマシンももちろん例外ではない。コーヒーマシンは、水とコーヒー粉から飲み物としてのコーヒーをつくる。マシンの生産物であるコーヒーは、それをつくるコーヒーマシンと同じではない。コーヒーマシンは、それ自身とは異なる「コーヒー」をつくることに従属している。したがって、コーヒーマシンは自律的ではない。

オートポイエティック・システムはそれ自身の産出に従属すると言ってもよいが、そのように従属させるのはそうして産出されている自分自身だから、やはり自律的である。フェルスターのモデルでは、プログラムするものとされるもの、プログラマーとプログラムが一致していた。同様にオートポイエティック・システムでは、生産者と生産物が一致している。[19]

自己同一性

オートポイエーシスの帰結として挙げられる性質の二つ目は、「自己同一性（identity）」[20]である。これは英語のまま「アイデンティティ」をもつと言った方がわかりやすいかもしれない。「個体性（individuality）」[21]という表現も、オートポイエーシス論ではほぼ同じ意味で用いられる。

すでに述べてきたように、オートポイエティック・システムは自分で自分をつくるシステムである。構成素の産出プロセスの連鎖は、このシステムが存続する限り絶え間なく続いていく。システムの構造がどんなに変化しても、このシステムは自分自身を組織化し続ける。そうした自己産出による組織化の連続性が、システムに自己同一性を与える。

人間の身体は、数ヵ月、あるいは数年で完全に新しくなると言われている。実際には部位によってそのスパンはさまざまであり、完全に新しくなるとは言いがたいようだが、人間の身体を形作るおよそ六〇兆個の細胞のうち、たしかにかなりの部分は比較的短期間で新しいものに置き換わるようである。だからこそ我々は傷を癒すことができるのだし、それでなくとも胃や腸の細胞は、その自然な働きだけでかなり損傷していくから、これは人間という生物にとって不可欠な仕組みであることは間違いない。

だが私の身体を形作る細胞の、たとえば八割が新しいものに置き換わってしまったとしたら、それは元の私と同じと言えるだろうか。「日々新しい自分に生まれ変わっている」などと言えば感動的だが、本当にそうなら、私は私としての自己同一性を保持していると言えるのだろうか。

全く同様の懸念は、個々の細胞レベルにも当てはまる。細胞の具体的な構成素である種々の分子は、時々刻々と新しいものに置き換わっている。ならば一定期間後のその細胞は、元の細胞と同じと言ってよいのだろうか。その細胞の自己同一性が保持されていると言えるなら、それはいかなる理由でそう言えるのか。

この手の話は、いまだにしばしば難問のように語られるが、オートポイエーシス論の見地では何ら不思議なことではない。細胞を形作る具体的な分子がどんなに入れ替わろうとも、自分で自分をつくるというオートポイエティックな作動は絶え間なく続いているからである。オートポイエーシスという組織化が維持されている限り、その細胞はその細胞としての個体性を有する。オートポイエティック・システムは自分で自分をつくり続けるシステムだから、その作動そのものが、自らの同一性を自ら保持することになっているのである。

それに対してアロポイエティック・システムは、自らの同一性を自ら保持することができない。言い換えれば、それ自体として個体性をもたない。アロポイエティック・システムでは、その作動によって産出されるものがそれ自身とは異なっているからである。

たとえば壊れたコーヒーマシンを修理に出したら、八割の部品が新しいものに交換されて戻ってきたとしよう。これは元のコーヒーマシンと同じと言えるだろうか。八割の部品が入れ替わった同一のマシンなのか、それとも、二割の部品が再利用された新しいマシンなのか。

コーヒーマシンはアロポイエティック・システムだから、自己産出による組織化の連続性は認められない。単純に組織化の維持という点だけ考えても、すでに壊れてしまっているのだから、コーヒーマシンとしての組織化の連続性はいったん途絶えている。何よりコーヒーマシンが産出するのはコーヒーであって、コーヒーマシンそれ自身ではない。作動によって産出されるものがそれ自身とは異なっているから、コーヒーマシンは自らの同一性を自ら保持することができない。

それでもこのコーヒーマシンに愛着がある人には、それは新しいマシンではなく、あくまで元のマシンと同一のもの、それを修理したものと感じられるかもしれない。しかし元のマシンと同じ個体であるとの認識は、そのように捉える特定の観察者によるものに過ぎない。元のマシンと八割も異なれば、まったく別のマシンとみなす観察者も少なくないはずである。

コーヒーマシンは自分自身をつくらないから、その作動はコーヒーマシンの同一性を保持することとは関係がない。つまりコーヒーマシンの同一性を決めるのは、当のコーヒーマシンではない。コーヒーマシンの同一性は、観察者に依存する。

このことから逆に際立ってくるのは、オートポイエティック・システムに特有な、いわば強い同一性である。すなわち、オートポイエティック・システムは観察者とは無関係にその同一性を保持する。オートポイエティック・システムは、その作動によって産出するものがそれ自身だから、それを観察する観察者とは無関係に、自らの作動によって自らの同一性を保持できるのである。

こうしたシステム自体の作動の連続性という観点から捉えられた自己同一性ないし個体性は、他のシステムとは異なるという意味での個体性、つまり、他のシステムと比較したときの当該システムの個別性ないし独自性の議論へと、容易に結び付けることができる。

たとえばAさんとBさんが、同じタイプのコーヒーマシンを同時に購入したとしよう。このとき、Aさんが購入したコーヒーマシンとBさんが購入したコーヒーマシンは区別することができるだろうか。各マシンに個体識別番号などが付いていないとすれば、近代工業の産物である二つのマシンには基本的に違いがないはずである。したがって、購入直後に二人のマシンを交換しても何ら問題はない。つまり、この二つのマシンには個別性がないことになる。

それでもこの二つのマシンが区別されるとしたら、それは観察者によってそう観察されるときである。たとえばAさんはとても神経質で、一度手にしたものは自分のもので、他のものとは異なると考える人だったとしよう。その場合、二つのコーヒーマシンは区別されることになるが、それはAさんという観察者に依存する区別である。Bさんはまったく気にせず、どちらも同じと考えるかもしれない。つまり、この二つのマシンの個別性は観察者に依存し、マシン自体とは無関係に決まるということである。

では今度は、AさんとBさんの交換を考えてみよう。双子の入れ替え物語のように、この二人は驚くほどそっくりで、外見的な違いはまったくないとする。この場合も両者を区別する手立てはないから、個別性がないように見えるかもしれない。

しかし、当の本人たちの自己同一性が保持されていれば、たとえ本人たち以外の誰にもわからなくても、二人が別人であるということは理解される。それどころか、たとえば事故や病気で本人たちすら自分が誰だかわからなくなったとしても、それでもAさんは常にAさんであり、Bさんは常にBさんである。システムの作動それ自体によって自己同一性が保持されるときは、観察者とは無関係に、個別性もまたそれ自身によって維持される。

単位体であること

観察者とは無関係に、という点をさらに強調すると、自ら「単位体（unities）[22]」としてあるという性質が見えてくる。オートポイエーシスの帰結としての性質の三つ目がそれである。

言語学的知見を持ち出すまでもなく、我々が特定の何かをそれとして認識できるのは、それを他の一切から区別することができるからである。たとえば、青空に浮かぶ一片の雲は、空の青さとの対比によってそれとして認識できる。同様に、嵐の夜の雷鳴は、雨音や風音との対比によってそれとして認識できる。そうして雲や雷鳴は、その背景にある一切とは別の存在として、つまり、単位体として特定される。

我々はまた、さまざまな生物を、それぞれ別の単位体として特定することができる。猫は猫であり、犬は犬であるというだけではない。同じ猫でも、この三毛猫とその三毛猫は、別の単位体として特定できる。細胞も同じである。細胞はすべて細胞膜によって空間的に区切られているから、それぞれ別の単位体として特定できる。

それがどんなものであれ、我々にとって存在するものはすべて単位体である。そして、特定の単位体を特定の単位体として識別するのは、いつもその観察者である。これは対象が雲や雷鳴であろうと、猫や細胞であろうと同じである。

しかし、特定の単位体としてのオートポイエティック・システムの識別と、特定の単位体としての非オートポイエティック・システムの識別とには、決定的な違いがある。両者とも、それを単位体として識別するのは観察者だが、前者の場合、そのように識別する観察者とは無関係に、自ら単位体としてあることができる。

逆に言うと、非オートポイエティックな存在は、自ら単位体としてあることができない。これは物理的に明確な境界があるかどうかとは関係がない。たとえば雲の場合、たしかにその実体は水滴であり、その集まりとしての雲には明確な境界がない。しかしこれは道端の石や、コップに入った水にも当てはまる。一見、明確な物理的境界があるように見えても、それが自らの作動を通じてつくられた境界でないなら、自らそのような単位体としてあると言うことはできない。

　実際、そうした単位体の特定は完全に観察者に依存する。たとえば観察者は、コップに入った水と捉えるかもしれないし、水の入ったコップと捉えるかもしれない。あるいは、そこに含まれる一つの水分子を単位体として特定するかもしれない。一見して境界が明らかであると思われる対象も、実は観察者による識別を通じて、特定の単位体として切り出されている。

　それに対してオートポイエティック・システムは、観察者とは無関係に、自らの境界を自ら決定している。これはオートポイエーシスという組織化の帰結である。オートポイエティック・システムは自分で自分をつくるシステムだから、それ自身の作動を通じてそれ自身の境界をもつくりだす。細胞というシステムで言えば、その全体的な代謝ネットワークを通じて、細胞膜という構造が形成、維持されることに相当する。

　より正確に言えば、オートポイエティック・システムはその作動そのものが境界を定めるような作動となっている。生物の細胞膜はその結果としてたまたま形成、維持される構造に過ぎない。細胞膜は、観察者としての我々がその細胞を特定し、識別するのには役立つが、オートポイエティック・システムとしてのその細胞自身にとっての境界が、必ずしもそれと一致するとは限らない。オートポイエティック・システムは、構成素の産出プロセスのネットワークとしての組織化そのものが閉じているから、まさにそのことによって境界が決定され、自ら単位体としてあるのである。

　オートポイエーシスという言葉が考案される以前、マトゥラーナはそれを「円環的な組織化（circular organization)」[23]と呼んでいた。「circular」を「循環的」と訳せば、メイシー会議の正式名称に含まれていた「循環的因果律システム(circular causal system)」という言葉との連続性を感じとることもできるだろう。だがここでは「円環的」と訳す方が事態をより明らかにしてくれる。円環は、ぐるっと回って閉じている。フェルスターのトーラスも同じである。新しいサイバネティクスは、円環的に閉じたシステムのサイバネティクスなのである。

オートポイエティック・システムは円環的に閉じているから、その作動そのものとして境界を決定し、自らを一つの単位体として存在せしめる。コーヒーマシンのようなアロポイエティック・システムは、それとは対照的である。コーヒーマシンの境界を決定し、単位体として特定するのは当のコーヒーマシンではない。そのコーヒーマシンをそれとして特定するのは、存在論的には、そのマシンの設計者や製作者であり、認識論的には、そのマシンの観察者である。

しかし観察者は、そのマシンの設計者や製作者の意図にかかわらずそれを識別できるし、設計者や製作者自身も、自らの意図にかかわらず観察者としてそれを自由に識別することもできるから、より本質的な役割をもつのは観察者の方である。[24]たとえば観察者は、ミルクフォーマーが搭載されたコーヒーマシンをそのまま単位体として識別することもできるし、単位体としてのコーヒーマシンにミルクフォーマーという付属品がついたものとして識別することもできる。アロポイエティック・システムの境界と単位体としてのその特定は、完全に観察者に依存する。

入出力の不在

オートポイエーシスの帰結として挙げられる最後の性質は、「入出力をもたない (do not have inputs or outputs)」[25]という驚くべきものである。実際、これはオートポイエーシス論の最大の難所であると言ってよい。

言うまでもなく、生物は呼吸し、栄養をとり、排泄する。システムとしての生物に入出力があるのは、生物学者どころか誰にとっても明らかである。だからこの性質の理解不能さは際立っていて、多くの読者がここでオートポイエーシス論への接近を諦めるか、誤解して切り捨ててしまう。オートポイエーシス論の日本への紹介者である河本英夫も、他の理論と比べたときのオートポイエーシス論の異様さをこの性質に見ている[26]。

しかし逆に言えば、この性質を理解することで、オートポイエーシス論に特徴的な視点はほぼ押さえられたと言って過言ではない。しかもそれは、文字通り視点の大きな転換として理解できる。

これまでの三つの性質と同じく、この入出力の不在という性質もオートポイエーシスという組織化の帰結として提示されている。したがってまずは基本通り、構成素の産出プロセスのネットワークという点から確認してみよう。

オートポイエティック・システムは、構成素の産出プロセスのネットワークとして組織化されたシステムである。このシステムは、常に自分をつくり続けることに従事している。外部からいかなる攪乱を受けようとも、構成素を産出し続けるという点で一貫している。構成素の産出プロセスのネットワークとして、システム自体が円環的に閉じている。そのように閉じたシステムだから、それへの入力も、それからの出力も存在しない。

それに対してアロポイエティック・システムは、他者を産出するシステムだから、当然、入力も出力も存在する。コーヒーマシンはコーヒー粉と水と電力を入力として、コーヒーを出力するシステムである。

勘違いしてはならないのは、オートポイエティック・システムといえども、システム外部との相互作用は存在するということである。オートポイエティック・システムは、熱力学でいうところの閉鎖系でもなければ孤立系でもない。つまり、外界との物質的なやりとりは存在するし、エネルギーの交換もある。だが構成素の産出プロセスのネットワークとしては閉じているということである。

実際、オートポイエティック・システムはその外部との相互作用によって攪乱される。観察者は、システムに外的な由来を持つそうした攪乱と、それを補正しようとするシステムに内的な構造変化との対応関係を眺めて、そこに入出力関係を見出すこともできる。つまり、オートポイエティック・システムをアロポイエティック・システムのように眺めることも可能である。しかしそれは、あくまでその観察者の見方であって、システム自身のオートポイエティックな作動とは何の関係もない。システム自身は内部も外部もなく、ただひたすら構成素の産出を続けているだけである。

河本はこれを「視点の転換[27]」として強調する。我々は、システムを外から眺める観察者の視点に慣れているから、システムへの入出力を問題にしがちである。しかしオートポイエーシス論が提示しているのは、オートポイエーシスという組織化を追跡する視点であり、ひいてはシステムそのものの視点である。とくに入出力の不在という性質は、このようなシステムに内的な視点から把握されるものであり、通常の観察者によるシステム外的な視点とはまったく異なるところから述べられているという。

なにか煙に巻かれたように感じるかもしれない。しかしオートポイエティック・システムは、構成素の産出プロセスのネットワークとして定義される以上、とにかく自身の構成素を産出し続けるシステムである。産出関係としてどこまでも閉じたシステムだから、それ自身にとって入出力がないのは当然である。むしろオートポイエーシスという組織化を追跡する内的視点をとる限り、外界との相互作用は論じる余地がないと言わなければならない。

では、それでも相互作用すると言えるのはなぜか。

明確にしてしまえばなんてことはない。相互作用するのはシステムの構成ではなく、構造の方である。そして構造と相互作用について語るなら、のちに定式化された「構造的決定」という考え方を看過するわけにはいかない。

実はマトゥラーナとヴァレラの当初の議論では、構成と構造の区別はまだ厳密にはなされていなかった。構造という概念自体、整備の途上にあったと言ってよい。したがって構造的決定という考え方も、オートポイエーシス論のその後の展開を通じて明確にされてきたところがある。

入出力の不在と密接な関係にあるこの構造的決定については、次節で改めて論じることにしよう。オートポイエーシスという組織化の性質として入出力はないとは言えても、それだけでは、システムとその外界との相互作用を一切語れなくなってしまうからである。

生物非機械論・的機械論

以上、オートポイエーシスの帰結としての四つの性質を確認してきた。オートポイエーシスとして組織化されたシステムは、アロポイエーシスとして組織化されたシステムとはまったく異なる性質をもっている。これはそのまま、生物と機械の違いとして理解することができる。

　最初に確認した自律性は、四つの性質の中でもっとも基本的かつ重要な性質である。自律性は、生物の基本的特徴として古くから認識されてはきたが、それを明確に捉えることは長く困難を極めてきた。そうした歴史を踏まえれば、マトゥラーナとヴァレラがオートポイエーシス論によって成し遂げたことの重要性は、いくら強調してもし過ぎるということはない。彼らはオートポイエーシスという自己産出のメカニズムの帰結として、生物の自律性を理解する道を開いたのである。

　いまのところ、オートポイエーシスとして組織化された人工的機械は存在しない。世の中には、すでに「自律的」と謳われる機械が多数存在しているが、それらはオートポイエティック・システムのように自分で自分をつくることで成立しているシステムではない。したがって、それらがいかに「自律的」に見えようとも、その自律性は生物の自律性とは区別されなければならない。

　ともすると、機械が自分で自分をつくっているかというポイントは、自律性にとって瑣末なことのように感じられるかもしれない。しかし、オートポイエーシスという自己産出的な組織化によって、フェルスターが自律性の起源として見た「制御の制御による閉鎖系」が端的に実現する点が重要である。

　巷にある「自律的」機械でも、制御の制御や、制御の制御の制御くらいはなされているかもしれない。しかしそうした制御関係を遡れば、必ずそれら全体を制御する所与のメカニズムに行き当たる。それ自体はその機械の製作者によって与えられているものであり、制御を制御する関係性は閉じていない。したがって結局のところそれらは、他者によって制御されている他律システムである。

翻って生物は、自らの作動によって自らを産出し続けることで、それ自身の制御を制御する閉じた関係性を有している。オートポイエーシスという自己産出のメカニズムの帰結として、機械にはないラディカルな自律性をもっている。

オートポイエティック・システムがもつ残り三つの性質も、生物が機械と異なることを明確にしてくれる。まず、オートポイエティック・システムに自己同一性（アイデンティティ）があるということは、個々の生物それぞれが、交換の利く機械とは異なり、かけがえのない唯一無二のものであることを意味する。自己産出による組織化の連続性が自己同一性を与えるから、たとえ遺伝情報がまったく同じクローンであったとしても、各個体はまったく別の自己同一性を有している。生命の尊厳とか、個人の尊重とかいった上滑りしがちな概念の根底には、オートポイエーシスに基づく自己同一性が潜んでいると言えそうである。

また、オートポイエティック・システムが自ら単位体としてあるということは、生物はただ生きることによってその都度自らの境界を決定し、自らを存在せしめていることを意味する。それに対してアロポイエティックな機械は、その単位体としての存在が他者に委ねられている。機械は他者によって作製されなければならないし、他者によって観察されなければならない[28]。

そして、入出力の不在という性質とともにあったのは、システム内的な観察の視点である。オートポイエーシスという組織化によって、その生物自身の視点を措定することの妥当性が生まれると考えることができる。同様の視点を、アロポイエティックな機械に対して想像することは可能だが、それは観察者が根拠なくそうするだけである。逆に、生物に対してその生物自身の視点を無視した観察を行うことも可能である。その場合、観察者はその生物のオートポイエーシスを蔑(ないがし)ろにして、それをアロポイエティックな機械とみなしていることになる。

サイバネティクスの創始者であるウィーナーは、個々の行為者としての生物が織りなす多元的世界を暗に仮定していた。サイバネティック・パラダイムの起源となった思想がそれだが、科学者としての当時のウィーナー自身には、それを正当化する術がなかった。しかしいまやオートポイエーシスというメカニズムに基づいて、個々の生物独自の視点を正当化することが可能であり、それらが織りなす多元的世界にアプローチすることができる。

こうしてオートポイエーシス論は、フェルスターのセカンド・オーダー・サイバネティクスとともに、新しいサイバネティクスの中核理論として機能することになる。オートポイエーシス論は、生物のもっとも基本的な単位である細胞レベルから、生物は機械とは異なる存在であることを明確にする。人間・生物機械論の立場をとるコンピューティング・パラダイムに対して、人間・生物非機械論としてのサイバネティック・パラダイムが、ここに確立されたことになる。

念のため確認しておけば、人間・生物非機械論といっても、決して霊魂のような非科学的な生命原理が主張されているわけではないし、神や宇宙の目的といった超自然的な何かが想定されているわけでもない。オートポイエーシス論はその難解さからしばしば誤解されているが、決して頭から生物を特別視する理論ではない。

マトゥラーナとヴァレラ自身、オートポイエーシス論が生気論(せいきろん)や目的論ではなく、あくまで機械論であることを強調している。それはオートポイエーシスの最初の定義の段階から、明確に「機械(マシン)」としてシステムが語られていることにも表れている。その意味で、オートポイエーシス論はシステムのメカニズムを問う機械論としてのサイバネティクスを完全に引き継いでいる。

にもかかわらず、最終的には非機械論であるという点がオートポイエーシス論のユニークなところである。人間や生物を端から機械と区別しているのではなく、むしろ機械として捉え、機械論的に迫ることで、機械としてのその特殊性に突き当たっているのである。生物非機械論と言える主張は、その結果なのである。

したがって、サイバネティック・パラダイムは、機械論の上に構築された非機械論であり、人間・生物非機械論・的機械論であると言うことができる。科学としては異端の非機械論の論陣を張りつつ、それ自体は機械論としての強靭さを秘めているのである。

3　生命現象としての認知

生命システムの現象学

オートポイエーシスの定義とその帰結としての性質を確認した後のマトゥラーナとヴァレラは、「オートポイエーシスは生命システムの組織化を特徴づける、必要かつ十分な概念である」[29]と宣言する。

本当にオートポイエーシスが生命システムの組織化の必要十分条件であるのか、つまり、オートポイエティック・システムであれば生命システムであり、生命システムであればオートポイエティック・システムであるのか、この関係を彼らが示し得ているのかという点には、疑問の余地がないわけではない。しかしここでは彼らの意を汲んで、この宣言以降に展開される議論の方に焦点を当てよう。

先の宣言文自体には反映されていないが、この宣言は明確に物理的なオートポイエティック・システムを対象としている。あえて物理的と言うことで、非物理的なオートポイエティック・システムの存在が示唆されるとともに、以降の議論がひとまず伝統的な生物学の領域に限定されることになる。[30]そうしてオートポイエーシスという概念が、従来の生物学のさまざまな知見とどのように関わるのか、それらをどう再解釈するのかが示されていく。

たとえば、もし生命システムが物理的なオートポイエティック・システムであるなら、そのシステムのダイナミクスは物理的空間内で維持されなければならないことになる。ならば生命システムには、必然的にエネルギーや物質の代謝が伴うことになるだろう。同様に、生命システムは物理的空間内で単位体としてあることになるから、システムはその構造として細胞膜のような物理的境界をもつ可能性が高い。であれば我々のような外的な観察者にも、そのシステムが外界から区切られていることが容易に識別できるだろう。

これは従来の生物学において生命の定義と考えられてきた事柄の一部、代謝があることと、外界から区切られていることを意識した説明である。これは本書の筆者なりの例であって、彼ら自身が明確に述べているものではない。しかしこのように説明することで、特定の性質を生命の定義として前提とするかわりに、それらを物理的なオートポイエティック・システムであることの帰結として理解できるようになる。

実際、当初のマトゥラーナが求めていたのは、生物に共通するこうした性質のリストそれ自体を導くような、生命特有のメカニズムだった。オートポイエーシスがその答えであるならば、同様にさまざまな生物学的現象が、事実、オートポイエーシスというメカニズムに基づくものであることを論証する必要がある。そこで彼らが展開するのが「生命システムの現象学（phenomenology of living systems）」[31]と呼ばれる議論である。

その全てをここで紹介することはできないが、とくに興味深いものとして、ここでは自己複製と進化、そして個体発生について確認してみよう。これらは一般に、基本的かつ重要な生物学的現象として考えられているが、オートポイエーシス論に従えば、すべてシステムのオートポイエーシスに由来する現象として再解釈できる。しかもそれは、従来の生物学の知見をただ追認するだけのものではない。とくに自己複製と進化は、生命システムにとっては「二次的」とも呼ばれる非本質的な現象へと、ある意味で降格されることになる[32]。

自己複製、進化、個体発生

一般に、生命にとって欠くことのできない性質として考えられているのが、自己複製という性質である。先ほど述べた、代謝があることと外界から区切られていること、それにこの自己複製するという性質を合わせれば、生命の完全な定義になるとすら考えられている。

しかしオートポイエーシス論によれば、自己複製[33]という性質は、生命の定義やそれに類するものとはなり得ない。自己複製は、生命システムにとって非本質的なプロセスである。より正確に言えば、それは生命システムの組織化の仕方を定義したり、それを特徴づけたりするようなプロセスではない。

　これは前節の議論に「自己複製」という言葉が一度も登場していないことからも明らかだろう。だがもっと単純な形でその理由を述べることもできる。すなわち、自己複製が実現するためには、自己複製するシステムが、それ以前に存在していなければならないからである。複製という現象だけからしても、複製元となるオリジナルの単位体が必要であることは明白である。つまり、自己複製によって生命を定義しようというのに、そもそもその存在を前提としなければならない。

　さらにここでは自己複製である。自己複製とは、自己複製する単位体が、自身と似たもう一つの単位体を自らつくりだすプロセスである。このプロセスが進行するには、このプロセスを進行させる、自己たる単位体が必要である。

　そして、自ら単位体としてあることができるのが、オートポイエティック・システムの特徴だった。これはオートポイエーシスというメカニズムが、システムとしての自己（オート）を「産出（ポイエーシス）（production）」するがゆえである。だから「自己再産出（self-*re*production）」することができるのも、オートポイエティック・システムだけである。つまり自己複製は、オートポイエーシスを前提とした、オートポイエーシスに従属する二次的現象である。

　実際、生命システムは自己複製することもできるし、しないでいることもできる。この事実だけから言っても、それが生命にとって二次的な現象であることは明らかだろう。これは細胞に限らず、生物個体のレベルでもそうである。近頃はかなり減ったとはいえ、いまだに一部の政治家などが子どもをつくらないことを批判する場面があるが、そうした主張は社会的問題として展開することはできても、生物学的に正当化することはできない。

とはいっても、我々自身を含め、現存する地球上のすべての生命システムが、現在知られている限り自己複製の歴史に依拠した存在であることもまた事実である。自己複製のプロセスは、生命システムという単位体の成立に対して二次的なプロセスであるが、にもかかわらずそうなっていることになる。生命史において何が起こったのかを正確に語ることはできないが、想像することは難しくない。オートポイエーシスと自己複製プロセスとの連結は、最初はたしかに偶然だったのだろう。だがひとたびそれが生じれば、以降のすべてのシステムはその影響下に入ったはずである。物理的空間は有限だから、いつか必ず物質やエネルギーをめぐる競争状態が生じる。自己複製するシステムは、その自己複製するという性質ゆえに、自己複製しないシステムを次第に追い詰めていっただろう。

進化と呼ばれる現象は、まさにそうして生じている。生命システムの進化は、オートポイエーシスと連結した自己複製のプロセスと、その間に生じるシステムの変化の可能性、そして有限環境に由来する競争とによって駆動されている。

ここで注意が必要なのは、進化を通じて変化していくのは、システムの構造であるということである。生命システムである限り、オートポイエーシスという構成はその間ずっと維持されている。さらに言えば、進化における構造変化とは、一つの単位体としての生命システムの構造変化ではない。自己複製で生まれる単位体は別の新しい単位体であり、両者は独立した生命システムである。オートポイエーシスというメカニズムは、それぞれのシステムのうちで閉じている。したがって、両者の間を構造変化として結びつけるのは観察者であり、その構造を具現化している生命システムそのものではない。

つまり、進化は生命システムとは異なる領域で、オートポイエーシス論の言葉で言えば、「歴史的(historical)」領域で生じる現象であり、オートポイエーシスに基づく現象ではあるが、それとは別次元にある派生的現象である。

それに対して個体発生は、一つの単位体としての生命システムが構造を変化させていく現象である。オートポイエティック・システムはダイナミックなシステムだから、個体発生は生命システムが存在する限り常に生じている。個体発生は、オートポイエーシスと必然的に結びついた現象である。

伝統的な生物学では、個体発生という現象を、生物としてより完全な状態へと移行していく現象として限定的に捉えてきた。たとえば卵からヒヨコへ、ヒヨコから鶏へと成長していくような現象である。しかしオートポイエーシス論において重要なのは、その間ずっとオートポイエーシスという構成は不変であるということである。オートポイエーシスが維持されている限り、生命システムとしては常に完全である。その完全な状態が、そのときどきによって異なる構造で具現化されていく、その構造変化の歴史が、オートポイエーシス論からみた個体発生である。

個体発生は、生命システムにおいて常に生じている現象であり、その意味で「生命システムの現象学」の本題である。現実世界において生命がどのように存在しているか、我々が事実どのように生きているかという問題は、基本的にすべて個体発生の問題として論じることができる。

そして個体発生の問題は、その定義上、システムの構成ではなく構造に関するものとなる。これまでは、オートポイエーシスという構成に着目して議論を進めてきたが、ここでようやく構造の問題が主題として浮上してくることになる。

とくに問題となるのは、システムとその外界との相互作用である。オートポイエティック・システムは、その閉じた構成の帰結として入出力を持たないが、その構造においては外界と相互作用する。ではシステムとその外界との相互作用は、自律的なオートポイエーシスとどのような関係にあるのだろうか。前節で保留にした「構造的決定」という概念を改めて取り上げるべきときである。

構造的決定

あるシステムが環境と相互作用する場面を考えてみよう。そのシステムは、環境から何らかの攪乱を受けるが、環境はシステムの変化の「引き金をひく（trigger）」[34]だけで、それによってどのようにそのシステムが変化するかという、その変化自体は決定しない。システムに生じる変化は、システム自身の構造によって決定される。

オートポイエーシス論で採用されている「構造的決定（structural determination）」という概念は、このように、「システムに生じるすべての変化はそれ自身の構造によって決定される」という考え方である。

これはオートポイエティック・システムが自律的であるがゆえの特徴であると言えればわかりやすいのだが、残念ながらそうではない。ちょっと混乱するかもしれないが、これはオートポイエティック・システムに限らず、どんな単位体にも当てはまる考え方として提示されている。環境の方を考えるときは、その環境にも当てはまる。それどころか、「科学者として、我々は構造的に決定された単位体だけを扱うことができる」[35]とさえ言われる。

実は科学者でなくとも、日常生活における特定の場面では、我々はすでにこの考え方を支持するような振る舞いをしている。マトゥラーナとヴァレラが示す例はとてもわかりやすいので、ここでも同じ例で説明しよう。[36]

あなたはアクセルを踏んでも自動車が動かないとき、おかしいのは自分の足だと考えるだろうか。もちろん、そんな馬鹿げた考えは決して浮かんでこないはずである。おかしいのは自動車だと考えて、修理に出そうとするだろう。これはシステムとしての自動車の構造がその動きを決定していると考えているからにほかならない。足は変化の引き金をひくだけで、実際に何が起こるかまでは決定していない。この場合、何が起こるかはシステムの構造の方が決定している、と我々は自然に考えている。

構造的決定という考え方は、このように対象となるシステム（マシン）が故障したときに明らかになりやすい。裏を返せば、それが問題なく作動しているあいだは背景に退いている。故障とは無縁の自動車を運転するとき、いちいちその内部構造まで考える人はいないだろう。我々はただアクセルを踏むことで、前へ進めと「指令する（instruct）」[37]だけである。

この場合の我々は、動きを決めているのは自動車ではなく、我々の側だと考えていることになる。我々は普段、このように対象のシステムを指令的な入出力関係で捉えていることが多い。構造的に決定されたシステムを、入出力関係によって「要約している（sum up）」のである。[38]これが科学者として求められる一般的な態度とは異なることがわかるだろう。

システムに対するこの二つの態度の違いは、構造決定論と環境決定論の違いとして理解することもできる。[39] 構造決定論の立場では、システムの振る舞いはそれ自身の構造によって決定されると考える。それに対して環境決定論の立場では、システムの振る舞いはその環境によって決定されると考える。環境決定論は、システム外部からどのような入力がなされるかによってそのシステムの振る舞いが決まるという考え方である。[40]

ここで思い出されるのは、フェルスターによる生物のトリビアル化（単純化）の話である。彼は従来の認知研究を念頭に、環境による生物のトリビアル化ではなく、生物による環境のトリビアル化の仕組みを探究すべきだと主張した。生物の方に着目すれば、明らかに前者は環境決定論の立場に、後者は構造決定論の立場に相当する。フェルスターは、認知研究における環境決定論から構造決定論への転換を主張していたと言える。

オートポイエーシス論における「構造的決定」も同じである。この考え方を採用するということは、環境決定論を否定し、構造決定論の立場をとることにほかならない。そしてこうした立場の転換は、システムへの指令的な入出力を見定める視点から、システムそのものの作動に寄り添う視点へと、観察の視点を転換することに対応している。つまり、システム外的な観察者の視点から、システム内的な観察者の視点への転換である。構造的決定という概念は、視点の転換という点で、前節で述べた「入出力の不在」と対応関係にある。

ただし、「入出力の不在」がオートポイエティック・システム特有の性質として語られるのに対し、「構造的決定」はあらゆるシステム、あらゆる単位体に当てはまるものとして語られる点には注意が必要である。

実際、構造的決定が、これまで述べてきたような立場や視点の表明であるならば、原理的にはそれを採用するもしないも観察者の自由である。どんなシステムも構造的に決定されたシステムとして扱うこともできるし、環境によって決定されるシステムとして扱うこともできる。それでもオートポイエーシス論は構造決定論の立場をとるわけだが、そうした選択自体には、純粋に論理的な意味での根拠はないと言わなければならない。

とはいえマトゥラーナとヴァレラは、科学者としてとるのがふさわしいのは構造決定論の方であると考えている。さらに言えば、とくにオートポイエティック・システムの観察者は、構造決定論の立場をとることを促されると言えそうである。[41] それは一つには、オートポイエーシスという組織化を観察する観察者の視点と、構造決定論の立場をとる観察者の視点とが、ともにシステムに内的な視点であるという点で共通しているからである。観察の対象が構成と構造という点で違いはあるが、両者は基本的には同じ視点からの観察であると言ってよい。

さらに観察されるシステムの側の外面的な類似性を指摘することもできる。構造的に決定されているという見方は、マシンが故障したとき、システムが普通とは異なる動きをするときに顕在化するのだった。オートポイエティック・システムは自律的なシステムであり、自らの構造を自ら更新し続けるシステムである。言ってみればそれは常に故障しているようなものだから、指令的な入出力関係によって要約できるほど安定した振る舞いは期待できない。この意味でも、オートポイエティック・システムの観察者は、構造決定論の立場に親和性があると言えるだろう。

構造的カップリング

構造決定論の立場をとるオートポイエーシス論では、システムにおけるあらゆる変化はそのシステム自身の構造によって決定されていると考える。環境の構造はシステムの変化のきっかけを与えても、決定はしない。環境の側に注目するときには、環境の側がちょうど同じように捉えられる。すなわち、環境におけるあらゆる変化は環境の構造によって決定されており、システムの構造は環境の変化のきっかけを与えても、決定はしない。

システムと環境は、このようなかたちで相互に変化のきっかけを与え合う関係にある。安定的に存続するシステムは、そのようなかたちで環境と構造的に結びつき、繰り返し相互作用している。オートポイエーシス論では、この関係を「構造的カップリング（structural coupling）」と呼んでいる（図4―2）[42]。

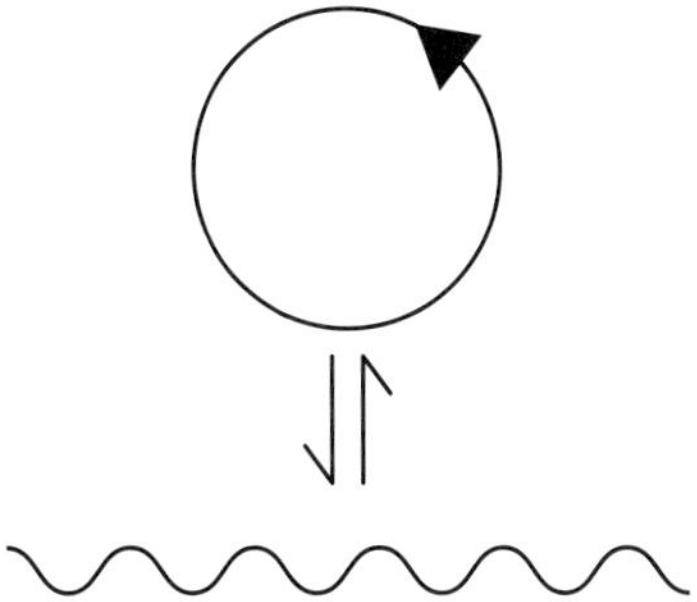

図4-2：オートポイエティック・システムと環境との構造的カップリングの図式
（Maturana, H. R., & Varela, F. J., 1992, p.74をもとに作成）

システムと環境との構造的カップリングは、そのシステムが存続する限り永遠に続く。逆に、環境との構造的カップリングが適切に維持されているからこそ、そのシステムは存続できると言ってもよい。とくにシステムの側に注目する観察者には、この状況は当のシステムの環境への「適応（adaptation）」[43]として見えることになる。

適応は、どんなシステムに対しても当てはめることのできる見方だが、オートポイエティック・システムの場合、それはとくに能動的な現象として観察されることになるだろう。環境との相互作用の仕方はシステムの構造によって決定されているから、異なる構造をもつシステムは異なる仕方で環境と相互作用する。オートポイエティック・システムは、自らの構造を更新することで自らの相互作用領域を決定し、自らの適応を維持しているように見えるからである。

これはもちろん、オートポイエーシスという組織化ゆえの現象である。オートポイエティック・システムの構造変化は、オートポイエーシスという組織化の維持によって限界づけられている。オートポイエティック・システムでは、オートポイエーシスの維持と両立しない構造変化は起こり得ない。正確に言えば、それが起こるときはシステムはただ崩壊するだけである。つまりオートポイエティック・システムは、それが存在する限り、自らのオートポイエーシスの維持に寄与するよう、自らの構造を更新し続ける。そうして環境との構造的カップリングを適切な状態に維持し続けているように観察者には見える。

実際、環境への適応を能動的に維持しているように見える現象は、あらゆる生命システムにおいて観察される。たとえば日光を遮られた樹木は、新たに枝葉を伸ばすことで再びそれを得ようとする。これは日光との適切な構造的カップリングを、自身の構造変化によって樹木が維持する現象として解釈できる。あるいは落葉は、樹木がもっと劇的な構造変化を通じて自身と環境との構造的カップリングを維持する現象であると言える。樹木にとって光合成の場である葉は、本来、極めて重要な構造であるはずだが、落葉樹はその葉をあえて落とすことで冬の水分不足や積雪といった環境とうまくカップリングする。そのように自身の構造を変化させることで、環境との構造的カップリングを適切に維持し、自身のオートポイエーシスを維持しているように観察者には見える。

こうした構造変化は、まさに「個体発生」と呼ぶべき現象である。先に我々は、生命システムがオートポイエーシスという構成を維持しつつ、その構造を変化させていく現象としてそれを定義した。樹木は枝葉を伸ばしたり、落葉したりといった個体発生を絶え間なく行っている。そして観察者は、システムのそうした個体発生を通じて常に維持されている環境への適応を見る。

ところでこれがもっと短い時間で生じ、さらに当のシステムの体勢の変化、とくにそれ全体の位置の移動が伴うなら――言い換えれば、対象が植物でなく動物なら――、それは我々が一般に「行動(behavior)」として描写するものとなる。たとえばワニは、日中の多くの時間を日光にあたって体温を上げることに費やすが、その間、微妙に体勢を変えたり移動したりする。これは日光との適切な構造的カップリングを、ワニが自身の行動によって維持する現象であると言える。[44]

このように捉えれば、樹木の個体発生とワニの行動とのあいだには、本質的な違いがないことがわかる。どちらもオートポイエーシスという構成を維持したまま、構造ないしその状態を変化させる現象である。それによってそのシステムは、環境への適応を能動的に維持しているように観察者には見える。

この、繰り返し述べている「そのように観察者には見える」という点が、実は極めて重要である。というのも、このような描写はオートポイエーシス論の主題であるシステム自身のあり方とは無関係であり、あくまでシステム外的な観察者が行う観察の結果として生み出されているものだからである。

すでに見てきたように、オートポイエーシス論の目的は、なによりもオートポイエーシスという組織化の仕方を明らかにすることにあった。そしてそれはシステムに内的な視点、システム自身の視点を採用することでもあった。この視点においては、システムは内部も外部もなく、ただひたすら構成素の産出を続けているだけである。構造についても同様である。システムにおけるあらゆる変化は、そのシステム自身の構造によって決定されており、環境はそのきっかけを与えるにすぎない。そうしてシステムのオートポイエーシスが維持されている限り、環境との構造的カップリングも必然的に維持されている。

にもかかわらず観察者である我々は、システムとその外部である環境を同時に眺め、そこに何らかの関係を見る。システムの変化をその外部との相互作用との関係で描写するのは、システム自身ではなく観察者である。環境への適応や、それを維持するためのシステムの行動といった描写は、あくまで環境との関係においてシステムを眺める観察者によって成立する。[45]

認知の生物学

前項のような描写が観察者依存であることがはっきりとわかるのは、その成否を問うときである。あるシステムが環境に適応しているか否か、ある行動が有効なものであるかどうかは、そのシステム自身とは無関係に、観察者が抱く期待によって決まる。

たとえば、水辺に現れた動物にワニが「そっと近づく」とき、観察者はワニのその行動を特定の期待をもって眺める。この場合、観察者はそれを捕食のための行動として捉え、ワニがその動物をうまく捕らえることができるか、それともそれに失敗するか、という期待をもって眺めるだろう。そしてもしワニがその動物をうまく捕らえることができれば、「そっと近づく」という行動はワニにとって有効な行動であり、そのワニは環境にうまく適応していると観察者は評価する。

しかし実際には、当のワニが本当に捕食のためにその行動をとったのかどうかはわからない。ただゆっくりと泳いでいただけかもしれないし、脅かして楽しむためだったかもしれない。さらに言えば、そうした見方もまた観察者が抱く特定の期待とともにある。オートポイエティック・システムそのものとしてはむしろ内部も外部もなく、ただ作動しているだけと言った方が正確である。[46]にもかかわらず観察者である我々は、特定の期待をもってその対象を眺め、それを特定の行動として描写する。

さらに観察者は、その観察の対象が環境において有効な行動をとるとき、そこに認知的作用をも認める。たとえばワニが獲物に「そっと近づく」ことでそれを捕らえることに成功すれば、そのワニは獲物の捕らえ方を「知っている」と我々は考える。だからオートポイエーシス論は、「知っている」ということを「ある答えが予想されている領域においての、有効なアクション」[47]として定義する。「知っている」ということもまた行動と同じく、観察者に依存する相対的なコンテクストにおける相対的な現象である。

とはいえ、ここが重要な点なのだが、観察者がそれをどのように描写しようとも、環境との相互作用の仕方はそもそもシステム自身の構造によって決定されているのだった。異なった構造をもつシステムは、異なった仕方で環境と相互作用する。また、システムと環境との構造的カップリングは、そのシステムのオートポイエーシスが維持されている限り必然的に維持されている。よってシステムの構造は、それが崩壊しない限り、そのシステムにとって常に適切であり、それによって特定される相互作用の領域も、同様に常に適切である。

この点に着目すれば、生命システムのどんな相互作用も、観察者は適切なものとして描写しうることがわかる。システムのオートポイエーシスが維持されている限り、どんな行動も有効なアクションとして捉えることが可能である。言い換えれば、システムが行ういかなる相互作用も、観察者は認知的行為として評価することができる。

したがって、生命システムの「認知領域（cognitive domain）」[48]とは、そのシステムがオートポイエーシスを維持したまま入ることのできる外界との相互作用の領域にほかならない。それはそのシステムと環境の構造的カップリングの領域であり、現実の生命システムに常に存在する領域である。生命システムが現実世界に存在し続けること、環境との構造的カップリングを通じてそのオートポイエーシスを維持し続けることが、すなわち「生きる」ことであるならば、認知とは、神経システムの有無にかかわらず、生きている限り常に生じている現象であることになる。

こうして生命現象と一体不可分の現象として、「認知（cognition）」が位置付けられることになる。「生命システムは認知システムであり、プロセスとして生きることは認知のプロセスである」[49]とマトゥラーナは言う。オートポイエーシス論では、「生きること」と「知ること」、そして「行うこと」は、同じものの三つの側面である。この三位一体の関係が、オートポイエーシスという閉じた組織化に基づきつつ、その構造においては外界と相互作用する、生命システムの現実の存在の仕方を特徴づけている。

ただここで、とりわけ「認知」の側面に焦点が当たっているのは偶然ではない。とくにマトゥラーナにとっては、実は認知という問題を解くことこそが本来の目的であったと言ってよい。[50]彼のキャリアはそもそも認知研究から始まっており、その初期の頃には、第2章で登場したマカロックやピッツなどとも共同で、カエルの視覚に関する研究を行っていた。

そのマトゥラーナが、ヴァレラとともにオートポイエーシス論を発表する以前から単独で取り組んでいたのが、「認知の生物学（Biology of cognition）」[51]という構想である。これは文字通り、生物学的に認知を説明しようとするものであり、ちょうどいま我々が見てきたように、生命現象として認知を位置付け、さらにその機能やプロセスの諸相を論じるものであった。[52]そこにはまだ「オートポイエーシス」という言葉こそ存在しないが、その骨子は「円環的な組織化」という言葉で概ね同様に把握されている。

こうした背景を踏まえれば、狭義のオートポイエーシス論は、マトゥラーナの「認知の生物学」の一部としてその存在がすでに予定されており、ヴァレラとともにそれを精緻化することで成立した理論であると言えるだろう。前節までは、オートポイエーシス論に特有な閉じたシステムそのものの視点や、観察者と無関係にそれ自身としてあるということを強調してきたが、それはむしろ外部と相互作用し、環境との関係において存在する現実の生命システムの認知を語るための礎石だったわけである。

だがそうなると我々は、システム自身の視点から抜け出し、環境との関係を眺める観察者の視点へと移って行かざるを得ない。そこで顕在化してくるのが、観察者の問題である。

オートポイエーシス論は、それを狭義に捉えれば、明らかに観察者から独立した記述を志向しており、フェルスターが示した観察という問題系が無視されているように見える。しかしそれは、彼らが細胞を基本とする生物学から議論を開始しているからであって、より大きな認知の理論全体として見れば、観察者と無関係の話ではまったくない。広義のオートポイエーシス論はただの生物学ではなく、むしろ認知の理論であり、さらに観察者の理論である。オートポイエーシス論としては見逃されがちなこの点は、このあと見ていくことにしよう。

4 説明の円環

認知領域の拡大

「観察者」という言葉は、本章のここまでの議論でも大別して二度登場している。最初は、観察者と無関係にあるというオートポイエティック・システムの性質を示すために、次いで、環境との関係においてシステムを眺める観察者の視点を明確にするために、それは登場した。だがオートポイエーシス論における観察者は、こうした議論のための脇役として登場するだけではない。観察者は、オートポイエーシス論の端緒となった細胞レベルの生命システムの延長線上に、まさにオートポイエーシス論それ自体の中で、その出現が語られる。

しかし、その道のりは決して平坦なものではない。観察者とは、人間特有の存在様式の一つである。生物としての人間特有のあり方は、マトゥラーナが晩年まで探究し続けたテーマである。[53] 細胞から人間に至るまでの道中には、それだけ多くの論点とその相互関係が存在するが、ここでは観察者の出現という点にできるだけ絞ってその道のりを跡づけてみよう。

まず、観察者であるためには認知の能力が不可欠である。幸いこれは、生命システムには必然的に備わっている能力であると言える。前節で確認したように、認知の領域とは、生命システムが自身のオートポイエーシスを維持したまま入ることのできる外界との相互作用の領域であり、環境との構造的カップリングの領域だった。システムと環境との構造的カップリングは、そのシステムが存続する限り永遠に続く。つまり生命システムが現実に存在する限り、その認知領域は必ず存在している。オートポイエーシス論では、まさに「生きることは知ることである（to live is to know）」[54]。

したがって、神経システムの有無にかかわらず、認知の能力はすべての生物に認められる。これは一見、机上の空論のようにも思えるかもしれないが、実際、細菌のような極めて単純な生物でさえ、我々から見て明らかに認知的と言えるような性質をもっていることが知られている。

たとえば「走化性（そうかせい）」は、環境中の特定の化学物質の濃度勾配に沿って生物が移動する現象である[55]。我々にとってもっとも身近な細菌の一つである大腸菌にも、この現象が見られる。大腸菌は、鞭毛（べんもう）と呼ばれる毛状の構造が細胞本体から飛び出していて、それをスクリューのように使って移動することができるが、彼らはそれでただジタバタと動くだけではない。自身にとって栄養となるような物質には近づき、逆に害となるような物質からは遠ざかるように移動することができる。これは観察者から見て明らかに「有効なアクション」であり、認知的行為として認めることのできる現象である。

この走化性のメカニズムは、分子レベルでかなりの程度までわかっている。外界を認知する「感定の方向へと向かう「運動」が生じる。

覚」の部分に相当するのは、細菌の細胞膜を貫通している膜タンパク質である。膜タンパク質の構造によって、それと結合する環境中の物質が特定されている。そして実際に特定の物質がそこに結合すると、それを引き金として細胞内の構造変化が促される。それが鞭毛の動きの変化へとつながり、特定の方向へと向かう「運動」が生じる。

ここで重要な役割を果たしているのは、システムの構成ではなく構造である。具体的に何が栄養で何が毒であるかは、細菌自身の構造によって決定されているからである。異なる膜タンパク質を発現させている細菌は、異なる物質に反応するし、それによって引き金がひかれる細胞の構造変化の仕方によって、対象に接近するか退避するかが決まる。何にどう反応するか、言い換えれば、認知と行為の問題は、その細菌自身の生き方の問題であり、それは細菌自身の構造として具現化されている。

どんな生物も、このようにそれぞれの構造に見合ったかたちで環境と構造的にカップリングしており、それ自身の構造を通じて認知行為している。この認知行為の様式は不変のものではない。生物はオートポイエーシスという構成を維持しつつ、構造を変化させていくからである。それが個体発生と呼ばれる現象だったが、さらに生命システム同士が構造的にカップリングすれば、共同的な個体発生が生じる（図4—3）[56]。その延長線上に出現するのが、多細胞生物である。

そして多細胞生物の一部を成す細胞群によって、神経システムが出現する。神経システムは、生物の感覚運動パターンの多様性を高めることで、生物の構造ないしその状態の可能性を拡大し、その分だけ認知領域の拡大をもたらすとされる。感覚運動パターンとは、先の細菌の例で言えば、膜タンパク質と鞭毛の間の関係に相当する。細菌のような単細胞生物の場合、これは分子レベルで比較的直接的な関係にあるが、神経システムはこの両者を仲介することで、その関係性のパターンの多様性を高める。これによって、たとえば同じ物質に対してあるときは接近し、あるときは退避するといった柔軟な関係をつくることができるようになる。その生物の行動および認知の領域は、それだけ拡大するということである。

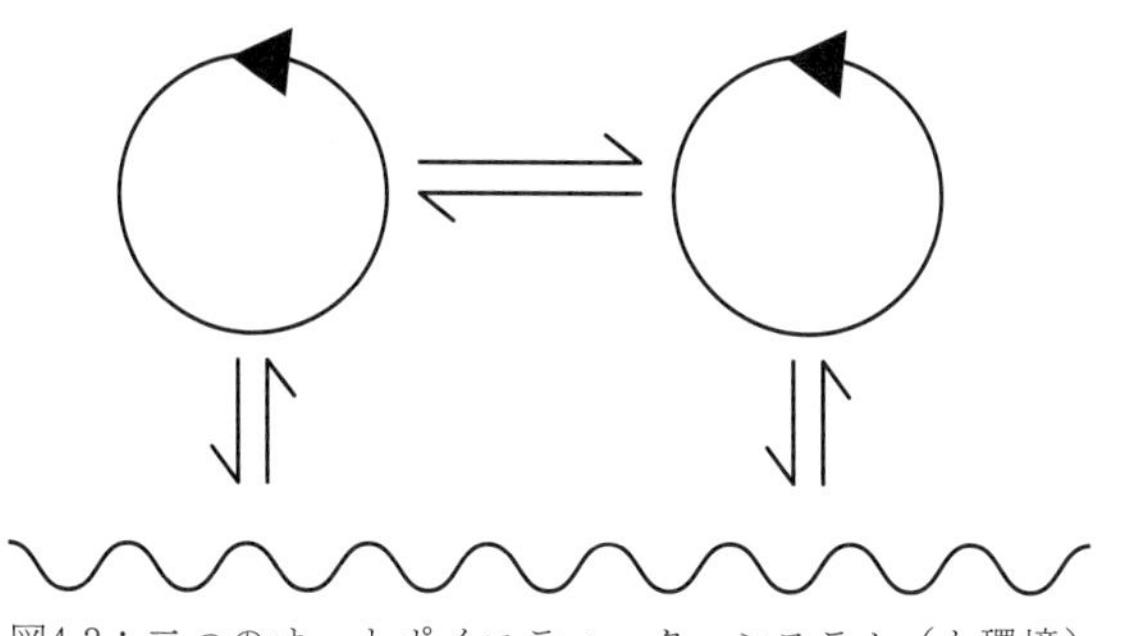

図4-3：二つのオートポイエティック・システム（と環境）の構造的カップリングの図式
（Maturana, H. R., & Varela, F. J., 1992, p.74をもとに作成）

なお、ここで神経システムは、相互作用するニューロン（神経細胞）の閉鎖的ネットワークとして考えられている。[57]この神経システムそれ自体がオートポイエティック・システムであるかという問題は、「オートポイエーシス」という概念の適用範囲の問題であり、論者によって微妙に異なるいくつかの見解が存在する。だがここでは、当初から神経システムは閉鎖性とそれに基づく自律性が特徴的なシステムとして捉えられていたということを指摘しておきたい。そもそもオートポイエーシス論は、カエルやハトが刺激に対して極めて柔軟に反応する様子から、環境との入出力関係ではなく、システムそのもののメカニズムを問う必要性に思い至ったマトゥラーナの神経生物学的研究に端を発している。その意味で、神経システムに対して「オートポイエティック」という形容詞を付すことに本質的な困難はない。

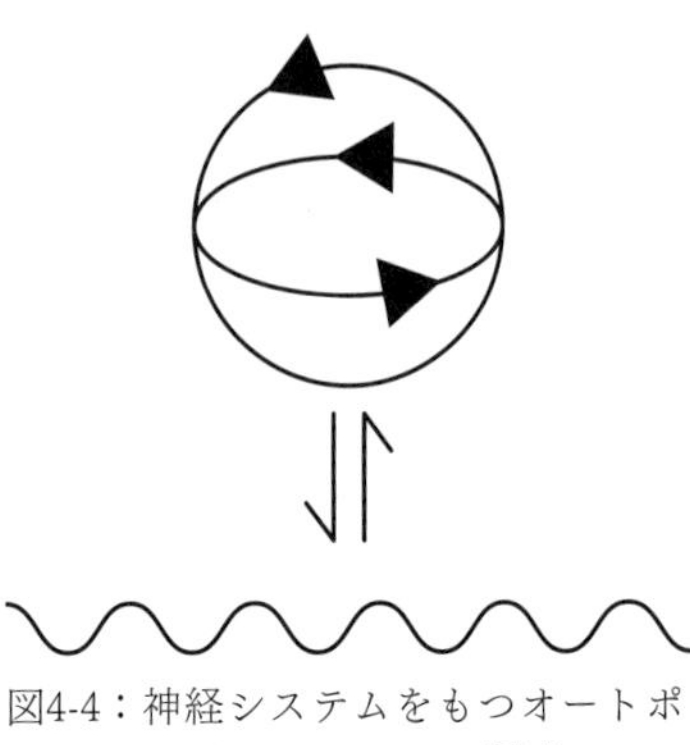

図4-4：神経システムをもつオートポイエティック・システムの図式（Maturana, H. R., & Varela, F. J., 1992, p.176をもとに作成）

むしろ問題は、個々の細胞として捉えられた生命システムと、それらが密接にカップリングした多細胞生物としてのシステム、そしてその一部としての神経システムの関係性である。複数のオートポイエティックなシステム同士の関係性の議論には、実は特有の理論的困難が存在する。だがこれについては第6章で関連する議論を示すため、ここで深入りすることは控えよう。

いまはただ、神経システムは生物個体としてのシステムと統合的に作動するということだけ確認しておきたい。神経システムはそれ自身の作動的閉域をもつとされるが、同時にそれは、全体的な生命システムの一部として働くと考えられている。先ほど述べたように、神経システムが個体の感覚運動パターンの多様性を高めるものとして機能するのであれば、これは当然の想定である。

この二つのシステムが統合的に機能する様子は、オートポイエーシス論では図4―4[58]のように図式化されている。本来のオートポイエティック・システムを表すループに対して、神経システムを表す水平方向のループが描き加えられていることがわかる。

言語と観察者の出現

神経システムの登場によって、生物と環境との構造的カップリングに新たな次元が開かれる。とくに生物同士の構造的カップリングによって生じる共同的な個体発生は、両者に神経システムが存在する場合、驚くべき複雑さをもった新たな現象領域を生み出すことになる。

だがその前に、神経システムの有無にかかわらず存在する、生物同士の構造的カップリングの領域について確認しておこう。構造的カップリングが生命システム同士において生じる場合は、相互に構造的変化のきっかけを与えあう「共感的領域（consensual domain）」[59]が形成される。

「共感的」という言葉はややナイーブに聞こえるかもしれないが、これは当の生物間で何らかの感覚が共有されるという意味ではない。この領域では、生物同士が互いに調整的に行動しているように観察者には見えるということである。一般に「コミュニケーション」と呼ばれる現象は、観察者によって描写されるこの種の調整的行動を指している。[60]

共感的領域の形成に神経システムは直接の関わりをもたないが、神経システムをもつ生物は多様な感覚運動パターンをもつことができるから、彼らの共感的領域は非常に豊かなものとなり得る。当初は存在しなかったパターンを新たに生み出したり、すでに存在するパターンを柔軟に変更したりすることが可能である。こうして個体発生的に学習されるコミュニケーション的行動は、「言語的行動（linguistic behavior）」[61]と名付けられている。

言語的行動はまだ言語ではなく、あくまで言語的行動である。言語的行動が可能な生物は人間だけではない。マトゥラーナとヴァレラは、つがい特有のメロディーをつくりだすある種の鳥や、芋洗い行動を群で共有するようになったニホンザルを、文化をもつ生物の例として言及している。[62]言語的行動は個体発生的に学習される行動だから、これらはそのまま、言語的行動が可能な生物の例であると言える。

人間と暮らすペットの多くも言語的行動が可能である。それが具体的にどのようなものであるかは、彼らの相互作用の歴史に依存している。たとえば犬がお座りをしてじっと人間を見る行動は、ある関係性においては〈ごはんが欲しい〉ということの表明かもしれない。だが別の関係性では、〈遊ぼう〉という意味かもしれない。人間の側が意図してその行動を学習させる場合もある。麻薬探知犬なら〈ここに麻薬がある〉という意味になるだろう。

このように言語的行動は意味論的描写が容易だが、にもかかわらずそれは、その意味との間に直接的な関係を必要としない。犬のお座りはごはんの催促でもあり得るし、麻薬発見の合図でもあり得る。これは人間の言語と同じである。ごはんを催促する犬に対し、日本語話者なら「ごはん？」と問いかけるところ、英語話者なら「food?」と問いかけるだろう。ごはんを意味する単語は言語体系によって異なっており、それによって指し示されるものとは直接的に結びついていない。記号学の創始者であるソシュールが明らかにした記号表現（シニフィアン）とその意味（シニフィエ）の間の恣意的関係は、言語的行動についても当てはまる。

言語的行動のさらに先にあるとされるのが、普通の意味での言語である。言語的行動によって言語的行動を調整しようとするとき、言語が出現する。ごはんを催促する犬に対し、「まだごはんの時間ではないよ」と答えることができるのが言語である。言語がなければ〈ごはんをあげる〉または〈あげない〉という行動によって直接それに答えるしかない。「まだごはんの時間ではないよ」という応答は、ごはんの催促という言語的行動に対し、言語的行動によってその調整を促しているわけである。

言語は人間特有の構造的カップリングの様式であり、その中で作動するものに「環境と自分自身とを、描写することを可能にする」[63]。これによって我々人間は、言語をもたない生物とは根本的に異なる現象領域へと突入することになる。たとえば「ごはん」という言葉は、ごはんの催促という言語的行動から、ごはんそのものを切り離し、「ごはん」という対象物を出現させる。同様に、自分自身への言及は「自己」という存在を際立たせ、それを出現させる。そして我々は、自らが生み出しているそうした記述を次の相互作用の対象として扱うようになる。

このとき我々は、本来の共感的領域のメタ領域にあたる「記述領域（descriptive domain）」[64]にいる。観察者が観察者として現れるのはこのときである。言語の出現と同時に、観察者もまた出現する。観察者は、自分自身の記述的状態と相互作用し、自分自身の観察者となることもできる。意識や精神といった極めて人間的な現象領域も、こうして言語とともに現れると考えられている。

ひとたびこのメタ領域が生じれば、それは我々人間にとって自然な存在の領域となる。我々は、自らの記述が生み出しているそうした世界を所与のものであるかのように錯覚し、その中で生きることになる。だがマトゥラーナたちは、言語の起源が、先に見たような共感的領域における調整的行動にあることを強調している。しばしば言語を動詞的に捉え、「ランゲージング（languaging）」と呼ぶのはそのためである。「言語とは〈言語すること〉としてのみ存在する進行的プロセス」[65]である。観察者は、言語する（ランゲージング）ことを通じて生み出されている、言語するものである。

語られることはすべて観察者によって語られる

かなりの急ぎ足ではあるが、我々はこうして観察者まで辿り着いたことになる。細胞レベルの生命システムから始まって、それらの構造的カップリングと多細胞生物の出現、その一部として発達する神経システムに、それが生み出す豊かな共感的領域、そしてさらにそのメタ領域として、言語による記述領域が形成される。人間特有の存在様式の一つとしての観察者は、こうした道のりを経て出現している。

「語られることはすべて観察者によって語られる」[66]というフレーズは、「認知の生物学」という構想以降、マトゥラーナが頻繁に用いたフレーズである。これは一見、些細な言明にも思えるが、その背景にある極めてサイバネティックな――ただし古いサイバネティクスではなく、新しいサイバネティクスの――世界観を見過ごしてはならない。端的に言えば、ここに示されているのが、観察者と観察される世界との円環的関係である。

オートポイエーシス論では、これは先の「ランゲージング」という言葉を手がかりにして理解することもできる。言語をランゲージングとして、生命システム同士の調整的行動の一種として捉える立場は、言語の機能をもっぱら対象の指し示しとその表現にあると捉えることで独立した世界の存在を措定してしまう、いわゆる表象説の立場とは対照的である。人間の世界は観察者と無関係にあるのではなく、言語するものとしての観察者によって語られるものである。ランゲージングという生命システム同士の調整的行動によって、世界は生み出されているということである。

「語られることはすべて観察者によって語られる」というときの「語られること」には、この議論自体も含まれているということにも注意しよう。つまり、オートポイエーシス論という議論自体、観察者によって語られているということである。だが同時に、我々はまさにこの議論によって、語るものとしての観察者の出現をみた。つまり彼らの議論は、彼らの議論によって、彼らの議論の出現すら説明しようとしているのである。[67]

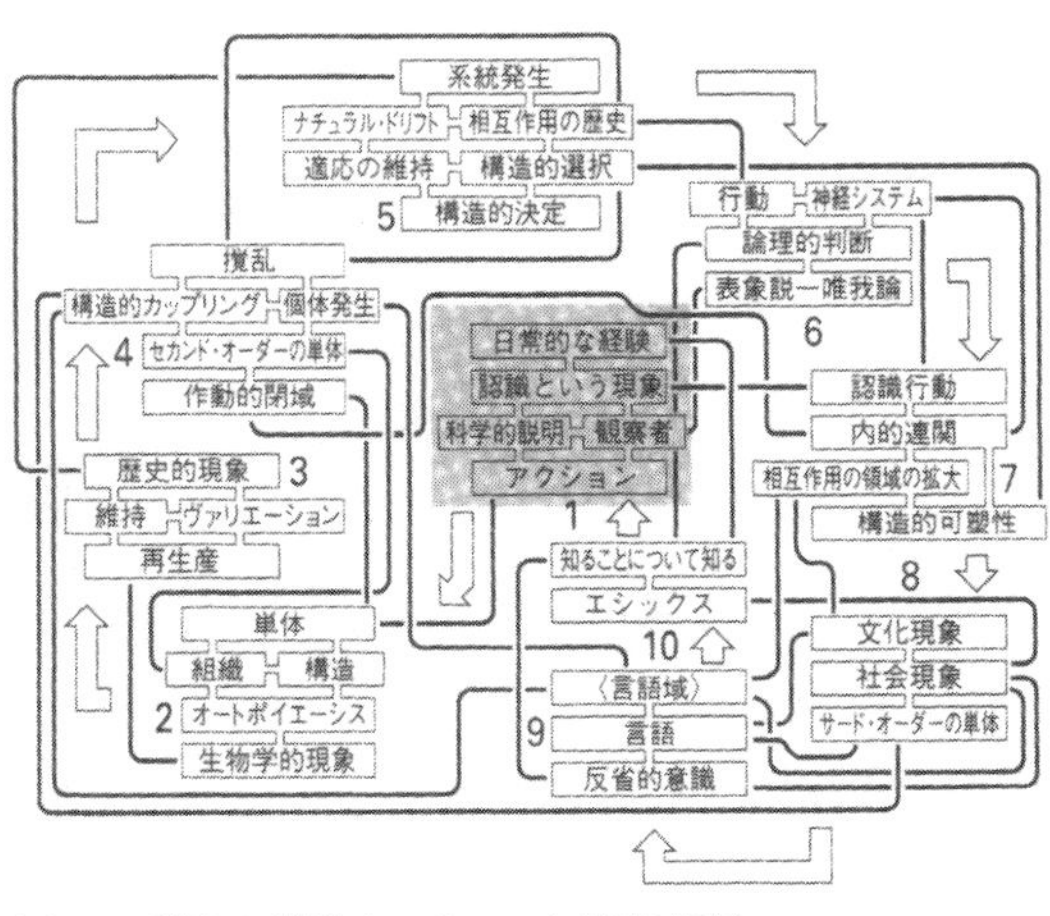

図4-5：議論と議論するものの円環的関係
（管訳『知恵の樹』第一章扉の図）

ここに現れているのは、議論と議論するものとの間の円環である。オートポイエーシス論と言えば、「オートポイエーシス」という概念ばかりが注目されがちだが、この円環的説明こそ、彼らの議論の最大の特徴である。こうした議論の構造は、彼ら自身の手によるオートポイエーシス論の解説書、『知恵の樹』においては図示されてもいる（図4―5）。もちろんこれは、観察者と観察される世界の円環と表現してもよい。フェルスターがセカンド・オーダー・サイバネティクスとして定式化した観察の観察という使命は、オートポイエーシス論においては円環的説明として遂行されたわけである。

「語られることはすべて観察者によって語られる」という言明どおり、観察者という存在は、この議論全体の認識論的な起点である。それに対して「オートポイエーシス」という概念は、存在論的な起点であるとは言えるかもしれないが、その延長線上に観察者の出現を語り、議論を円環的に閉じるまでは、あくまで一時的に置かれた仮定に過ぎないと言うこともできる。

だが少なくとも理論上は、オートポイエティック・システムとしての生命システムの根源的な自律性の上に、言語する観察者という存在が可能であることもまた確かである。前章のフェルスターの議論では、神経システムをモデルとした制御の制御の閉鎖系の性質として自律性が見出されていた。この自律性を措定することで、観察という問題系を位置付けることができたのだった。オートポイエーシス論では、この自律性は細胞レベルの生物学にまで遡って理解することができる。

さらに言えば、認識論的な起点としての観察者もまた、その観察という行為それ自体の中に、すでにオートポイエティックな生命システムとしての存在様式が含まれていると言うべきである。実際、我々観察者は、いつもその存在の生物学的基盤に依拠して世界を観察している。たとえば本章の最初に示した生命の定義に関する循環的問題も、その背景には我々自身の存在様式が隠れているはずである。生命を定義するための性質のリストは、我々自身がまさにその生命だからこそ、その妥当性を評価できる。当初のマトゥラーナはこの循環を否定的に見たが、オートポイエーシス論もまたそれを語る観察者の生命システムとしての存在様式に基づいている。むしろこうした議論の円環から抜け出すことは決してできないということこそ、新しいサイバネティクスが辿り着いた境地である。

本章では、この観察者と観察される世界の円環の、とくに前者に注目して議論を展開してきた。観察するものについての探究はそろそろ終わりにすることにして、今度は観察されるものの方、観察者によって観察される世界の方を探究してみよう。

第5章

現実はつくられる

構成主義の諸問題

我々が環境を知覚するときはいつでも、
我々がそれを発明している。
ハインツ・フォン・フェルスター

サイバネティック・パラダイムの現実観は、常識的なそれとはまったく異なっている。生命システムはそのそれぞれが自律的な認知システムであり、世界を個々に認知している。私の世界はその一つであって、観察者たる私と切り離すことができない。だから観察者と無関係の客観的現実を、何の留保もなしに認めるわけにはいかない。むしろ現実は、観察者によってつくられている、構成されていると考えた方がよいことになる。

本章では、一般に「構成主義」と総称されるこうした現実観が、常識的な現実観との関係によって抱えてしまう諸問題を明らかにするとともに、サイバネティクスとその周辺の理論によって、それがいかに解かれるのかを見ていく。

最初は、フェルスターが提示した現実構成のメカニズムを確認し、それと類縁関係にあるピアジェの発生的認識論を概観しよう。次いで、グレーザーズフェルドのラディカル構成主義を紹介し、真理概念の代わりとなる考え方を提示する。そして議論はまたしてもこの議論自体を議論することになるだろう。最後は、観察者たちによる共同的な現実構成と、科学の再定義へと至ることになる。

1 現実の発明法

発見から発明へ

まず、ここまでの議論で判明したサイバネティック・パラダイムの基本的な現実観を確認しておこう。

そもそもフェルスターは、プロセスとしての認知を探究するために、ひとまず客観的な現実観を手放す必要があった。それを前提としていては、認知はただのデータ入力となってしまい、「いかに」認知するかを問うことができない。認知という問題自体が認知的盲点に置かれてしまって、それを探究することすらできなくなってしまうからである。

そして認知プロセスを探究する中で見えてきたのが、制御を制御するメカニズムである。それはプロセスとしての記憶に求められるメカニズムだったが、さらにその制御関係が閉じたシステムを考えることで、サイバネティクスは一大転換点を迎えることになった。それによって他律システムは自律システムへと変貌し、新たな問いの地平が一挙に開けたのである。

自分自身のメカニズムを制御することのできるシステムは、その作動によって環境を対処可能なものとすることができる。フェルスターはその内的メカニズムの詳細を、再帰計算による現実構成として把握した。彼にとって認知とは、自律システムにおける現実の計算プロセスであり、それはシステムが存続する限り続く再帰的プロセスである。もちろんこれは、マトゥラーナとヴァレラが定式化したオートポイエーシスとしての自律的作動と、それが維持される限り続く生命システムのあらゆる行為としての認知の理論と通じる考え方である。

こうして最初は探究のために採用された一時的仮説に過ぎないとも言えたものが、基本的な考え方の枠組みとして機能し始める。認知は外界に存在する客観データを入力として取り込むことではなく、生命システムが自律的に行う現実の計算プロセスである。計算といっても、それはコンピュータのような他律システムによる情報処理としての計算ではなく、個々の生命システムの自律的な作動そのものである。我々はこうしてコンピューティング・パラダイムと決別し、サイバネティック・パラダイムへと入ってきたわけである。

サイバネティック・パラダイムの現実観は、本章扉にも掲げた次のテーゼに集約できる。すなわち、「我々が環境を知覚するときはいつでも、我々がそれを発明している」[1]。ここでの「環境」は、「現実」や「世界」と読み替えてもよい。

翻って考えると、我々は普段、これとは正反対の現実観を抱いていることがわかる。我々の外部に、我々の存在とは無関係に成り立つ客観的現実なるものが存在していて、それを発見することが、すなわち世界を正しく認識することだと考えている。それを発明するような認識の仕方は、端的に言って間違っている。そうでないなら犯罪捜査は成り立たないし、科学的知識の特権性も失われてしまう。人類の歴史は真理の探究とともにあったはずであり、人類がこれほど繁栄しているのはそれが成功してきた証（あかし）ではないか。してみれば、そうした現実観を否定することなど到底できそうにないように思える。

しかし新しいサイバネティクスによれば、そうした素朴な現実観こそ、むしろ正しくないことになる。観察者と無関係の客観的現実が、向こう側で発見されるのを待っているのではない。現実はむしろ、こちら側で発明されていると考えるのである。

「発明（invent）」という表現が過激すぎるなら、「構成」や「つくる」と言い換えてもよい。実際、先のテーゼが掲げられたのは、第3章で取り上げたフェルスターの「現実構成について（On constructing a reality）」と題する論文の中である。したがって「現実は構成される」という表現も、まったく同様の意味と考えてよい。むしろ一般には、これは「構成主義（constructivism）」という言い方で総称されるような現実観である。[2]

構成主義の思想は、たしかに我々の日常的な感覚とは異なるが、こと哲学の世界においては特段驚くようなものではない。それはむしろ、ソクラテス以前の時代から脈々と受け継がれてきた思想であるとさえ言える。たとえば、サイバネティックな思想家のジークフリート・シュミット（Siegfried J. Schmidt）は、構成主義的な哲学者の例として「デモクリトス、セクストゥス・ポンペイウス、ヴィーコ、バークリー、カント、ニーチェ、ファイヒンガー、ポパー、グッドマン、ローティ[3]」の名を挙げている。もちろん彼らの主張も決して一枚岩ではなく、それどころか、個々にみれば大きく対立する極めて多様な論客たちだが、それでもその思想の少なくとも一部は構成主義的であり、サイバネティック・パラダイムと通じる部分が少なくない。

むしろ面白いのは、純粋に抽象的な思考によって構築された「いかにも哲学」な主張と、オーソドックスな科学としての出自をもつサイバネティクスの辿り着いた境地とが、奇妙な一致を見せるということである。この意味で、新しいサイバネティクスは哲学者たちのときに思弁的な議論を裏付けるような特異な位置にあると言ってもよいかもしれない。

とはいえ、問題は山積みである。たとえば先に名の挙がったバークリーは、一般には独我論の代表的な論者として知られている。しかしサイバネティック・パラダイムは、基本的に独我論には否定的である。また、やはり常識的な現実観との関係も考えなければならない。我々にとって世界は秩序正しく存在しているように思えるが、にもかかわらず我々が構成しているとはどういうことか。すでに示唆した真理や科学の位置づけという問題もある。

再帰計算が秩序をつくる

手始めに、我々が現実を構成しているなら、世界のこの秩序はいったいどこからくるのか、という問題を考えてみよう。実際、我々にとって世界は決して無秩序なものではなく、確固とした秩序をもったものとして現れている。自分で発明しているというのに、これはいったいどうしてだろうか。自律システムによる現実の計算プロセスは、いかにして世界を安定的に構成するのだろうか。

フェルスターによれば、この秩序の源泉は、現実の計算プロセスそのもののうちにあるという。現実の計算プロセスは、計算の結果が再びそれ自身に返される再帰的なプロセスである。認知は再帰的に閉じたプロセスだからこそ、いずれ何らかの秩序ある状態へと至ると考えられている。

これを説明するため、彼は数学的な再帰計算をいくつか示している[4]。そのうちもっとも簡単なものは、任意の数に対して「平方根をとる」という演算子を再帰的に適用する例である。手元に電卓があればすぐに確認できるので、実際に試してみて欲しい[5]。どんな数を最初に入力したとしても、その平方根をとり続ければ、その結果は必ず1に収束する。

認知プロセスとしての現実の計算プロセスも、これと同様に考えることができる。再帰的に閉じたプロセスだからこそ、そのプロセスそのものによって、秩序ある状態が実現され得る。

ただしそれは、システムの作動を通じて実現される均衡としての秩序だから、必ずただ一つの状態に収束するというわけではない。フェルスターが示す次の自己言及的命題では、それを確認することができる。

THIS SENTENCE HAS … LETTERS

この命題は、「この文は…文字でできている」という形で自分自身に言及している。そのことによって「…」に入る文字を限定している。試しに「…」を「thirty」に置き換えて、「THIS SENTENCE HAS thirty LETTERS」としてみよう。するとこの文は、全体として28文字で構成されることになるが、それはこの文自体が主張する「30文字」という制約と矛盾する。つまりこの命題に矛盾なく入れることのできる文字は、この命題そのものによって限定されている。[6]

今度は「thirtyone」「thirtytwo」「thirtythree」と順に入れて確かめてみて欲しい。この場合、矛盾しない答えは二つあることがわかるだろう。いや、文字の間にハイフンを入れる形式や、アラビア数字やローマ数字も含めるなら、もっとたくさんの答えが許容されることになる。

重要なのは、それでも何でもアリなわけではないということである。自己言及的命題は、文字通り自分自身について言及する命題だから、再帰計算に似た「閉じ」をもっている。その「閉じ」によって自分自身のあり方を縛るため、一定の秩序に自ずと導かれるのである。

こうした演算や命題それ自体の構造によって決まる一定の秩序ある状態は、数学でいうところの「固有値」や「固有関数」に相当する。時間とともに推移する状況を考えるなら、いわゆる力学系における「アトラクター（attractor）」と捉えてもよい。アトラクターの形状は、単純な不動点以外にもいろいろ存在することが知られている。同一の軌道をぐるぐると回り続けるリミットサイクルや、ストレンジアトラクターと呼ばれるもっと複雑なものもある。いずれにしても、アトラクターはその力学系を定義する数式そのものによって、一定の秩序へと引きつけられる（アトラクトされる）ことを意味している。

固有値やアトラクターは、自律システムとしての認知システムがそれ自身によってつくりだす内的秩序にほかならず、それは安定的な行動として表出するとフェルスターは考えている。「固有値(eigenvalue)」になぞらえて、彼はそれを「固有行動（eigen-behavior)」と呼んでいる。[7] 通常、「客体」として理解されている知覚の対象は、この固有行動の「トークン（しるし）」として、システムの内的秩序が世界の側に投影されたものである。マシュマロをマシュマロとして、消しゴムを消しゴムとして認知することができるのは、認知システムが再帰的に閉じたシステムであればこそであり、その再帰計算プロセスによって一定の秩序状態が生み出されるからである。

ただし、固有値やアトラクターという比喩には危うい側面もある。固有値が見出されるとか、それへとアトラクトされるとか言う場合、それらはあらかじめ用意されていて、システムによって発見されるのだというふうにも聞こえてしまう。我々は、発見される現実から発明される現実へと、現実観をシフトさせたはずなのに、またもとに戻ってきてしまったようにも感じられる。

だが注意してほしいのは、こうした秩序は外的世界からもたらされているのではなく、認知システムにおける、あくまで内的な計算プロセスによって生み出されているということである。さらに思い出すとよいのは、このシステムを自律システムとしているメカニズムである。フェルスターは、制御の制御に関する再帰的メカニズムとして自律性を規定できると考えたのだった。これは現実の計算プロセスで言えば、現実の計算を行う再帰計算の方法自体が、再帰的に計算されるということを意味する。

つまり、たとえ基底的な再帰計算によって固有値やアトラクターが発見されるように見えたとしても、その計算方法は上位の再帰計算によって発明されていると言うことができる。その計算方法自体が上位の再帰計算によって発見された秩序であると考えてもよいが、自律システムであるなら、こうした制御関係はどこかで閉じる必要がある。この全体としての「閉じ」を意識すれば、認知システムにおける固有値やアトラクターは、やはり発見されるのではなく発明されるのだということがわかるだろう。

システム外的な制約

しかし、システム全体としての自律性の強調は、諸刃の剣でもある。いま解いたばかりの世界の安定性についての問題が、再び現れてきてしまうからである。再帰計算によって一定の秩序が構成されるとしても、全体の自律性ゆえにその計算の方法自体の変更が生じれば、秩序の構成はやり直しである。もしそうした計算方法の変更が頻繁に生じるなら、やはり世界は無秩序なものになってしまう。

だが実際に我々が経験している世界は、それほど無秩序なものではない。昨日消しゴムだったものが、今日はマシュマロになっているなどということはない。たとえ強く望んだとしても、我々は消しゴムをマシュマロに変えることはできない。つまりこれは、我々が望むような現実を自由につくることができないという問題とも通じている。

我々の経験世界が秩序立ったものとしてあるということは、自律システム全体としての計算プロセスを安定化させる、何らかの仕組みが別に存在しているということである。実はその概略は、すでに第3章で述べている。構成主義とはいえ、独我論には直結しないということを説明した際に、我々の認識がどのようなものであろうとも、我々は水中で呼吸することができないという例を挙げた。我々にとって外的なものとして感じられるそうした制約こそ、自律システムの現実構成を安定化させるもう一つの仕組みとして機能しているものである。

外的な制約の存在は、我々が何かに失敗したときに顕著に現れる。我々には、水中で呼吸できないという制約があること、あるいはそのような制約として「水」と呼ばれるものが存在するということは、我々が溺れたときに明らかになる。同様に、マシュマロだと思って口にしたものが、実は消しゴムだったというとき、世界には食べられないものが存在するということ、消しゴムはそういうものの一つとして存在しているということが明らかになる。我々にとって現実が、そのあるがままに受け止めることとしかできない、どうしようもなく「リアル」なものとして感じられるのは、こうしたシステム外的な制約のためであると言ってよい。

ただし、外的制約は「客体」として認知システムに直接認識されるわけではないし、システムと無関係にあらかじめ与えられている「客観的現実」として同定することもできない。それはあくまでシステムの行動の結果としてそれに攪乱を与え、その変化の引き金をひくに過ぎない。「水」は我々にとっては呼吸を制約するものだが、魚にとってはそうではない。システムの変化の仕方はシステム自身の構造によって決定されている。もとより認知システムは閉じたシステムだから、その変化の要因が外的なものに由来するか、それとも内的なものに由来するか、システム自身は区別することができない。そうした区別もまた認知システムによる計算の結果として構成されていくものである。

認知システムは自らの構造を通じて外的制約を学び、自身の世界を秩序あるものとして構成していく。このように変わりゆく認識のあり方を、従来の哲学的、思弁的な認識論を超えた「科学」として探究したことで知られるのが、スイスの心理学者ジャン・ピアジェ（Jean Piaget）である。彼は認識をダイナミックなプロセスとして捉え、その発生過程に生物学的にアプローチする「発生的認識論」[8]を提唱した。ピアジェがこの科学的認識論を本格的に探究した時期は、サイバネティクスの登場と発展の時期と重なっており、両者は相互に影響を与え合った関係にあると言われている。

一般に、ピアジェの発生的認識論は、「同化」と「調節」という二つのプロセスがその核にあると理解されている。通俗的な解釈では、「同化（assimilation）」とは、認知主体が自分に合わせて環境の一部を取り入れることであり、「調節（accommodation）」とは、逆に認知主体が環境に合わせて自分を変化させることである。この同化と調節が均衡化した状態が、認知的に適応した状態である。認知主体は同化と調節を繰り返すことで、自身の環境へと認知的に適応し、それに見合った認識を構成していくとされる。だからピアジェは、とりわけ心理学分野における「構成主義」を代表する論者と考えられている。

同じ「構成主義」だけあって、ピアジェの認識論はサイバネティック・パラダイムの認識論と多くの点で似通っている。同化と調節のプロセスは、認知システムが外的制約を学ぶプロセスになぞらえることができるし、その繰り返しによって実現される認知的適応という均衡状態は、システムの再帰的作動を通じて実現される一定の秩序状態に対応すると言えるだろう。

だが一方で、両者は根本的なところで決定的な違いがあるようにも見える。環境の一部を自分に取り入れることが同化なら、それは環境からデータの入力を受けることと同じなのではないか。そうした入力に応じて認知主体が反応の仕方を変えることが調節なら、同化と調節が繰り返されることで実現する認知的適応の状態とは、フィードバック機構によって実現する一種の理想状態のことなのだろうか。そう考えてみると、ピアジェの認識論はサイバネティック・パラダイムというよりも、むしろコンピューティング・パラダイムと親和的な理論であるように思えてくる。

だがこれに対して、「そもそも一般的なピアジェ解釈が間違っている」と主張するのが、ラディカル構成主義を標榜するグレーザーズフェルドである。彼は先のような通俗的なピアジェ解釈に異を唱え、ピアジェの発生的認識論を徹底的(ラディカル)に受容することを求める。次節では、このグレーザーズフェルドの議論を概観し、とくに「真理」という概念が構成主義においてどのように理解されるのかに迫ってみよう。

2　グレーザーズフェルドのラディカル構成主義

ピアジェの行為図式

エルンスト・フォン・グレーザーズフェルド（Ernst von Glasersfeld）の唱える「ラディカル構成主義」は、知識を人間の構成物として捉えたヴィーコのような構成主義的な哲学を土台としつつ、思弁的な哲学談義で終わらない点にその特徴がある。グレーザーズフェルドの議論は、科学的認識論として確立されたピアジェの発生的認識論と、やはり科学として認識論的問題にアプローチしたサイバネティクスとを組み合わせたものとして成立している。端的に言えば、哲学、心理学、サイバネティクスの三者によって構築された認識論が、グレーザーズフェルドのラディカル構成主義である。

議論のこうした成り立ちからもわかるように、グレーザーズフェルドはさまざまな学問領域と関わりをもった人物である。多言語環境で生まれ育ち、数学、哲学、言語学、心理学などの分野を渡り歩いている。とはいえサイバネティクスとの関係はとくに深く、アメリカ・サイバネティクス学会の理事を務めたこともあるし、後年はその名誉会員にも選出されている。「ラディカル構成主義」という名称も、新しいサイバネティクスの構成主義的な思想全体を総括する名称として、広義に用いられることもある。

そのグレーザーズフェルドが自身の考えを初めて「ラディカル構成主義（radical constructivism）[9]」という名で発表したのは、一九七四年のことである。フェルスターの「現実構成について」がその前年の一九七三年、マトゥラーナとヴァレラの「オートポイエーシス」の英語版執筆も一九七三年のことだから、これらはほぼ同時期に成立した議論であるということになる。

ここでは、その後に著されたグレーザーズフェルドの主著『ラディカル構成主義[10]』に従って、まずはピアジェの発生的認識論がどのように受容されるのかを見てみよう。

グレーザーズフェルドは、ピアジェの理論の要点を「行為図式（シェム）（action scheme）」と呼ばれる概念に見る。[11]これは簡単に言えば、同化と調節というプロセスを、生物自身の内的視点から説明するための概念的ツールである。しかし通俗的なピアジェ解釈では、これを刺激と反応のメカニズムとして、暗黙のうちに浅薄に理解してしまっていると言う。

たしかに一般的な生物学では、感覚運動的な認知行為のパターンを、刺激と反応のセットとして捉えることが多い。たとえば乳児は一方の頬に触れられると、それを追うように頭の向きを変えてしゃぶるものを探す。これは頬に与えられた刺激によって、頭の向きを変えるという反応が生じたと理解される。

ところで乳児が示すこの刺激と反応のセットは、なぜ存在するのだろうか。刺激と反応を特定するだけでは、この点はまだ不明である。とはいえこの疑問に答えるのは難しくない。これはよく知られた原始反射の一種であり、それが乳児にとって栄養的な利益につながるため――母親から母乳を得やすくなるため――に、進化的に獲得されてきたパターンであると考えられている。

しかしこのことからわかるのは、この乳児の認知行為をきちんと説明するためには、刺激と反応の二項だけでは不十分であるということである。第三項として必要なのは、それがかつて有益な結果をもたらしてきたということ、乳児の認知システムは、それが再び起こることを予期しているということである。グレーザーズフェルドによれば、ピアジェはこうして刺激と反応という二項ではなく、三項で認知行為を捉えるようになったという[12]。

さらに重要なことは、一般的な認知行為を射程に収めるには、観察の視点を変更する必要があるということである。遺伝的に固定されているように見える反射だけでなく、人間の一般的な認知にも応用可能なモデルとするには、刺激や反応のような外部視点での記述で良しとするわけにはいかない。

認知行為を行う主体が「いかに知るのか」を問うのが認識論なのだから、主体自身の内的な図式でこれを説明しなければならない。

このような考えのもと、グレーザーズフェルドはピアジェの行為図式を形成している三項を、次のように特定する。一は刺激、二は反応に対応すると考えると、理解しやすいだろう。

一　ある特定の状況の再認
二　その状況と連合された特定の活動
三　その活動がかつて経験した結果を生じるという予期[13]

同化は、この三項からなる行為図式がうまく機能するときに生じているとグレーザーズフェルドは言う。すなわち、主体によってある特定の状況が「再認」されると、その状況と連合した特定の「活動」が誘発され、それがかつて経験した結果を生むという「予期」へと同化する。彼はこれを「既知のことの一例として新しい素材を扱うこと」[14]とも述べている。

外部視点で言えば、特定の刺激が特定の反応を誘発することで、有益な結果を得るという描写になるだろう。しかしそれでは認識論として重要な点が無視されてしまう。一般的な認知行為においては、外部観察者から見たときの特定の刺激が、つねに特定の反応を誘発するわけではない。刺激は主体自身によってどう再認されるかに依存し、それはつねに同化の結果としてある。ピアジェも「最初に刺激があるのではなくて、刺激への感受性がある」と述べている。[15]

逆に、ある刺激が外部観察者には過去のものと異なるものに見えたとしても、それを再認する主体にとって、それはまったく関係がない。もしそれが再認されるなら、主体にとって差異は存在しない。そうした差異は無視されるのではなく、ただ存在しない。そしてそれと連合した活動が誘発され、予期へと同化する。

予期された結果が実際には生じなかった場合は、行為図式は攪乱され、変容を迫られる。このとき生じているのが調節である。期待される結果が導かれるように、その行為図式全体が調節される。だから調節は同化の逆などではなく、その行為図式が予期された結果を生まない場合にのみ生じる現象である。認知主体の予期は、この意味で極めて重要な役割を担っている。刺激と反応の二項モデルではこれを適切に理解することができない。

そして忘れてはならないのは、予期された結果の確認もまた、主体による再認に依存するということである。そしてこの再認自体、また同化の結果である。つまりそれは、過去の経験からその主体が構成してきた行為図式に依存している。自ら構成してきたものに従って確認されるのであって、客観的な環境によって確認されるのではない。認知行為はこのように徹頭徹尾、主観的なものであり、それは外部から観察不可能な主体の状態に依存している。

「ラディカル」の所以

以上のようなピアジェ解釈は、グレーザーズフェルドが独自に明らかにしているものであり、ピアジェ本人が完全に詳述していない事柄も含まれている。それでもこれは、ピアジェの膨大な研究を真摯に読み込んだ結果であり、彼の思想を適切に理解するためには明確にすべき解釈であるとグレーザーズフェルドは考えている。

彼にしてみれば、むしろ多くの学者はピアジェの革命的な部分を見過ごしているのである。ピアジェの理論は一般に理解されているよりも、もっとずっと過激（ラディカル）である。我々は通俗的なピアジェ解釈を超えて、もっと徹底的（ラディカル）にそれを受容しなければならない。ラディカル構成主義の「ラディカル」には、このような意味が込められている。

実際、先のようなピアジェ解釈は、通俗的な解釈とは根本的（ラディカル）に異なっている。認知主体は環境の一部を自分に取り入れるわけではないし、環境に合わせて自分を変化させるわけでもない。認知主体はそのような客観的な環境に対して認知行為を行っているのではなく、自らが構成してきた行為図式に即して、どこまでも主観的にそれを行っている。

そう解釈を改めてみると、ピアジェの認識論は、サイバネティック・パラダイムの認識論と地続きのものとなってくる。知識は環境から受けとる客観的なデータではなく、認知主体が自身の構造に即して自律的に構成するものである。認知主体は客観的な現実を発見したり、それに合わせたりしているのではなく、自らに閉じた行為図式を構成し、また調節することで、むしろ現実を発明している。

こうして提起されているのが、ラディカル構成主義の理論である。グレーザーズフェルドはその根本原理を大きく二つに分け、次のように定式化している。

一・知識は感覚やコミュニケーションを経由して受動的に受けとられるものではない。

・知識とは認知主体によって能動的に構築される。
二 ・認知の機能は、生物学的な意味で適応的なものであり、適合や実行可能性への傾向性を有している。
・認知は主体による経験世界の組織化の役目を果たすのであって、客観的な存在論的実在を発見しているのではない。[16]

一にまとめられている二つの点は、知識観について述べている。これは常識的なそれとは異なるように感じられるかもしれないが、構成主義としてはかなり一般的な知識観である。教育界で近年浸透しつつある「アクティブラーニング（能動的学習）」と呼ばれる取り組みも、このような知識観と相性が良い。その意味では、これは徐々に常識となりつつある知識観であると言ってもよいかもしれない。ただし、一般にアクティブラーニングとは、学習者にとって受動的な講義スタイルを否定し、ディスカッションやグループワークといった学習者自身の能動的な活動を重視する授業手法のことを指している。したがってそれは、ここで述べられていることと同じではない。認識論的に言えば、認知主体は受動的な講義の場においても能動的に学習（アクティブ ラーニング）しているからである。

二の中の一点目は、「実行可能性」という新しい概念について述べている。これは後で確認することにして、いまは最後の点に注目しよう。

ラディカル構成主義の根本原理の中で、もっともラディカルなことを述べているのが、この最後の点である。「ラディカル」という言葉に込められた意味については、ピアジェ解釈との関係を先ほど確認したが、ラディカル構成主義がただの構成主義ではなく、急進的な構成主義であるという意味では、ここで述べられていることを理解することの方が重要である。

端的に言えば、グレーザーズフェルドはここで、認知と「客観的な存在論的実在」との間に一般に想定されている関係を切断している。言い換えれば、認知の機能は真なる世界の発見にあるのではない、と宣言している。構成主義者といえども、穏健派は先の一で踏みとどまり、ここまで強い主張は行わない。グレーザーズフェルドは、この意味で急進派の構成主義者である。

念のため、そのラディカルさを確認しておこう。我々は一般に、世界は客観的な事物で成り立っていて、それは正しい認識によって把握できると考えている。認知の機能は真実を見極め、幻想を排除することだと信じている。とくに現代の我々は、客観的なデータを重視し、恣意的な思い込みを排除することに努めている。言うまでもなく、この傾向を推し進めてきたのは科学であり、科学こそ、世界の真の姿を明らかにするために遂行されてきた、人類の最も崇高な営みであるというのが常識である。

したがって、これを否定するような主張は、必然的に極めてラディカルなものとなってしまう。とくに西洋の精神には、真理の探究という課題が深く根付いているから、これはなおさらである。構成主義的な哲学者としても名の挙がるあの偉大なカントでさえ、存在論的な真理の探究を諦めることはなかったとグレーザーズフェルドは述べている[17]。それでも彼は、認知の機能は真理を明らかにすることではないと言う。科学哲学者のポパーに対してはさらに手厳しい。ポパーは「科学的進歩という概念に執着」[18]して、科学によって真理に近づけるという「形而上学的な信念」[19]を手放せないでいると言う。

思い返せば、ウィーナーが一元的世界観から逃れることができなかったのも、本質的には同じことである。彼もまた唯一無二の真理の探究者であり、オーソドックスな科学的世界観を手放すことができなかった。多くの心理学者が、ピアジェを浅薄に解釈してしまうのも同じである。認知の対象を存在論的実在として理解することで安心したいからだとグレーザーズフェルドは考えている[20]。

こうしたある意味で宗教的でさえある伝統的な科学的信念に、グレーザーズフェルドはきっぱりと異を唱える。しかしただ否定するだけでは、「何でもアリ」の無秩序の世界になってしまうのではないか。彼はこの「真理」という問題を、どのように乗り越えるのか。

ここで登場するのが「実行可能性」という概念である。

実行可能性

ポイントは、認知によって明らかにされる真理という概念を否定するとしても、存在論的な制約は認められるということである。我々の文脈で言えば、もちろんこれはシステム外的な制約のことである。システム外的な制約は、システム自身の構造に依存するという点で、客観性や普遍性が前提となる真理とは異なっている。水は我々にとって呼吸を制約するものとして働くが、魚にとってはそうではない。さらにシステムの構造は個体発生を通じて変化するから、それに応じて制約も変化する。オタマジャクシは陸上で呼吸することができないが、成長したカエルは水中で呼吸することができない。

そしてそうした制約は、呼吸できないとか、食べられないといった否定の形で認知主体を拘束する。グレーザーズフェルドが強調するのはこの点である。否定形で拘束するだけだから、それはそのように拘束するものとしての外的な制約そのものが、いったい何であるのかということを告げはしない。

だから存在論的な制約を認めることは、哲学的に実在論の立場をとることと同じではないとグレーザーズフェルドは考えている。[21] どんな制約があるかを認知したところで、外的なものが実際にそう在るということがわかるわけではないし、ありのままの真実に到達できているわけでもない。制約は、出来ないことを指示するだけで、唯一無二の真理を告げるわけではない。形而上学的な信念として以外に、試行錯誤によって真理へと徐々に漸近できると考えるべき理由もない。

では認知行為によって構築される知識とは、真理ではなくて何なのだろうか。それは、それがうまく機能する限りにおいて、正しい知識であるとしか言いようがない。いや、「正しい」と言うと「真理」の意味が込められてしまうから、それはただ「うまく機能する」とだけ言うべきだろう。

これが「実行可能性（viability）」という概念の核である。グレーザーズフェルドは、伝統的な真理の概念を、この実行可能性に置き換える。[22] 生物学では、ある状況に生物が適応的で、そこで生存可能であることを「viable」と言うが、同様に、ある状況に知識が適合的で、実行可能であることが「viable」である。

知識が実行可能であるために必要なのは、外的なものとの「一致（match）」ではなく、その状況への「適合（fit）」である。一致には、まったく同じで「正しい」という含意があるが、適合では、同じかどうかは関係なく、ただフィットするかどうか、うまく機能するかどうかだけが問われる。

グレーザーズフェルドは、この適合のイメージを鍵と錠前の例で説明している。[23] 錠前を開けるために必要とされるのは、錠前の形状と一致する唯一の「正しい」鍵（だけ）ではない。少し形状が違っていても開くかもしれないし、泥棒なら針金一本で開けてしまうかもしれない。つまりその錠前を開けることができるなら、どんな鍵でもそれに適合していると言うことができる。

したがって、ある鍵で錠前を開けることができたとしても、それが唯一正しい鍵であるとは言えない。同様に、ある知識が実行可能であるとしても、それが唯一絶対の真理であると言うことはできない。

そもそも適合しているというのは、その鍵に求められている機能があるという意味であって、それによって錠前の側の何かが明らかにされているわけではない。同様に、ある知識が実行可能であるからといって、それが真理や実在といった外的な何かを意味していると考えることはできない。

それでも錠前の作成者なら、錠前の形状を直接示したり、唯一の「正しい」鍵を指定したりすることもできるだろう。しかし我々は真理の作成者ではないし、仮にそうした作成者がどこかにいるとしても、彼にそれについて直接尋ねる術もない。我々にできるのは、彼に成り済ますことくらいである。

ただし、錠前は、開けられない鍵については明確に否定する。同様に、ある知識には実行可能性がないというかたちでなら、明確な制約が存在する。したがって、知識が「何でもアリ」に陥ることはない。しかしそれで正しい知識が一つに決まるわけでもないから、世界の真理や実在について何かを主張することはやはりできない。

議論の議論

そうなると気になってくるのは、この議論自体はどのように位置づけられるのかということである。認知と真理の関係を否定する以上、ラディカル構成主義は、自らの主張を「正しい」ものとして提示することすら、できなくなってしまうのではないか。

「正しい」ということを伝統的な真理の意味で捉えるなら、まったくその通りである。グレーザーズフェルドは、自らの主張を例外的な位置に置こうとはしていない。それどころか、この議論を真であるとも偽であるとも考えてはならない、とわざわざ警告している。

ラディカル構成主義の真偽を問おうとするのであれば、それは誤った方向性である。というのも、形而上学的な推量ではなく、それを用いることで初めてその価値が測定できる概念的な道具としてラディカル構成主義は意図されているからである。[24]

「形而上学的な推量ではなく」という箇所は、逆に真偽を問うことは、形而上学的な推量を行うことでしかないと言っているに等しい。ラディカル構成主義は、真偽の問題のように、形而上学的な信念によってしか語りえないことを述べることを拒否する。

これはもちろん、実在に対する姿勢にも当てはまる。だがもしかすると読者の中には、前項で述べた「存在論的な制約」に関する議論の中に、ここで言われているような「形而上学的な推量」を感じとった方もいるかもしれない。すなわちラディカル構成主義は、存在論的な制約を認め、状況への適合について語るが、それは形而上学的にしか語りえないはずの実在を推量することとどこが違うのか、と。

哲学的な意味での実在論との違いについては、先に述べた通りである。外的なものそのものを知ることができないとか、唯一性がないとかいった点を挙げることができる。しかし「存在論的な制約」

という表現は、確かに誤解を招きやすい。それを認めることで、真理概念の見直しに関する議論は明瞭になるものの、一方で、外的なものそのものに関する「形而上学的な推量」を、議論の中に忍ばせてしまっているようにも見える。「一致」と言おうと「適合」と言おうと、それによって外的なものとの関係が表現されているなら、やはり実在に類する何かがそこに推量されてしまっているのではないか。

しかしこの種の疑念は、存在論的な制約がどのように現れ、どのように機能するかを考えてみれば、きっと解消されるはずである。思い出すべきは、ピアジェの行為図式である。

グレーザーズフェルドはピアジェの行為図式を、認知主体による「再認」、「活動」、「予期」として捉えていた。存在論的な制約は、予期された結果が生じなかった場合に現れると言える。ではその予期された結果の確認はどのようになされているかと言えば、外的なものに依拠してではなく、認知主体自身の再認に依拠してなされている。しかもその再認は、それ自体、同化のプロセスを通じて構成されてきた行為図式に依拠している。つまりこれは、どこまでも主体の行為図式に則して進行する主観的プロセスであり、そこに外的なものが忍び込む余地はない。

認知主体の行為図式は、こうしたプロセスを通じて調節されている。その結果として獲得されているのが「適合」した行為図式である。これもまた、あくまで主観的な行為図式が「うまく機能する」という意味であって、やはり外的なものへの適合ではない。

認知行為がこのように徹底的に主観的なものであるということは、すでに提示したラディカル構成主義の根本原理の中でも表現されている。「認知は主体による経験世界の組織化の役目を果たす」という部分である。認知の機能はあくまで認知主体自身の経験世界の組織化である。言い換えれば、それが主観的に経験している世界を秩序づけることであって、外的実在を把握し、それへと適合することではない。

ラディカル構成主義自体の位置づけの問題に話を戻そう。と言っても、何ら異なる点はない。この議論自体も、認知主体の経験世界を組織化するために構成されている議論であり、外的実在や真理と結びついているわけではない。どんな知識も経験世界の組織化のための一つの仮説、一つのモデルに過ぎず、ラディカル構成主義自体も例外ではない。

もちろん、だからと言って何もかも幻想と区別がつかないなどと考える必要はない。すべては行為図式がうまく機能するかどうか、それが実行可能かどうかによって判断できるからである。形而上学的な推量を避けたいのであれば、むしろ実行可能性に訴えるしか道はない。そしてそれは真理とは異なるがゆえに、つねにテストされ続けなければならない。その意味で、どんな知識もつねに仮説的であり、つねに暫定的なものである。

したがって、ラディカル構成主義自体の妥当性も、その実行可能性によって評価し続ける必要がある。ラディカル構成主義が実行可能性についての議論であるとすれば、実行可能性の実行可能性を評価し続けるということになる。先の引用に示されていたように、ラディカル構成主義もまた「それを用いることで初めてその価値が測定できる概念的な道具」なのである。

どんな知識もそうであるように、ラディカル構成主義は「いまのところは実行可能性がある」としか言いようがない。しかし、だからこそそれは机上の空論ではなく、認知主体の経験世界でつねにテストされ、調節され続ける理論である。

前章までの話では明確になされていなかった形の循環が、ここに現れている。セカンド・オーダー・サイバネティクスやオートポイエーシス論では、理論とそれを説く者との間の循環が示されていた。ここで示されているのは、理論と実行可能性との間の循環である。それは認知主体の経験世界で確認され、調節され続けることを明確にしているという点で、これまでの循環をさらに強化するものであると言える。

3　共同的な現実構成

山高帽をかぶったビジネスマン

サイバネティック・パラダイムの現実観として、ここまでは認知主体ないし観察者個人によって構成される現実という側面に焦点を当ててきた。ここからは、複数の主体による世界の共有について考えてみよう。我々が日々経験しているこの世界は、明らかに他者と共有されている。サイバネティック・パラダイムの現実観が実行可能性をもつためにも、この問題はぜひとも検討しておかなければならない。

だが我々は先ほど、認知行為が徹底的に主観的なものであることを確認したばかりである。ここでもやはり、客観的な世界の存在を前提として、それが個々に認識されると考えることはできない。セカンド・オーダーへと浮上後の世界は、フォン・ノイマン的な一元的世界ではなく、ウィーナー的な多元的世界である。認知行為する主体は個々に現実を構成し、それぞれの世界を生きている。そうした個々の現実を前提に、いかにして共有される世界が現れるのかを考えなければならない。

これは独我論にどう向き合うかという問題でもあるが、この問題に早くから取り組んでいたのは、実はフェルスターである。彼は自らの手によるサイバネティクスの転回以前から独我論的主張に関心を向けており、図５—１に示す「山高帽をかぶったビジネスマン」[25]のイラストを使って、そこに潜む問題を提起していた。

一番大きく描かれているビジネスマンが、ここでの主人公である。このビジネスマンは独我論者で、「自分だけが唯一の現実であり、他のすべては自分の想像力の産物に過ぎない」と主張したとし

図5-1：山高帽をかぶったビジネスマン
(von Foerster, H., 1960=2003, p.5, fig.2)

よう。彼の頭の中には多くの他者が描かれているが、それもみな彼の想像に過ぎないという考え方である。

このビジネスマンにとって、自分以外のすべては自分の想像力の産物であるから、他者は亡霊のようなものである。だが彼は、自分の想像の中にそうした亡霊たちがいるということは否定できない。彼の経験世界には、なぜかそうした亡霊たちがたくさん存在している。そして彼は、そうした亡霊たちが多くの点で自分と似通っていることもわかる。

だから彼は、遅かれ早かれ、その亡霊たちが自分と同じ主張を行う権利をも認めなければならなくなる。つまり、今度は想像上の他者たちが、「自分だけが唯一の現実であり、他のすべては自分の想像力の産物に過ぎない」と主張することになる。このときビジネスマンは、最初とは逆に、自分が亡霊となってしまったことに気づく。

これは一種のパラドックスだが、簡単に回避することができるとフェルスターは言う。自分だけが唯一の現実であると考えるのではなく、他者も存在する世界が現実であると考えればよいのである。そのように現実を再設定することで、「現実は、少なくとも二人の観察者にとっては矛盾しない参照枠組みとして現れる」[26]ことになる。

この考え方は、個々の観察者が独我論に陥ることを防いでくれるが、それは単に同じ観察者としての他者を認めることで、「我」独りではなくなるというだけではない。少なくとも二人の観察者がいることで、両者にとって「矛盾しない参照枠組み」としての現実が、言い換えれば、共同的な現実が構成されることになるからである。他者を認めることで、他者と共有可能な世界もまた現れるわけである。

ここまでの議論では、独我論の回避に寄与する要素として、もっぱら外的な制約を考えてきた。いまやこれに、私と同様の他者という存在を認めるという要素が加わる。他者を認めることには、それ自体よりもずっと大きな意義があるとグレーザーズフェルドは考えている。のちに改めて述べるが、他者が存在することで、知識の実行可能性がその他者によっても確証される可能性が出てくるからである。そしてより信頼できる知識とそうでない知識との区別が可能となり、独我論からますます遠のくことになる。

ただし、それでも我々は独我論を論理的に否定できるわけではない。原則として認知行為は主観的であり、それを通じて構築される知識もすべて主観的である。これは我々の限界というよりも、我々の認知のあり方そのものの特徴である。したがって、お好みであれば誰でも独我論を選択することができる。ラディカル構成主義の立場に立てば、その真偽を問うことはできない。だが自分自身の経験世界において、それに実行可能性があるかどうかは確認することができる。

他者という存在に関しても、同様に考えることができる。その真偽を問うことはできないが、それに実行可能性があるかどうかは、個々の認知主体がそれ自身の経験世界において判断することができる。ラディカル構成主義では、他者もまた認知主体による構成物である。ただし、他の構成物と同じく、それは自由に構成されるわけではもちろんない。それは存在論的な制約によって方向づけられているが、決定されはしないという構成のされ方である。

現実＝共同体

他者を構成することで、共同的な現実構成が始まるという点は、極めて重要である。それは「我」の現実に加えて「汝」の現実も認めるということではないし、「我」の現実を「汝」に認めさせるということでもない。「我」を中心とするのでも、「汝」を中心とするのでもなく、「我」と「汝」の関係を中心として認めることだとフェルスターは言う。

フェルスターはこれを、「現実＝共同体（reality = community）」[27]という式で端的に表現している。他者を認めることで、私と他者の共同体を基盤とする、第三の参照枠組みとしての現実が構成されるという意味である。

ところでそうした共同的な現実は、なぜ実行可能性をもち得るのだろうか。それは個々の場面では、各主体の行為図式の同化と調節のプロセスを経て達成されるはずである。だが究極的には、我々が互いに類似しているということによって、それは支えられていると言える。

我々にとって他者とは、多少なりとも自分と類似した存在である。そもそも我々は、自分の存在様式に則して他者を構成するからである。[28]山高帽をかぶったビジネスマンが、自分の中の亡霊を自分と似通ったものとして捉えたことを思い出すとよい。そうした認識が、彼の独我論からの脱却を助けたわけだが、我々はそのような類似の他者と現実をつくるのだから、それがある程度うまくいくのは当然である。

といっても、他者は必ずしも人間である必要はない。犬や猫を飼っている人なら、彼らとも共同的な現実を構成できることを疑う人はいないはずである。おそらく我々は、哺乳類とは比較的容易にそれを構成することができるだろう。人間同士であれば、なおさら容易である。シュミットも、「人間であるわれわれは類似した知覚手段をあきらかに共有しており、永続的な相互作用のなかで共存しているため、対象と呼ばれる相互作用の単位は多少なりともたがいに似てくる」[29]と述べている。

人間の現実にとってとくに重要な役割を担っているのは、間違いなく言語である。言語によって我々は互いに結びつき、共同体を形成する。オートポイエーシス論も明らかにしていたように、人間同士の相互作用の仕方を特徴づけているのが言語であるから、人間の共同体とそれを基盤に構成される共同的な現実には、言語の影が色濃く現れることになる。

言語はあまりに強力なため、我々はしばしばそこに実在を見てしまう。しかしサイバネティック・パラダイムは、それに騙されることはない。マトゥラーナは賢明にも「語られることはすべて観察者によって語られる」と主張した。これに対してフェルスターは「語られることはすべて観察者に対して語られる」[30]と応答する。以下に述べるように、フェルスターはこの二つの言明を同時に提示することで、観察者、言語、社会という人間特有の三者の相互依存的関係を表現しようとしている。[31]

「語られることはすべて観察者によって語られる」というマトゥラーナの主張は、現実構成に関して観察者が本質的な役割を担うことを明示している。我々は普段、観察者と無関係な記述が存在すると思い込んでいて、しばしばそれを実在と混同しているが、実際には観察者がいなければ何も記述され得ず、それ以前に区別されるものもない。前章で見たように、観察者は人間であり、人間だけが言語による記述を作成することができる。

このマトゥラーナの主張が、「語られることはすべて観察者に対して語られる」というフェルスターの応答と対になることで、二人の観察者、つまり、語る観察者と語られる観察者が、互いに結びつくことになる。観察者によって語られることは、必ず観察者に対して語られている。ときにはそれは、同一の観察者かもしれないが――つまり、独り言かもしれないが――、たいていは「語る」観察者と、それとは別の「語られる」観察者が存在する。この「語る」と「語られる」の関係が、複数の観察者を結びつける。

人間特有のこの結びつきを可能にしているのは言語であり、この結びつきによって成立しているのが人間の社会である。人間社会は少なくとも二人の観察者によって成立している。もちろん、もっと多くても構わない。むしろ言語による記述は、他の生物では不可能なほど多くの認知主体が結びつくことを可能にしている。そうして結びつけられた共同体が、人間の社会である。

この観察者、言語、人間社会という三者は、どれも欠くことができない。その一つを語ろうとすれば、他の二つも同時に語らなければならなくなる。観察者であるということは、言語による記述が可能であるということである。記述は他の観察者に向けてなされるものであり、それ自体の中にすでに社会という要素が潜んでいる。また言語によって人間は社会化されると同時に観察者となる。言語する観察者として我々はすでに分かち難く結びつき、我々特有の社会を形成している。

フェルスターによれば、こうした観察者の共同体に依拠して構成される、第三の参照枠組みとしての現実が、我々の共同的な現実である。

科学の再定義

「科学」という人間特有の営みについて再考する準備は、これで整ったことになる。

伝統的な科学的信念はあまりに強いから、改めて明確にしておこう。科学は真理を明らかにする営みではない。残念ながら、多くの科学者たちが自負しているほど、科学は特殊な営為ではない。それでも特殊であると言うのなら、科学と言いつつ形而上学を採用しなければならなくなる。

ラディカル構成主義によれば、そもそも認知の機能そのものが、真理を発見することとは無関係のものだった。認知の機能は主観的な経験世界を秩序づけることであって、外的世界にアクセスすることではない。これは人間だけでなく、すべての生物に共通する認知のあり方である。したがって、いかなる知識も世界の真理や実在とは関係がなく、その妥当性は自らの経験世界における実行可能性によってのみ評価することができる。

これは知識一般の特徴であり、科学的知識といえども同じである。だがやはり科学には、人間の他の営みと比べて特徴的な部分もある。

科学的知識が他の知識と異なるように見えるのは、「知識の構築のされ方が異なるからではなく、知識の構築のされ方が明示的で、かつ反復可能だからだ[32]」とグレーザーズフェルドは言う。一般に科学者は、まず注目する現象が観察される条件を明示する。そしてそれを説明する仮説的メカニズムを立てて、それから予測されることが、やはり明示的な条件下で観察されるかどうかを調査する。そうした厳格に管理された条件のもとに構築される知識が、科学的知識である。

科学が重視する客観性の半分は、こうした「科学的手法」に由来すると言うことができる。シュミットはこれを、「方法論的に管理されたトリビアル化[33]」と表現している。これは経験世界の複雑さを、厳格に管理された手法によって単純化するという意味である。もちろんそれは、フェルスターが転回させた「生物による環境のトリビアル化」と連続のものであると言ってよい。生物は現実を構成することで環境をトリビアル化しているが、人間はそれを科学としてより厳密に行うことができる。厳格に管理された手法によって、科学的知識は他の知識よりも信頼性の高い知識として位置づけられることになる。だがその性質は、通常の意味での「客観的」とは異なっている。科学的知識といえども、主観から完全に独立しているわけではなく、実在的なものを指し示しているわけでもない。観察という問題系を直視するサイバネティック・パラダイムでは、そもそもそうした客観性は存在し得ない。

そこでグレーザーズフェルドは、「間主観的（intersubjective）」[34]という言葉を、「客観的」の代わりとして暫定的ながら採用している。これは知識の主観性を前提としたうえで、他者とも共有可能な信頼性の高い経験的現実を表すための言葉である。

科学的手法は間主観的な知識の構築に寄与するが、知識が文字通り「間主観的」であるためには、それだけでは十分ではない。一人の観察者だけでなく、他の観察者にとってもそれが実行可能であることが示されなければならない。[35]知識の実行可能性は他者によっても確認されることで、より信頼できるものとなる。そうして他者は間主観的な知識の構築に貢献することができる。逆に言えば、間主観的な知識の構築には、他者という存在が不可欠である。

一般的な意味で科学が重視している客観性のもう半分は、こうした他者の存在に由来している。科学という営みにおいて、科学者の共同体に受け入れられるかどうかは極めて大きな問題である。観察者の共同体に依拠して我々の共同的な現実が構成されているように、科学者の共同体に依拠して科学的な現実が構成されている。

こうして真理や、実在的ないし客観的な知識として誤解されるような科学的知識が構築されている。その役割は、まさに世界のトリビアル化にある。それによって我々の世界の予測可能性は高まり、現実はより保証された現実となる。

だがそれは同時に、我々の認知的盲点ともなることに注意が必要である。認知の機能に立ち返ることで、我々は初めてこの盲点の存在に気づくことができる。忘れてはならないのは、自律的な生命システムの認知のあり方に由来する、現実の原理的な構成性である。これに気づかぬまま、認知を機械による情報処理と等しく見ることで、大きな誤算が生じるのである。

第6章

情報とは何か

情報学としてのサイバネティクス

情報は情報であって、物質でもなければエネルギーでもない。これを認めないような物質主義は現在の世の中で存在を続けるわけにはいかないのである。

ノーバート・ウィーナー

本書は、コンピューティング・パラダイムの起源としてのサイバネティクスから話を始めた。そしてここまでのところ、サイバネティクスのシステム論としての変遷を強調してきた。当初のサイバネティクスは、人間・生物と機械を同じシステムとみなしたのに対し、新しいサイバネティクスは、システムとしての人間・生物の特殊性をみる。これはコンピューティング・パラダイムからサイバネティック・パラダイムへの転換に相当していた。

本章では、その一種の応用問題として、情報学としてのサイバネティクスに光を当てる。コンピューティング・パラダイムは情報処理という観点を中心に据えるパラダイムだが、そもそも「情報」という概念は、サイバネティクスといかに結びついているのだろうか。そしてサイバネティック・パラダイムへの転換は、サイバネティクスの情報観をどのように変容させるのだろうか。

このような問題意識のもと、まずはサイバネティクスの展開と連動した情報観の変容をみよう。次に、新しいサイバネティクスに触発された、新しい情報学の潮流を概観する。それは既存の情報関連の学問よりもっと包括的かつ根本的な、情報一般の学の構築を目指す動きである。そして最後に、そのような情報学の一つとしての「基礎情報学」の核となる概念を紹介し、現代情報社会におけるサイバネティック・パラダイムの可能性を提示する。

1　サイバネティクスの情報観

情報の時代の幕開け

まずは当初のサイバネティクスと「情報」との関係を確認しよう。

情報といえば、今日ではコンピュータやインターネットを思い浮かべる人が大半である。そしてサイバネティクスは、たしかにそれらと関わりが深い。コンピュータの父と呼ばれるフォン・ノイマンが、サイバネティクスという学問の成立に大きく貢献したことは第2章で見た通りである。

しかし、具体的な機械としてのコンピュータは、初期サイバネティクスの重要な要素の一つではあったが、サイバネティクスのもう一つの柱であるフィードバック機構を忘れるわけにはいかない。いや、そもそもサイバネティクスは、この二つの機械に関する技術というよりも、これらが交差したところに見えてくるシステムとしての人間ないし生物への関心から始まった学問である。当初からそれは、計算機科学や通信工学などよりももっとずっと広い、新しい機械論の可能性を探る試みだった。

ではその機械論としての新しさはどこにあったのか。ここで改めて明らかにしておきたいのは、それはまさに情報が重要な役割を担う機械論であったということである。同じ機械論でも、それまでの機械論とはこの点で一線を画している。これを理解するには、やはりサイバネティクスの発端となったフィードバック機構に注目するのがよいだろう。

第1章で述べたように、フィードバック機構とは、出力の結果を入力側に返すことで理想的な状態をつくりだそうとするメカニズムである。たとえば右方向にカーブした道路を自動車で走行するなら、ハンドルを右方向に回転させ、右方向に曲がれという入力が必要である。その結果として自動車は右方向に曲がるという出力をもつことになるが、それによって実際にどの程度曲がるかは状況によって異なってくる。そこで必要となるのが、出力の結果として実際にとられつつあるコースに応じて、ハンドルの回転具合を変更する再入力である。運転者はこうした入出力のフィードバックを繰り返すことで初めて自動車を理想的なコースで走らせることができる。

これは人間が関与するフィードバック機構だが、このようにメカニズムとして理解できるということは、同じことを機械にやらせることもできるということである。実際、自動運転車における自動運転のもっとも基本的なメカニズムは、こうしたフィードバック機構にほかならない。その機械としての新しさは、次の二点に見出すことができる。

まず、フィードバック機構はそれ自体メカニズムであるのに、機械としてのそれの物質的な状態や形態は、その作動においてはさして重要ではないという点である。旧来の機械、たとえば自動車そのものは、その物質的側面が些細な部分まで非常に重要である。雨によって濡れたタイヤやステアリングシステムの調整具合は、自動車としての走行に確実に影響を与える。フィードバック機構は、むしろそうした物質的な部分に由来するシステム全体の変動を補塡するように働く。

そしてフィードバック機構では、エネルギーもさほど重要ではない。これがもう一つの注目点である。自動車そのものの走行には、内燃機関による莫大なエネルギー供給が必要だが、フィードバック機構それ自体を機能させるのに必要なエネルギーは、それに比べて微々たるものである。産業革命がエネルギー革命とも呼ばれるように、近代以降の機械はエネルギーこそが重要な役割を果たすと考えられてきたから、これは大きな違いである。[1]

ではフィードバック機構にとっては何が重要なのか。第1章でも述べたように、フィードバック機構をそれとして駆動させるのは、目指されている状態とその時点の実際の状態との差である。フィードバック機構の本質は、この差を制御することだった。ではこの差の制御はどのように行われるのかと言えば、出力側から入力側へと送られる「メッセージ」によってである。そしてそうしたメッセージのやりとりが「通信（コミュニケーション）」であり、メッセージとしてやりとりされるものが「情報」である。サイバネティクスが「情報が重要な役割を担う機械論」であると言えるのは、このためである。サイバネティクスの登場によって、それまでとはまったく異なるタイプの機械が存在することが明らかにされたわけである。

もちろんコンピュータも、情報処理機械としてその一翼を担う。フィードバック機構が動物の神経系に相当すると考えられたのに対し、コンピュータは人間の頭脳にあたると考えられた。しかもそれは単なるメタファー以上のものである。繰り返しになるが、サイバネティクスは具体的な機械に関する技術というよりも、機械論そのものである。メカニズムとして理解されることで、生物や人間も、文字通り機械として理解されるようになる。それはどんな機械かと言えば、物質でもエネルギーでもなく、情報が重要な役割を担う機械であるというわけである。

こうした「情報」の重要性をいち早く強調したのは、ほかならぬウィーナーである。

機械的な頭脳は、初期の物質主義者が主張したように〝肝臓が胆汁を分泌する〟ように思想を分泌はしないし、筋肉が活動をするようにエネルギーの形で思想を放出するようなこともない。情報は情報であって、物質でもなければエネルギーでもない。これを認めないような物質主義は現在の世の中で存在を続けるわけにはいかないのである。[2]

このようにしてサイバネティクスは、情報の時代の到来を宣言した。情報が重要であるとの認識は、いまでこそ当たり前のものだが、サイバネティクスの登場以前は決してそうではなかった。情報の時代は、まさにサイバネティクスによって開始されたのである。

命令から差異へ

制御の科学である初期サイバネティクスにおいては、情報とは何よりもまず命令であった。フィードバック機構の目標値として入力される情報も命令であるし、制御のメッセージとして伝達される情報も命令である。制御のために必要とされる情報処理プログラムも、それ自体、一種の命令である。コンピュータは、そうした情報処理に特化した機械である。

科学的概念としての情報は、エントロピーとして定義される「情報量(amount of information)」が有名である。これもサイバネティクスの文脈では、命令としてのメッセージから雑音を取り除くために考案されたものである。情報量の考案者は、一般にはシャノンと考えられているが、ウィーナーは、自身とシャノンと統計学者のフィッシャーがほぼ同時に思いついたと主張している。[3] なお、動機はそれぞれ微妙に異なり、シャノンは情報のコード化の問題から、フィッシャーは統計理論としての問題からそれにたどり着いたと言う。

いずれにしても「ビット」という単位で数えることのできるお馴染みの情報概念は、こうしてサイバネティクスと繋がっている。新興の概念である情報にとって、量として測れるということは非常に大きなことだったと言えよう。一般に科学においては、数値化と客観性は強固に結びついているからである。さらにシャノンの議論は「情報理論（information theory）」として理解されたから、情報は理論的にも確立された科学的概念として、以降、他分野へも急速に浸透していくことになった。

だが気をつけなければならないのは、ここでの情報とは、本来の情報概念の一側面を捉えたものに過ぎないということである。ひとが「情報」と言うとき、その根底には必ず「意味」の問題が付随している。だが情報量とは文字通り量であって、質にあたる意味とは関係がない。ビット列としての情報も、意味とは直接無関係の形式的な情報である。

シャノンもこの点を理解していなかったわけではない。むしろ彼は、厄介な意味の問題とは距離をとり、自身の議論をあくまで数学的ないし工学的な理論として捉えていた。[4]にもかかわらず、一般にはこの種の情報概念こそが真なる科学的概念であると理解され、広く受容されていった。情報の形式よりも意味の方が重要であると思われる領域にまで、それは平然と導入されていったのである。ただし、公平を期すために言えば、情報の意味的側面はただ無視されたというよりも、漠然とであれ、それも含めて形式的に扱えると信じられたと言える。

この状況は、初期サイバネティクスの情報観が、まさに一つのパラダイムとして機能したことを物語っている。情報はすべてビット列として形式的に表現可能で、機械で十全に処理することができるという信念、つまり、コンピューティング・パラダイムである。それによって進行しつつあるのが機械の精神化であり、精神の機械化である。そうして人間もコンピュータも、同じ情報処理機械となっていく。

本書は、これに対抗するパラダイムとしてのサイバネティック・パラダイムに光を当てるものだが、その情報観に入る前に、ベイトソンの情報観も確認しておこう。サイバネティクスの展開の中で、コンピューティング・パラダイムの情報観に明確な一石を投じたのがベイトソンだからである。

いま見てきたように、初期サイバネティクスは制御のための科学であり、情報はそのために必要な命令だった。それに対してベイトソンは、そもそもサイバネティクスを制御の科学として位置付けることに反対した。だから当然、命令としての情報観からも離れていくことになった。

ベイトソンはなぜ制御という見方に反対したのか。第2章で見たように、それは彼のシステム観に起因する。通常、機械や人間をそれぞれ別個のシステムとして捉えるところ、彼はそのとき関係する全体をシステムとして捉えた。彼にとっては、コンピュータやそれを操作する私がそれぞれシステムなのではなく、コンピュータと私が一体となって働く全体が一つのシステムである。制御や入出力という見方は、そうした全体をどこかで切断するときに現れるものに過ぎない。だから命令による制御ではなく、循環する全体が主題とされたのである。

そしてそれはどんな循環として捉えられたのかと言えば、差異の循環としてであった。コンピュータと私というシステムで言えば、コンピュータ内の電気的差異から、モニター上の画像的差異へ、そこから私の網膜上の差異、思考の差異、指の動きの差異とつづき、再びコンピュータ内の電気的差異へと至るような、差異の循環である。

ベイトソンの考える情報とは、この差異にほかならない。より正確に言えば、考えられているのは差異が次の差異へと変換されていく過程だから、「差異を生む差異」が情報である。差異を生まない差異は、たとえそれが客観的に存在すると言えたとしても、システムにとっては何の意味もない。だからそれは情報とは言えない。次の差異へとつながらなければ、それは存在しないも同然である。

ベイトソンにとっての情報が、制御のための命令でないことは言うまでもない。彼の考える情報はもっと融通無碍(むげ)で、自ずと変化しながらシステム全体を駆け巡る自由さがある。何より注目すべきは、それが客観的なものではないということである。ただそこにあるというだけでは情報ではない。次々と連鎖していくことがその本質と考えられている。

これはコンピューティング・パラダイムの情報観とはかなり異なっている。コンピューティング・パラダイムでは、情報はただそこにあるだけで情報である。文字や本、絵や音楽、もちろんウェブサイトやデータベースも、究極的にはすべてビット列として表現可能であり、情報量という形で数量的にも把握することができる。意味も含めて、情報はすべてデータとして客観的に扱えると考えるのがコンピューティング・パラダイムである。ちなみに、理念としてはもとより、現実としてもこのリストに加わりつつあると考えられているのが、我々の身体的情報や精神的情報である。

コンピューティング・パラダイムの情報観とベイトソンの情報観、ここではどちらが優れているかと問うのはやめておこう。いずれにしても、次にみるサイバネティック・パラダイムの情報観とはかなり異なっているからである。

情報的閉鎖系

新しいサイバネティクスでは、考えられているシステムの特徴がそもそも異なっている。考えられているのは自律システムであり、他律システムではない。サイバネティック・パラダイムにおいては、生物や人間は自らを制御する自律的なシステムであり、他者によって制御される他律的な機械とは根本的に異なる存在として理解される。

フェルスターはその初期の記憶研究の頃から、コンピューティング・パラダイムのアナロジーで人間の認知を語ることに批判的だった。脳のどこかに不変的な記憶がデータとして保持されていて、必要に応じてそれにアクセスするという捉え方を批判していた。フェルスターにとって記憶とは、それ単体として固定化された客観的なデータではなく、想起や再学習と不可分な、ダイナミックな認知のプロセスの中に存在するものだった。情報も、記憶としてそこにあるのではなく、プロセスとしての認知の中に位置づけられなければならないとすれば、差異の連鎖によって情報を捉えるベイトソンと似ていると言える。

だがフェルスターの情報観は、ベイトソンのそれとも異なっている。もっともわかりやすい違いは、「環境は情報を含んでいない」[5]と考えるところである。第3章で見たように、フェルスターにとって環境とは、そのあるがままにあるだけであり、それを何らかの形で区別したり、評価したりするような情報はそこにはないとされる。環境を区別したり、評価したりするのは、それと対峙するシステムの側である。

これは「環境のトリビアル化を行う生物」という見立てと重なっている。フェルスターは、環境が生物に対して作用するメカニズムではなく、生物が環境を対処可能なものとするメカニズムを探るべきだと主張した。前者は、環境の情報を命令として受け取る他律システムの考え方であり、後者は、自ら環境に働きかける自律システムの考え方である。

自律システムは自らを制御するシステムだから、それを外部から制御しようとする命令としての情報は当然否定されなければならない。自律システムでは、そうした情報がシステム内部へと取り込まれることはない。情報があるとすれば、それはシステムの外側ではなく内側である。つまり自律システムは、情報的に閉じたシステムである。

フェルスターの考えでは、システムの側の情報は、差異化なきコード化と現実の計算プロセスによって生み出されていると言える。そしてそれが現実構成主義へと繋がっている。「現実は発見されるのではなく発明されるのだ」という現実観は、考えられているシステムが情報的閉鎖系であることを物語っている。

一方、マトゥラーナとヴァレラが提唱したオートポイエーシスというメカニズムは、構成素の再帰的産出関係という点で閉じている。つまりオートポイエティック・システムは、そもそも閉鎖性によって特徴づけられる。

オートポイエーシス論の当初の目的の一つには、情報という概念そのものの否定があった。とくに生命システムの理解にとって、それが不要であることを示そうとしたとヴァレラは述懐している[6]。当時、生物学においても情報やそれに類する概念は多用され始めており、とくにその命令的な作用に対して彼らは違和感をもっていたのである。残念ながら情報概念をめぐる生物学の状況は、基本的にいまも変わらないが、これは情報概念を「科学化」してみせたコンピューティング・パラダイムの功績と言ってよいだろう。

マトゥラーナとヴァレラが命令的な情報を否定する論理は、実にオートポイエーシス論らしい。端的に言えば、そのような情報は観察者の記述の領域に現れるものであって、システム自身のオートポイエティックな作動とは無関係であるという理屈である。オートポイエティック・システムは、構成素の産出を続けることで自らを組織化し続けるシステムである。それ自身にとっては内部も外部もなく、ただひたすら作動している。したがって、内部と外部を区別し、内部の変動を外部から与えられる情報の影響として語ることができるのは観察者だけである。

たとえば遺伝という現象は、通常は親から子への遺伝情報の受け渡しと考えられている。しかしオートポイエーシス論では、新しく生まれたシステムは元のシステムとは別の単位体であり、両者は独立した生命システムとして捉えられる。オートポイエーシスというメカニズムは、それぞれのうちで閉じているからである。にもかかわらず観察者は、別々であるはずの両者を結びつけ、一方から他方への情報の受け渡しと、受け渡された情報の解読としてそれを捉えてしまう。これが否定的に語られるのは、生命システムにとって進化が派生的現象に過ぎないとされるのと同じ理由である。

当のシステムから見れば、システム内的な変動と、外的なものに由来する攪乱は区別できない。だからシステム自身が受け渡された情報を解読しているなどと言うことはできない。したがって、オートポイエティック・システムも情報的閉鎖系である。強いて言えば、システム自身が自己特定的に情報を生み出しているということになる。[7]

　こうしたサイバネティック・パラダイムの情報観は、コンピューティング・パラダイムの情報観と著しい対照をなしている。コンピューティング・パラダイムでは、情報は制御のためにあり、システムへの命令として客観的に作用する。一方、サイバネティック・パラダイムで考えられているのは自律システムであるから、命令的な情報が外部から入力として与えられることはない。自律システムは情報的閉鎖系である。情報があるとすれば、それはシステム自身の内側に生じる主観的な意味と不可分のものとしてあることになる。

2　新しい情報学の台頭

意味という難問

　コンピューティング・パラダイムの情報観とサイバネティック・パラダイムの情報観は、どちらが優れているのだろうか。システム論としてのサイバネティクスの展開を考えれば、後者を採用すべきであると言えるが、実際には、前者が依然として大きな力をもっている。

　これは、現実の機械を制御するという目的においては、コンピューティング・パラダイムの情報観で十分であるからだろう。むしろ情報量や情報のコード化といった概念なしでは、コンピュータを動かすことも、そのネットワークで通信することもままならない。コンピューティング・パラダイムの情報観が現代情報社会を支えていることは疑いようのない事実である。

しかし、工学的目的に限るとしても、そうした機械が実際に使われる場面まで考えると、その限界もまた見えてくる。検索ひとつとっても、コンピュータが返す符号列を人間がどう解釈するかという問題は必ず付随している。そこまで含めて、コンピューティング・パラダイムの情報観でうまく説明することができるだろうか。

そもそも我々は、情報処理機械が登場する以前から、言葉や身振りによる情報的なやりとりを行ってきた。本や石板のような情報メディアも数千年の使用歴がある。その延長線上にあるのがコンピュータであり、インターネットであるはずである。よって工学的領域に限らず、情報、コミュニケーション、メディア等に関する問題を広く扱う情報一般の学なるものがあるのなら、その基盤となるのは機械的なものよりもっとずっと広い概念枠組みでなければならない。

そうした一般的な情報学の構築を目指す試みは、だから必然的に、コンピューティング・パラダイムの批判とセットとなることが多い。たとえば学際的な情報学の研究者であるデンマークのゼーレン・ブリア（Søren Brier）は、そうした新しい情報学を打ち立てようとしている論者の一人である。彼も多くの論考の中で、まずコンピューティング・パラダイムを批判的に論じている。[8]

コンピューティング・パラダイムの根底には、意味の問題があるとブリアは見る。それは形式、論理、計算等を中心とする情報の機械的扱いに偏っていて、直感や感情、意図といった「意味」が重要となるような情報の生命的側面を扱いきれていないと言う。人間の自律的な意味生成や、社会的文脈に応じた意味解釈についても同様である。

もちろんコンピューティング・パラダイムは、そうした意味的側面も含めて、客観的な情報概念で十分扱うことができると考えるパラダイムである。しかし技術的に見ても、その限界はこれまで何度も示されてきている。

たとえば古典的なＡＩ研究が直面した問題は、その典型である。当初は「意味論的内容に統語論的表現を与える」[9]ことで、機械でも意味を十分に扱えると考えられたが、端的に言ってそれは失敗に終わった。テリー・ウィノグラード（Terry Winograd）のように、ＡＩ研究者でありながらその限界を認め、コンピューティング・パラダイムのアプローチを自己批判した例もある。[10]

最近なら、ここに「東ロボくん」が直面した問題を加えることもできるだろう。「東ロボくん」は国立情報学研究所のプロジェクト「ロボットは東大に入れるか」によって開発されたＡＩで、その初期の段階ですでに日本の多くの私立大学に合格するレベルには達したと言われていた。しかし結局のところ、目標とされた東大合格レベルへの到達は極めて難しいと判断されたようである。

「東ロボくん」で問題となったのも、やはり意味の問題である。このＡＩは、「こんな暑い中、歩いたの？」という問いかけに対して、「うん、喉が渇いちゃった。だから……寒いから何か飲みたい」というおかしな文を作ってしまった。暑い中を歩いたというのに、寒いとはどういうことかと問い詰めてみても仕方がない。ＡＩは文章の意味どころか、「暑い」「寒い」といった単語の意味すら理解していないからである。

現代の最先端のＡＩでも、このような意味の問題を抱えている。情報の意味が重要となる領域では、人間の仕事を奪うどころか、実は仕事に就く以前、大学入学以前の段階でつまずいている。意味の理解という点では、東大どころか幼稚園にすら入園できないレベルである。

ＯｐｅｎＡＩの「ＣｈａｔＧＰＴ」をはじめ、アップルの「Ｓｉｒｉ」やアマゾンの「アレクサ」など、人間相手に言葉のやりとりができるとされるＡＩなるものはすでに多数存在するが、この問題はまったく解決されていない。ビッグデータを活用する機械学習の手法は進展しているが、それで情報の意味に対するアプローチが本質的に変わったわけではない。端的に言えば、それは入力された言葉と統計的に関連する確率の高い言葉を見つけ、それを出力しているだけである。

定義の仕方次第では、それを「意味の理解」と呼ぶこともできるかもしれない。だが少なくともそうした機械が人間のように意味を理解しているとは言えない。もちろん、その機械に求められている役割として問題がなければ、工学的にはその内実まで人間と同じである必要はない。しかしそれを、生物や人間に関わる現象も含めた情報一般の理解に敷衍することはできないだろう。それに基づいて構築される情報学があるとしても、それは我々とは関係のない情報学ということになる。

こうした意味という難問が依然として存在しているにもかかわらず、我々は喧伝される成果にしばしば目を奪われてしまっている。多少の問題があるとしても、それは技術が少し未熟なだけで、いずれ解決されると素朴に考えてしまう。しかしコンピューティング・パラダイムである限り、意味へのアプローチ方法は基本的に同じである。暑さや寒さに関する生物的感覚とは無関係に、暑さや寒さの意味なるものを語ろうとするのがコンピューティング・パラダイムである。

とはいえ、情報技術の進歩とその一般への普及には、皮肉な作用もあるようである。表向きは、機械はますます人間に近づいているように見えるが、だからこそ機械と人間の違いに対する問題意識も、一部で徐々に鋭くなり始めている。高度に知的な機械がすぐそこにある時代だからこそ、意味という難問が難問として顕在化し、情報の意味をも包括する新たな理論枠組みが求められ始めているのである。

そこで力となるのが、サイバネティック・パラダイムである。それはウィーナーの思想に胚胎され、新しいサイバネティクスの登場によって開花した新しいパラダイムである。新しいと言っても、明確に現れてからすでに半世紀近く経とうとしているそれが、いまになって注目され始めているのには、コンピューティング・パラダイムが過度に普遍化してしまった現代という時代背景があるわけである。

情報概念の再定義

工学的領域に限定されない一般的な情報学の必要性が本格的に認識され始めたのは、二〇世紀末のことである。一九九〇年代に急速に普及したウェブとその基盤としてのインターネットがそれに影響を与えたことは間違いない。同様の問題意識をもつ研究者たちが、小規模ながら研究会や国際会議などを組織して交流し始めたのもこの時期である。

そしてある程度体系化された理論も、二〇〇〇年代以降に現れてきている。先に言及したブリアは、サイバネティクスと記号論（セミオティクス）を軸とした「サイバーセミオティクス（Cyber-semiotics）」[11]を提唱している。ほかにルチアーノ・フロリディの「情報哲学（The philosophy of information）」[12]や、ヴォルフガング・ホフキルヒナーの求める「情報の統一理論（Unified theory of information）」[13]、西垣通の「基礎情報学（Fundamental informatics）」[14]などがある。[15]

こうした議論がすべてサイバネティック・パラダイムの立場をとっているわけではないが、その目的からして、新しい情報学は情報概念から再考しなければならない。とくに重要となるのは、もちろん情報の意味という問題である。

たとえば「暑い」や「寒い」ということの意味を考えてみよう。我々が「暑い」と思うのは、気温が特定の温度を超えているからではないし、誰かが「暑い」と言ったからでもない。「暑い」と「寒い」を隔てる客観的な温度は存在しないし、統計的に「暑い」と言うのが優勢であったとしても、自分は「寒い」ということもある。私が「暑い」と思うのは、ほかならぬこの私が、私自身の身体によってそう感じるからである。

我々にとって意味とは、このように外部から与えられるものではなく、生きるプロセスにすでに含まれている何かである。だから情報学は、そのように生きている我々自身がどのような存在なのかを問わなければならない。新しい情報学の多くはこの点を直視し、「生」と何らかの関係を築こうとしている。たとえばブリアは「認知やコミュニケーションのもっと包括的な理解を望むなら、我々は生物学を含まなければならない」[16]と述べている。同様に西垣は「生命の本質を問うことのない情報学は、情報学（少なくとも基礎情報学）の名には値しない」[17]と言う。

では生命とは何だろうか。第4章で述べたように、残念ながらこの問いは現代の生物学の問いではなくなっている。だがそれに正面から向き合ったのがオートポイエーシス論だった。オートポイエーシス論はこの問いに対し、生命特有のメカニズムを示すことで答える。それがオートポイエーシスという概念であり、自分で自分をつくり続けるという組織化の仕方だった。

オートポイエーシス論によれば、システムとして、生物と機械はまったく異なる存在である。生命システムはオートポイエティック・システムであり、機械にはない自律性をもっている。初期サイバネティクスは人間・生物機械論だったが、新しいサイバネティクスは人間・生物非機械論である。

こうした生命システム特有の存在様式に着目して、情報概念を明確に再定義しているのが西垣の基礎情報学である。基礎情報学では、情報とは「生命体にとって意味作用をもつもの」[18]であり、「それによって生物がパターンをつくりだすパターン」[19]によって担われるものである。

後段は、ベイトソンの「差異を生む差異」という情報の定義を継承している。ベイトソンと同じく、ただのパターン（差異）ではなく「パターンをつくりだすパターン」となっているのは、実体としてのパターンそのものではなく、意味作用として連鎖するそのあり方が本質と考えられているからである。

一方で、ベイトソンとの違いは、あくまで「生命体」が意味あるものとみなすパターンであるという点である。ベイトソンの考える情報は、そのとき関係する全体としてのシステムを巡るものであり、究極的には生態系全体に広がるものだった。しかしサイバネティック・パラダイムでは、生物は情報的閉鎖系であり、その外部と直接的に情報のやりとりがなされることはない。情報はシステムの内に閉じており、システム自身の主観的な意味と不可分なものとしてあるとしか言いようがない。「意味作用」という曖昧なかたちでしかそれを指し示すことができないのも、生物が情報的閉鎖系であり、他者が直接把握することのできないものについて語ろうとしているからである。

基礎情報学では、あらゆる情報は生命システムにとっての意味と結びついた「生命情報」であるとされる。それは原則として生存に有用なものであり、外部観察者から見れば、進化を通じて発生してきた意味や価値に相当する。そしてその一部は、人間によって明示的に観察、記述され、社会的に流通する「社会情報」に転化する。社会情報とは、人間社会において多様なメディアを介して流通する情報である。そしてさらにその意味内容が潜在化し、機械的に処理されるようになった情報が「機械情報」である。

本来の原基的な情報とはあくまで、生物の体内で形成される（より精確には、生命システムと環境との関係において成立する）生命情報である。ただしヒトの社会においては、生命情報が意味解釈のズレの少ない社会情報となる傾向があり、ゆえに機械的に扱える機械情報が出現するのである。[20]

機械情報は、社会情報を伝達、蓄積、処理するメカニズムを効率化するために出現する。情報とその意味が固定化された関係にあるならば、意味はいったん捨象して、情報の担体である実体的なパターンのみに注目し、それを機械的に処理することができる。コンピューティング・パラダイムが情報として位置づけてきたものは、本来の情報のごく一部にあたるこの機械情報である。

情報は伝達されない

「情報的閉鎖系」であれば当然のことだが、ここで改めて明確にしておこう。サイバネティック・パラダイムの情報観に基づけば、情報は伝達されない。情報が伝達されるように感じるのは、想定されているのが本来の生命的な情報ではなく、コンピューティング・パラダイムが前提とする客観的な情報だからである。

機械と機械の関係なら、客観的な情報を前提とし、それが伝達されると考えても基本的に問題はない。たとえばスマートフォンでウェブページを見るとき、ウェブブラウザからリクエストが送出され、サーバコンピュータからＨＴＭＬデータが返ってくる。これはスマートフォンとサーバコンピュータという機械同士の関係であり、両者の間で二進数データが情報として直接やりとりされていると普通は考えられる。

機械同士の情報伝達を支えているのは、メッセージを送受信する際に使用される規則である。たとえば文字コードは、そのような規則の一つとして両者の間の情報伝達を可能にしていると言える。サーバから送られてくる二進数データをスマートフォンで文字として再現できるのは、サーバ側で使用されている文字コードと、スマートフォン側で使用される文字コードが同一だからである。

機械同士の場合でも、送受信に使用される規則が異なる場合には、情報が伝達されたとは言えないような事態も起こり得る。たとえば両者の文字コードが異なれば、いわゆる文字化けが発生する。この場合、二進数データの伝達には成功していると言えるかもしれないが、文字情報が伝達されたとは言いがたい。

問題が顕在化するのは、さらにこうした機械の外側にいる人間まで考慮に入れるときである。ただこの場合でも、情報伝達に成功していると感じられる場合も少なくない。日本語で記述されたウェブページなら、日本語を理解できる人間はおそらく理解することができるだろう。それがうまくいっている限り、客観的な意味内容が文字情報として伝達されているとみなすこともできる。
しかし問題は、それがうまくいかないときである。同じ日本語を使っていても、その意味解釈の仕方にズレを感じることも稀ではない。その場合、言語情報の伝達には成功していると言えるかもしれないが、その意味内容まで伝達されたとは言いがたい。これも客観的な意味内容が存在するにもかかわらず、使用される規則が両者で異なっているために伝達に失敗していると思われるかもしれないが、人間同士の場合はそれを確かめる術がないという点に、本質的な違いがある。意味解釈のズレを確認するには、同様に人間同士のやりとりをするしかなく、それ自体にまたズレが含まれるかもしれない。

これではいつまで経っても意味を含む情報が伝達されたと言うことはできない。厳密には、両者の意味内容を直接確認する術がない以上、それは伝達されたとも、伝達されなかったとも言うことができない。両者を見通す一元的な神の視点でも想定しない限り、それを言うことはできない。[21]

こうした考察からひとまず浮かび上がってくるのは、情報伝達一般の成否を語るのに、規則の共有という説明方法を採用することはできないということである。にもかかわらず、人間同士でも情報が伝達されたと感じられる場面は確かにある。これは規則の共有以外のかたちで、情報伝達とされる現象を語るべきだということを示唆しているが、その背景にあるメカニズムについては次節で検討することにして、ここではもっと根本的な点を確認しておこう。

文字化けの例や人間同士の情報伝達を考えれば、期待される意味作用に近づくことのできない情報では、そもそも意味がないということがわかる。意味作用を無視した客観的な情報概念では、情報伝達を語るのにも不備があるということである。そして意味作用まで含めるなら、逆説的だが、原則として情報は伝達されないと考えなければならない。特定の形而上学的信念なしに、伝達経路の両端に想定される意味内容を見通すことはできないからである。

だから本来の情報は、やはり機械で扱えるような客観的な情報ではなく、主観的な生命情報であると考えた方がよい。それは個々の生物に固有な意味作用と不可分のものであるから、伝達することができないのである。これを念頭に再考すると、機械同士の場合に伝達されているのは、本来の情報というよりも、その担体に過ぎないということがはっきりする。それだけでは文字通り意味がなく、我々によって解釈されて初めて本来の情報となるわけである。

厳密に言えば、「解釈」という言葉にも注意が必要である。正しく解釈されるべき意味内容が客観的に存在しているわけではないからである。情報の意味はどこまでも解釈者に固有のものと理解しなければならない。だから解釈というよりも、刺激に応じた個別的な情報創出が行われると言った方がよい。

最後に、これと関連するマトゥラーナの言葉を引用しておこう。

> 経験としての知識は、伝達され得ない個人的で私的なものであり、伝達可能だと人が信じている知識、つまり客観的知識は、聞き手によっていつも創造されなければならない。すなわち、理解する用意のある場合にのみ、聞き手は理解し、客観的知識は伝達されるように見える。[22]

情報は伝達されない。だが観察者には、それが生じているように見え、る、場、合、がある。生命システムの認識論にとどまっていては、これ以上の検討は難しい。そこで次節では、情報学としてこの背景にあるメカニズムを明らかにする基礎情報学の議論を概観することにしよう。

3　情報伝達というフィクション

観察者の視点

情報は基本的に主観的なものであり、伝達することができない。にもかかわらず我々は、それができることが前提となっているような世界を生きている。情報伝達と言われるような現象は、情報学的にどのように理解すべきだろうか。情報学を名乗るならば、情報伝達を単純に否定するだけでなく、その再解釈にも取り組む必要があるだろう。

その点、基礎情報学は情報伝達を一種の擬制（フィクション）として位置づけ、その背景にあるシステム論的メカニズムを明らかにしている。これは他の情報学にはない創意であり、基礎情報学の独自性を際立たせるものとなっている。そこで本節では、この点に絞って基礎情報学の議論を確認することにしたい。

そのために、まずはオートポイエーシス論に依拠した予備的考察を行っておこう。

最初に確認しておくべきは、観察者の役割である。本来の情報が、個々の生命システムにおける意味作用と結びついた生命情報である限り、情報はどうやっても伝達され得ない。だがマトゥラーナの言うように、それが「伝達されるように見える」ときがある。本来の情報の伝達それ自体は起こり得ないが、我々観察者は、それが起こっているかのように錯覚するのである。では情報伝達が生じているとと観察者が錯覚するのは、どのようなときだろうか。

群れの中の一頭のシカが、急に甲高く鳴いたところを想像してみよう。我々の立場では、この鳴き声の中に正しく解釈されるべき意味内容が存在していると言うことはできないし、それが他のシカたちに伝達されると考えることもできない。少なくとも我々には、それを確認する術がない。だがこの鳴き声を聞いた他のシカたちが、一斉に動き出したとしたらどうだろうか。しかもその動きの方向は概ね一致しており、それと反対の方向にはオオカミという別の生き物の姿があるとする。このとき観察者は、先の鳴き声には「敵が近づいている」という意味があり、それが他のシカたちに伝達されたのだと錯覚することができる。

我々観察者は、鳴き声を発した当のシカの生命情報にも、それを聞いた別のシカたちの生命情報にも直接アクセスすることができない。にもかかわらず観察者は、観察することのできる部分、すなわち彼らの行動から、いわば勝手にそれを推測する。

第4章で見たように、そもそも行動自体、オートポイエーシス論においてはシステム外的な観察者が抱く特定の期待とともに描写されるものだった。さらに観察者は、そこに認知的作用をも認める。ワニが獲物に「そっと近づく」ことでそれを捕らえることに成功すれば、そのワニは獲物の捕らえ方を「知っている」と観察者は考える。同様に、シカたちが特定の鳴き声を聞くことで逃げ出すなら、そのシカたちはその鳴き声の意味を知っているように観察者には見える。だから観察者は、それが

「情報」として伝達されたかのように錯覚することができる。

つまり情報伝達とは、オートポイエーシス論の語る行動および認知のバリエーションの一つとして理解することができる。より正確に言えば、システム同士の「共感的領域[23]」における行動を、特定の期待とともに観察者が描写したものである。システム同士の相互作用において、特定の刺激によって期待される特定の行動が見られるとき、観察者はそこに情報伝達という現象を認めるのである。

情報伝達として理解することで、先のシカのひと鳴きは、驚異的な力を持っているように見えることになる。シカ一頭の体重が仮に一〇〇キログラムだとすれば、それに群れの頭数の分を乗じた質量を一気に動かすだけの力が、その声に秘められていることになるからである。物理的に同じことを行うには膨大なエネルギーが必要だが、シカはごくわずかなエネルギーを使って鳴くだけでそれを成し遂げる。この延長線上にあるのが、現代の人間社会である。こうした「情報」のもつ力に対する共通認識が、現代の我々が暮らすいわゆる情報社会を成立させている。

しかしこうした認識は、命令としての情報と、それに他律的に従うシステム、という見方と表裏一体のものである。そのような情報の力を認めるということは、生物や人間を他律的な機械として理解するということにほかならない。これはそれらを自律システムとして理解するサイバネティック・パラダイムとは正反対の立場である。端的に言って、これは矛盾ではないだろうか。

矛盾と言えばその通りであり、だからこそ、ここではそれを「錯覚」と表現してきたのだが、かと言って我々の立場では、どちらか一方を真理として認めることも実はできない。第5章で論じたラディカル構成主義の立場を思い出してほしい。代わりに「実行可能性」を問うことなら可能である。だがここではあえて、両方の見方があり得るということを強調しておきたい。観察者の視点次第でシステムの見え方が変わってくるということが、基礎情報学が採用するアプローチの前提となるからである。

これは決して無茶な前提ではない。確かにオートポイエーシス論は、第一義的には特定の視点を特別視する理論である。システムそのものの視点を採用し、それ以外の視点を観察者に恣意的なものとして基本的に排除しようとする。命令的な情報やその伝達は、観察者の記述の領域に現れるに過ぎないものとして否定的に語られる。しかし忘れてはならないのは、オートポイエーシス論自体、「語られることはすべて観察者によって語られる」ということを前提としているということである。システムそのものの視点といっても、それを実際に把握するのは、システム内部の作動に沿った観察を行う観察者である。[24]

つまり、オートポイエティック・システムの自律性は、その内部の作動に沿った観察を行う観察者の視点によって把握されるものである。だからここであえて外部観察者の視点をとり、同じシステムを他律的なシステムとして、アロポイエティックなシステムとして観察することも可能である。オートポイエティック・システムといえども、それ自身とは異なるもの（アロ）を産出（ポイエーシス）することも可能だからである。そこに視点を合わせれば、システムは入出力をもつ機械のように見えてくる。

たとえば一般に動物は栄養を摂取し、排泄する。これはそのような入出力をもつアロポイエティックな機械としても観察できるということである。同様に、繁殖する生物を、子どもを出力するように仕組まれた他律システムとして眺めることも可能である。このような観察は、生物自身のオートポイエティックな作動を無視した観察であり、生命システムの固有性を蔑ろにしているとは言える。だからオートポイエーシス論の基本的な立場とは異なるが、そうした観察自体が可能であるということは、オートポイエーシス論といえども否定しない。

情報伝達という現象も、同様に考えることができる。内部観察者から見て自律的なオートポイエティック・システムが、外部観察者から見て他律的に見えるときこそ、情報伝達が観察される可能性のあるときである。これは伝達の相手がいない個別的な記号解釈の場合も同じである。[25] 記号解釈という現象は、どこか正しい解釈が期待できるからこそ記号解釈と呼ばれる。この「正しさ」は、外部観察者が見てとるシステムに対する一種の強制力であり、機械に対して期待される入出力関係と同様のものである。

オートポイエティック・システムは、観察者の視点次第で、自律的にも他律的にも見える。一見すると、これはいかにも恣意的な議論に見えるかもしれないが、むしろ観察者の視点を無視した議論は一種の信仰としてしか成り立たない。それを明らかにしたのが、新しいサイバネティクスである。我々がどうやっても逃れることのできない認識論的パラドックスを直視し、サイバネティクスをセカンド・オーダーへと押し上げたのはフェルスターだった。そうした観察という行為の特性を考慮に入れた理論、自らの理論の位置をもその理論の中に含めるような理論が、オートポイエーシス論をはじめとする新しいサイバネティクスなのである。

オートポイエーシスの一般化

観察者の視点に注意することで、システムの自律性と他律性は両立し得る。情報伝達というフィクションを理解するために基礎情報学が採用するアプローチは、まさにその方向にある。

生物は本来自律的な存在であるとしても、情報が伝達され意味解釈がおこなわれるとき、その作動のうちに何らかの「制約」や「拘束」は加えられないのであろうか。少なくとも、ある観点から見たとき、生命システムが制約されているからこそ、情報の伝達が可能になるのではないか。[26]

ここで指摘されている制約や拘束は、ひとまずは命令としての情報や、解釈の正しさの想定といったかたちでこれまで理解してきたものによってもたらされていると言えるだろう。だがそうした「情報」や「正しさ」は、個々の状況に対して観察者が抱く期待にゆだねられているから、議論の射程はどうしても限られてしまう。

基礎情報学の真骨頂は、この拘束・制約を、システム論的なメカニズムとしてマクロに捉える方法を提起するところにある。情報伝達というフィクションを、システム論的なメカニズムとして再定義するのである。

その前提となるのは、一般化されたオートポイエーシスの概念である。本書がこれまでオートポイエティック・システムとして明示的に扱ってきたのは、物理的なそれとしての生命システムだけだった。だが一口に生命システムと言っても、一つの細胞だけでなく、多細胞生物の免疫システムや、神経システムも考えることができる。そしてそれらもまた、オートポイエティック・システムとして観察することが可能である。同様に、オートポイエーシスという概念は、心的システムや社会システムのような非物理的なシステムの理解にも適用することができる。

オートポイエーシス論の継承者たちが行ってきたのは、まさにそうしたオートポイエーシスの適用範囲の拡大である。なかでもとくに有名なのが、ドイツの社会学者ニクラス・ルーマン（Niklas Luhmann）による社会システム論である。[27] 彼の理論はオートポイエーシス論の応用であるにもかかわらず、本家のオートポイエーシス論よりもよく知られていると言っても過言ではない。

オートポイエーシス論の提唱者たちであるマトゥラーナとヴァレラは、生物ないし人間の社会を生命システムのオートポイエーシスに基づくものとして捉えつつも、そうした社会それ自体をオートポイエティック・システムとして捉えることには慎重だった。社会システムがオートポイエティック・システムであるなら、人間はそれに従属する構成素として、自律性が奪われてしまうと考えられたからである。とくにマトゥラーナにとっては、個人の自律性の維持は絶対に守られなければならないものだった。これは彼がチリ出身であることとも関係していると言われている。オートポイエーシス論が提唱された一九七三年は、ちょうどチリ・クーデターが発生した年であり、これによって成立した独裁的な政治体制は、以後二〇年近くにわたってこの国の人々を抑圧したという歴史がある。

しかしルーマンは、社会システムの構成素は人間ではなく、コミュニケーションであると考えた。コミュニケーションの産出プロセスがネットワークとなると同時に、このネットワークによってこそコミュニケーションが産出されるようなシステムとして、社会システムを捉えたのである。このシステムに人間個人という要素は直接的に関与しない。むしろ彼の理論は、個人を基本に据える従来の考え方を否定し、社会というシステムそれ自体を問うところにその特徴がある。

ルーマンによれば、社会システムは生命システムによって産出されるシステムではない。社会システムは自らの作動によって自らを産出するオートポイエティック・システムである。

これは直感的には理解し難いかもしれないので、具体例で補足しておこう。たとえばある議題について数名で会議をする場面では、ある人が自分の意見を発言すると、別のある人はそれを受けてまた自分の意見を発言する。会議はそのように個人が行う発言によって進行していくから、重要なのは個人であり、個人の参加によってこそ会議が成立すると普通は考えられている。

だがこのとき、議題とまったく関係のない発言がなされたとしたらどうなるだろうか。それは一時的には何らかの反応をもたらすかもしれないが、おそらく結局は無視されて、議題と関わりのある発言が再びなされていくだろう。これは個々の発言がこの会議というミクロな社会システムをつくりだしていると同時に、この会議によってこそ、個々の発言が生み出されているということを表している。個々人が自由に発言するのではなく、この会議の議題と関わり、それを進行させる発言だけが許されるのである。逆に言えば、議題に関わる発言として他の発言へと連鎖するものでさえあれば、どんな発言でも許される。つまりこの社会システムにとって重要なのは、自らを限定する議題と自らをつくりだす発言であって、その発言を行う個々の人間という要素はその背景ないし環境に過ぎない。

なお、ルーマンはもっと大きなレベルの社会システムについても論じている。彼によれば、近代以降の社会は独自の論理に基づいて作動する各種のシステム——法システム、経済システム、政治システム、教育システムといった個々のシステム——に機能的に分化したという。ルーマン自身の社会システム論も、そうしたシステムの一つとしての学問システムの中に現れていることになる。

だが社会システム論それ自体の詳細は、ここでは置いておこう。重要な点は、情報、コミュニケーション、メディア等に関する問題を広く扱う情報学としては、個々の生命システムの認識論を超えていかなければならないということである。先に見たように、情報伝達が生命システム同士の相互作用であるならば、個々の生命システムを超えたところに存在する社会システムのレベルを理解することが、次なる課題となってくるのである。

ただし、こうした複数のシステムを議論の俎上（そじょう）に載せるときに問題となるのは、それらシステム同士の関係性である。ルーマンの理論では、システム同士は基本的に「相互浸透」と呼ばれる関係にあるとされている。相互浸透とは、それぞれのシステムが互いに活性化し合うような関係を指すが、同時にそれは、個々のシステムごとにそのシステムと環境というかたちで互いに浸透しているだけだという考え方でもある。あるシステムにとって他のシステムを含むすべてのものは、その環境に過ぎない。そのとき環境とされた別のシステムを考えるときは、他のすべては同様にただの環境となる。

相互浸透という考え方では、このように各システムが対等に「システムと環境」の関係にあり、そのそれぞれが優劣なく多元的に存在する。このようなシステム観は、世界の多元性を基本とするサイバネティック・パラダイムならではのものとも言え、純粋なシステム論としては確かに原則となる考え方ではある。だがそのままでは、我々の目指す情報伝達というフィクションの理解に不可欠な拘束・制約関係を捉えることができないという欠点がある。

ＨＡＣＳ：階層的自律コミュニケーション・システム

基礎情報学の核となるアプローチは、以上の二つの論点、すなわち、観察者の視点の明確化と、オートポイエーシスの一般化を前提としたシステム間の拘束・制約関係の可能性、この二点が核となる「階層的自律コミュニケーション・システム（Hierarchical Autonomous Communication System）」という概念を新たに導入することによって成り立っている。[28] この概念は、略してＨＡＣＳと呼ばれている。

まず、ＨＡＣＳの後半部分「ＡＣＳ」を確認しよう。これはＨＡＣＳがオートポイエティック・システムと同じ「自律システム（Autonomous System）」であること、そしてその構成素が「コミュニケーション（Communication）」であることを表している。構成素としてのコミュニケーションという考え方は、直接にはルーマンの社会システム論の継承と言えるが、ＨＡＣＳという概念で捉えられるのは社会システムだけでなく、あらゆるレベルのオートポイエティック・システムであるという点は大きな違いである。つまりＨＡＣＳは、どんなレベルのオートポイエティック・システムもその構成素をコミュニケーションとして理解することで、オートポイエーシスを一般化すると言ってよい。[29]

これは基礎情報学が、オートポイエーシス論を情報学として応用しようとするからであって、それによってオートポイエーシスに関するこれまでの議論が大きく変わるわけではない。依然として生命システムの構成素は主にはタンパク質であり、心的システムの構成素はひとまず思考であると言えるが、そうした構成素の情報的側面に着目し、それらを一段抽象化した概念として「コミュニケーション」が採用されていると考えればよい。その意味でこれは、情報学としての展開を意図したオートポイエーシス論の一般化である。

一方、ＨＡＣＳの頭の「Ｈ」は、そうした多様なシステム間に「階層的（Hierarchical）」な関係が許されることを明示している。これまでのオートポイエティックなシステム論では、システム間の関係は相互浸透という対等な関係が原則だった。しかしＨＡＣＳでは、システム間に上位、下位の階層関係があり得ると考えられる。これは先に述べた基礎情報学的アプローチのポイントの二つ目、多様なシステム間の拘束・制約関係を容認することに対応するが、それ自体、一つ目のポイントを前提としているため、先にそちらを確認しよう。

一つ目のポイントである観察者の視点の明確化は、どんなＨＡＣＳもそれを観察する心的システムとカップリングしたものとして定義されるという点に表れる。心的システムもオートポイエティック・システムであり、生命システムと同じく根源的な自律性をもっている。そうした心的システムが観察者としてつねにカップリングすることで、ＨＡＣＳとしての生命システムのオートポイエーシスは把握される。同様に、社会システムのオートポイエーシスも心的システムのオートポイエーシスも、観察者である心的システムがカップリングすることで把握される。[30]

なお観察者は、自身の心的システムの作動を観察、記述することのできる心的システムである。言い換えれば、自己観察のできる特殊な心的システムが観察者である。ＨＡＣＳは定義上、いかなるシステムもこの観察者たる心的システムとのカップリングが前提となっている。

これによって可能となるのが、二つ目のポイントであるシステム間の拘束・制約関係の把握である。これは観察者の視点を動的に切り替えることによって判明する階層性として理解される。

例として、二つのＨＡＣＳの関係を考えよう。両者はＨＡＣＳとして、つまり、オートポイエティ

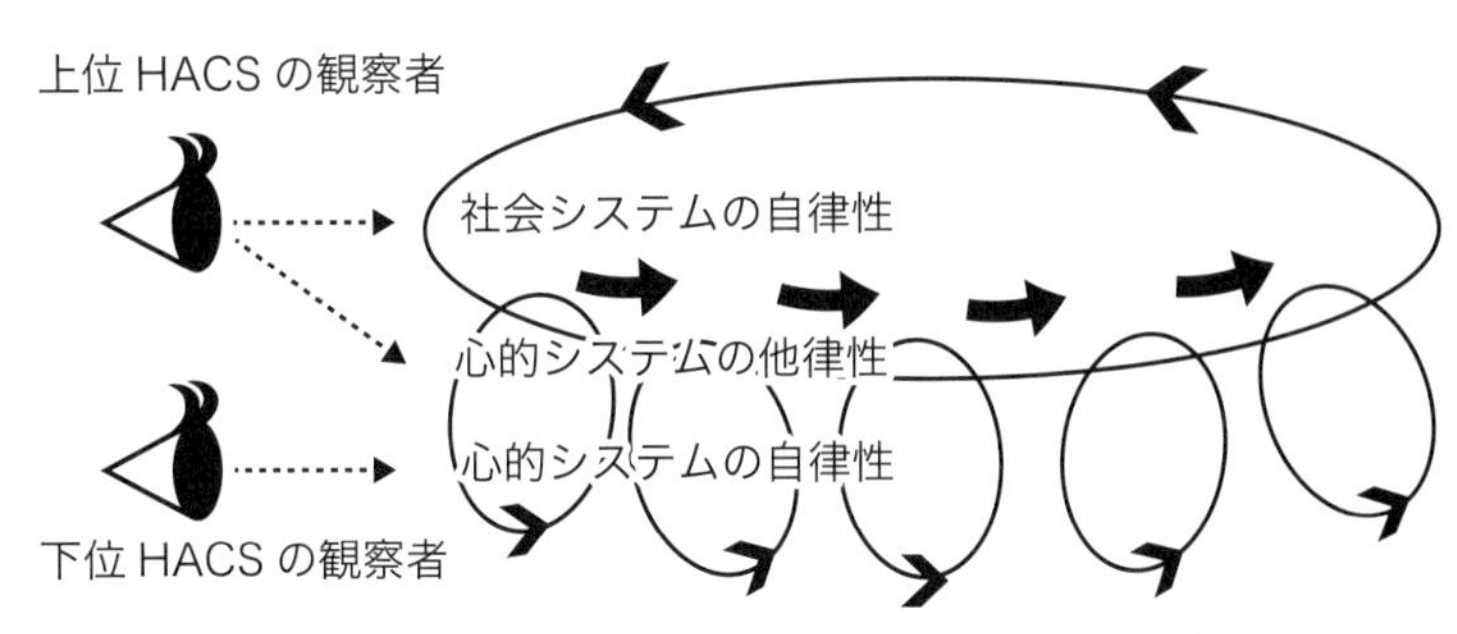

図6-1：HACSとして見た心的システムと社会システム（筆者作成）

ックな自律システムとして把握されている時点で、観察者はそれぞれのシステムの内的作動に沿ってそれを観察していることになる。ここで観察者が視点を切り替えて、システム外的な視点をとるとしよう。すると一方のシステムＡが、他方のシステムＢの作動に寄与する素材を産出するような、アロポイエティック・システムとして観察できたとする。つまりシステムＡは、システムＢに対して一定の役割を果たすように拘束・制約された他律システムとして観察できるということである。その逆が成り立たなければ、観察者はこの二つのＨＡＣＳの間に作動上の非対称性が存在することを認めるだろう。これがＨＡＣＳがもち得る階層性である。

先ほど挙げた会議の場面で具体的に考えてみよう。ここに登場するＨＡＣＳは、上位ＨＡＣＳに相当する一つの社会システムと、下位ＨＡＣＳに相当する多数の心的システムである（図６―１）。社会システムと心的システムは、そのそれぞれの内的作動に沿った観察者の視点では、ともに自律的に見える。しかし心的システムにとって外的な観察者の視点、言い換えれば、上位ＨＡＣＳの観察者による下位ＨＡＣＳの観察視点では、個々の心的システムは、社会システムの構成素であるコミュニケーションの素材を提供するアロポイエティックな他律システムとして観察できる。会議全体を見渡す議長にでもなったつもりで想像してみてほしい。個々の人間は、発言することでこの会議の作動に寄与している。それぞれが他者の発言を入力として、自身の発言を出力するアロポイエティック・システムのように見えるはずである。この意味で、個々の心的システムは、会議という社会システムに拘束・制約されており、観察者はそこに階層関係を認めることができる。

ただし、それでも個々の心的システムそれ自体としては自律的に作動している。会議中であっても、個々人は議題とまったく関係のないことを思考する自由があると考えるとわかりやすい。ただこの会議に参加している限り、それを自由に発言することはできない。個々の心的システムは、社会システムからそのような拘束・制約を受けているからである。[31]

仮に議題と関係のない発言をしたとしても、それは無視されることになるだろう。これは個々の発言はあくまでコミュニケーションの素材であって、そのまま社会システムの構成素になるわけではないということを表している。社会システムもまた自律システムであり、自身の構成素はあくまで自身で決めている。もし無関係な発言を繰り返すだけで、この社会システムの作動に寄与しない心的システムがあるなら、それはこの社会システムと安定的な関係を維持することができず、いずれそこから排除されることになる。

情報学の未来

情報学として重要なのは、心的システムと社会システムのこうした階層関係を、情報伝達というフィクションが成り立つシステム論的メカニズムとして位置づけることができるということである。個々の心的システムは自律的に作動しており、情報的閉鎖系であることに変わりはない。本来の情報は個々の心的システムに固有のものである。だがそうした心的システムが生み出す記述を素材として、社会システムのコミュニケーションが継続的に発生しているなら、そこに情報伝達が生じていると観察者はみなすことができる。

実際、我々は同じ情報、同じ意味が相手に共有されたかどうかを確認することができないにもかかわらず、自身の発言が他者の発言へと連鎖し、会話が期待通り継続発生しているときには、情報が伝達されていると感じる。もちろん当事者からすれば、何か齟齬（そご）がありそうだと感じつつも会話が継続していくということはあるだろう。だがそれは当事者にしかわからないし、実際に齟齬があるかどうかを確かめる術もない。それを確認するにはまた会話が必要であり、同じ問題にぶつかってしまう。

むしろ新しい情報学は、個々の心的システムが情報的閉鎖系であることを認め、これまで考えられてきた情報の小包的な伝達や、人間主体同士の意味の共有といった空疎な理念を前提とすることをやめなければならない。その点、心的システムの上位にあたる社会システムが継続的に維持されているということそれ自体によって、情報伝達というフィクションの成立を見るという戦略は巧みである。しかもそれは、観察者の視点を明確化することで、サイバネティック・パラダイムの認識論的原則を踏まえると同時に、情報伝達というフィクションの背景にある拘束・制約関係を、上位システムとの関係における他律性として、下位システム自身の自律性を犠牲にすることなく把握することに成功している。

情報伝達というフィクションは、このように階層関係にあるHACS間に観察される現象として、システム論的に再定義できる。これによって我々は、伝達を見通すための形而上学的信念や、個々の状況に対する観察者の特定の期待を前提とすることなく、情報伝達という現象を語ることができる。本来は生命システムの内部に生起する情報が、社会的に伝達されるかのように錯覚されるシステム論的メカニズムが、こうして明らかにされたことになる。

情報は伝達されない、情報伝達はあくまでフィクションである。しかし社会的な情報伝達が錯覚されることで、意味を無視して機械的に処理できる客観的な「情報」なる概念がその先に出現することになる。そして情報伝達というフィクションがフィクションでなくなり、機械情報こそが本来の情報であると考えられていく。

現代情報社会はまさにそうして転倒した情報概念が基盤となっている社会である。最初に客観的なデータがあって、その先に意味のある情報が出現すると考えられている。ビッグデータから意味ある知見を発掘（マイニング）しようとする流行りのデータサイエンスはその典型だろう。その根底にあるのがコンピューティング・パラダイムであり、人間・生物機械論である。

だが我々の存在のあり方から根本的に捉え直すとき、事態はまったく異なるものとなってくる。情報の時代を切り開いたサイバネティクスは、システム論としてはすでに人間・生物非機械論へと転回している。新しいサイバネティクスでは、人間・生物は自律システムであり、情報の意味と不可分の存在である。

情報に関連するあらゆる認識は、こうして再考を迫られている。我々の身体的情報や精神的情報が客観的に存在し、それをまるごと機械的に処理したり、伝達したりすることができると考えるシンギュラリティの思想は、根本的に見直されなければならない。生物の遺伝情報や人間の言語情報、マスメディアが流布する音声情報や映像情報、本や図書館、ウェブ、データベース、自動運転車の判断や、ＡＩが導き出す回答まで、情報あるいはその関連物として考えられてきたありとあらゆる対象は、その意味と自律的に向き合う生物や人間という存在を基盤として考え直されなければならない。そしてそうした情報が伝達されるかのように錯覚されるメカニズムは、階層関係にあるＨＡＣＳとして探ることができるだろう。

　コンピューティング・パラダイムが過度に普遍化することで見え始めた綻びに、サイバネティック・パラダイムからの光が当てられ始めたのはごく最近のことである。だがその従来とはまったく異なるシステム観から導かれる、まったく異なる情報学は、我々とその社会の見方、その未来のあり方を、根本的に変えようとしている。

第7章

まとめと展望

サイバネティック・パラダイムの行方

最後に本書のまとめとして、サイバネティクスに端を発する二つのパラダイムを再確認し、サイバネティック・パラダイムの行方を展望しよう。

本書の主題としたサイバネティック・パラダイムは、コンピューティング・パラダイムと多くの点で対照的なパラダイムである。まずはそれぞれの要点を、再度、明らかにすることにしよう。その後、サイバネティック・パラダイムの今後の議論がとくに注目されるテーマにしぼり、各章で示した論点を振り返りつつ、最近の議論を紹介することにしたい。近接する領域の議論についても一部言及するつもりである。

1 サイバネティクスと二つのパラダイム

サイバネティクスの起源

二〇世紀半ばに現れたサイバネティクスという学問は、相反する二つのパラダイム、コンピューティング・パラダイムとサイバネティック・パラダイムを生み出した。両者の対立点は多岐にわたるが、本書で示したポイントをまとめると、表7―1のようになる。最大の違いは、前者が人間・生物機械論であるのに対し、後者は人間・生物非機械論であるということである。[1]

サイバネティクスという学問は、目的論的機構（メカニズム）として位置づけられたフィードバック機構と、精神の情報処理モデルとしてのマカロック－ピッツモデルが発端となって形成された学問である。これ

	コンピューティング・パラダイム	サイバネティック・パラダイム
基本思想	人間・生物機械論	人間・生物非機械論
象徴的人物	フォン・ノイマン	ウィーナー
世界観	一元的	多元的
観察のあり方	ファースト・オーダー	セカンド・オーダー
核となる理論・モデル	フィードバック機構 マカロック-ピッツモデル	セカンド・オーダー・サイバネティクス オートポイエーシス
システム観	他律システム	自律システム
現実観	客観主義	構成主義

表7-1：サイバネティクスと二つのパラダイム

らは偶然にも一九四三年という同じ年に、それぞれ論文として世に出された。

フィードバック機構とは、端的に言えば、機械の出力の結果を入力側に返す仕組みである。これは極めて単純なメカニズムだが、非常に強力な力をもっている。それによって特定の目的にかなう理想的状態をつくりだすことができるからである。エアコンによる室温調整や航空機の自動操縦、産業用ロボットによる自動組立てなど、現代社会でもさまざまな場面で働いているのがこのフィードバック機構である。

しばしば誤解されているが、このフィードバック機構自体はサイバネティクスの発明品ではない。「さまざまな場面で働いている」というときのその場面の中に、生物の身体や人間の精神まで含めてみせたところに、サイバネティクスという学問の創意がある。体温が一定に保たれるとき、あるいは落ちたペンを拾おうとするとき、そこに働いているのはフィードバック機構である。サイバネティクスは、フィードバックという機構を、生命や精神に見られる目的論的現象と不可分な普遍的メカニズムとして位置づけたのである。

一方、マカロック－ピッツモデルは、脳神経系の活動を形式的な論理演算として捉える精神のモデルである。神経生理学というその本来の分野においては、このモデルは極めて抽象度の高い、異質なものだったが、それに外部からお墨付きを与えたのがコンピュータの父フォン・ノイマンであった。彼のデジタルコンピュータは当時はまだ開発途上にあったが、その驚異的な計算能力はすでに明らかだった。コンピュータという最先端の機械の驚異と脳神経現象の神秘性とが、マカロック－ピッツモデルによって機械論的に重ね合わせられたわけである。

フィードバック機構とマカロック－ピッツモデルに対して向けられた眼差しは、新しい機械論への期待という点で共通していた。概ねフィードバック機構は生物の身体的現象を、マカロック－ピッツモデルは人間の精神的現象を、機械論的に理解する道筋を与えたと言ってよい。それらに従えば、生物と機械、人間と機械は、同一のメカニズムで理解できる同一のシステムとみなすことができる。

ここに成立したのが、サイバネティクスという学問である。よって初期サイバネティクスの本質は、何よりもまず人間・生物機械論である。当時の科学者たちの多くがそれに魅了されたのも無理はない。かつて一部の哲学者たちが夢想した人間・生物機械論を、現実的なものに変える学問がサイバネティクスだったからである。

それが夢想以上のものとして可能であったのは——少なくとも、多くの者がそう信じることができたのは——それまでとはまったく異なるタイプの機械の一群が、彼らの面前に現実として出現しつつあったからである。それがフィードバック機構であり、またコンピュータであるが、それらをまったく新しいタイプの機械として、情報処理機械として見定めたのは、サイバネティクス自身である。

コンピューティング・パラダイムの成立

フィードバック機構にとって重要なのは、物質でもエネルギーでもなく、情報である。フィードバック機構の目的となっている状態と現実の状態との差は、情報によって制御されるからである。同様に、マカロック－ピッツモデルにとって重要なのも情報である。マカロック－ピッツモデルは神経回路を論理回路として捉えるモデルであり、神経生理学を情報とその処理の問題へと変換するモデルだからである。

ただし、ここで考えられている情報とは、機械によって処理される客観的な情報である。我々の日常生活においては、情報の主観的な意味の方がしばしば重要な役割を果たすが、情報のそうした側面はここでは無視されている。いや、むしろ暗黙のうちに、情報はそうした意味まで含めて客観的に処理できるとの信念が形成されていると言った方がよい。だからこそサイバネティクスは、人間・生物機械論の立場をとることができる。

したがって、初期サイバネティクスにおける人間・生物機械論と、情報処理的な情報観は、表裏一体の関係にある。情報処理的情報観を醸成したのがサイバネティクスであり、それによって成立したのがコンピューティング・パラダイムである。

情報処理という観点を中心に物事を眺めるコンピューティング・パラダイムは、現代に生きる我々の心にすっかり浸透している。多くの人々にとって仕事とは、次々と現れる情報を効率的に処理していくことであり、それによって現実世界を制御していくことである。だからＡＩの出現は脅威となる。完全な情報処理が可能な完全なＡＩはまだ存在しないとしても、いずれ開発されると信じられている。

その裏面で起こっているのが、我々自身の精神の機械化である。身体のサイボーグ化や、死後のマインド・アップローディング（「精神」のコンピュータへの転送）といったイメージも、ますます身近なものとなってきている。試しに最近のＳＦ映画やドラマを思い出してみるとよい。その多くに、このようなコンピューティング・パラダイムに基づく描写を発見することができるだろう。

サイバネティクスという学問の名付け親はウィーナーであるが、コンピューティング・パラダイムを象徴する人物はフォン・ノイマンである。フォン・ノイマンは、生物と機械、人間と機械の同等性を、論理の力によって証明しようとした。コンピュータの父たる彼にとって、情報処理という観点は当初からメタファー以上のものであり、生物も人間もまさに情報処理機械そのものだった。

生物や人間が機械と同じなら、それらは他の機械と同じように制御の対象となる。むしろその暴走を防ぎ、より良い世界をつくるには、それらは適切に制御されなければならない。サイバネティクスに関する連続会議、通称メイシー会議に参加した人文・社会科学系の学者たちの関心も、少なからずこうした善意に基づく世界の制御にあった。

フォン・ノイマンの見た世界は、一元的な論理が支配する客観的な世界である。彼にとって世界とは、一つの巨大な論理マシンであり、まさにコンピュータのようなものだった。生物も人間も、そうした論理に貫かれた他律システムにほかならず、そこに自律の余地はない。だから観察者としての彼自身の視点も存在しない。より正確に言えば、それはつねに背景に退いていて、すべてを見通す一元的な視点だけが措定されている。世界の真理と結びついたファースト・オーダーの観察だけが許容されると言ってもよい。

とはいえこれは、科学者としてはごく普通の世界観である。一般に、唯一の客観世界を前提として、真理の探究を行うのが科学者であると自負されている。一元的世界への信仰こそ、科学者として生きていくための免許状である。かつてすべてを見通した一神教的な神の視点は、そのまま科学に引き継がれている。

したがって、コンピューティング・パラダイムはその成立以来、ずっと科学の主流であり続けてきた。そして現在は、人間と同等かそれ以上の機械をつくる時代に入ったと考えられている。すべてを見通す神の視点を得ることとは、究極的な制御の方法を知ることである。現代は、まさに神をも畏れぬ、機械文明の頂点へと向かっているというわけである。

秘められたパラダイム

だがコンピューティング・パラダイムのアンチテーゼと言えるパラダイムもまた存在する。

一般にはほとんど知られていないが、サイバネティクスは密かにもう一つのパラダイムと通じている。サイバネティクスの名付け親たるウィーナーの思想に胚胎され、その後継者たちによって育てられた、もう一つのサイバネティクスの思想がそれである。本書では、それこそが本来のサイバネティクスのパラダイムであるという意味を込め、それをサイバネティック・パラダイムと呼んできた。

ウィーナーはフォン・ノイマンとは異なり、世界の秩序にではなく、不確かさに目を向けた科学者である。世界の不確かさに立ち向かうため、彼が用いた武器の一つが確率論であり、もう一つがフィードバック機構であった。彼は第二次世界大戦中、敵航空機の位置予測という問題を確率的問題として解こうとしていた。フィードバック機構の力を見出すことになった洞察は、その過程で得られたものである。

フィードバック機構には、現実の状態を確実に制御する力がある。高速で飛行する敵機を地上から撃ち落とすには、高射砲の動きを厳密に制御しなければならないが、その動きに影響を与え得るすべての要因を考慮することは事実上不可能である。だがフィードバック機構を用いれば、種々の事情の如何を問わず、高射砲の状態を理想的なものへと近づけることができる。入出力の調整を繰り返すことで、現実世界における誤差を打ち消し、理想的状態を実現させることができる。

不確かな世界を生きること、生き残ることにとって、要因の判別は必ずしも重要ではない。限られた範囲であっても、現実の状態を制御することこそが重要である。ここでの制御は、すべてを見通す神の視点からの制御ではない。不確かな世界では、もとよりそれは望むべくもない。ただ制御できるものを制御して、制御できない世界に立ち向かっていくしかない。

ここに想定されているのは、世界を見通す一元的な視点ではなく、それぞれが置かれた場で何とか生き延びようと苦闘する、個々の行為者の視点である。個々の行為者は、それぞれが異なる視点から世界を眺めている。そうした個々に生きるものによって織りなされている多元的世界こそ、ウィーナーが暗黙のうちに仮定していた世界である。

ただし、唯一無二の真理の探究者たる科学者にとって、一元的世界からの脱却は容易なことではない。ウィーナーもまた正統派の科学者であり、科学者として、多元的世界への移行を明確にすることはできなかった。これが、サイバネティック・パラダイムがいまだに科学界の主流になれていない大きな要因の一つであると言ってよい。

もう一つ、科学として多元的世界を主張するには、人間・生物非機械論を確立させる必要があった。生物や人間が機械と同じなら、それらの個々の視点など想定する必要はないからである。しかし科学として、生物や人間は機械と同じであると宣言したのがサイバネティクスである。残念ながらウィーナーは、この矛盾を解消する術を見出すことができなかった。

だがこの課題は、サイバネティクスの後継者たちによって見事に解決される。人間・生物非機械論は、サイバネティクスとしても科学としても、その原則的な立場と矛盾するから、それは必ずしも意図的に探究されたわけではない。にもかかわらず、結果としてそれは彼らの科学的探究の延長線上に、サイバネティクスのコペルニクス的転回として確立されることになったのである。

もう一つのサイバネティクス

サイバネティクスにおけるこの大きな転回は一九七〇年代に生じたが、それに貢献した人物は、本書で取り上げられなかった者も含めて何人か存在している。だがもっとも大きく貢献した人物として、ハインツ・フォン・フェルスターの名を挙げることに反対する者はいないだろう。彼によって宣言されたセカンド・オーダー・サイバネティクスは、サイバネティック・パラダイムの屋台骨となっている。

セカンド・オーダー・サイバネティクスの特徴は、何と言ってもセカンド・オーダーの観察にある。端的に言えば、これは観察の観察、観察することを観察するということである。個々の行為者の視点を認めるということは、世界は個々に観察されているということであり、どのように観察されているかということそれ自体に注目しなければならないということを意味する。

それまでのサイバネティクス、つまりファースト・オーダーのサイバネティクスでは、ただの観察、ファースト・オーダーの観察だけで十分だった。より正確に言えば、そこでは個々の観察それ自体に対する眼差しが欠けていた。科学的探究によって、観察者とは独立に存在する世界の真理に辿り着けると素朴に信じられてきたからである。もちろんこれは、すべてを見通す神のような一元的な視点が措定されているのと同じことである。

サイバネティック・パラダイムにおける個々の視点は、人間・生物非機械論によって正当化されるが、これはもっぱらマトゥラーナとヴァレラのオートポイエーシス論によって成し遂げられたと言ってよい。彼らの議論によれば、生命システムはオートポイエーシスと呼ばれるその組織化の仕方によって、通常の機械とは異なる機械として存在している。オートポイエティック・システムは、自らの作動によって自らを産出し続けることで、それ自身の制御の仕方をそれ自身によって制御している。生命システムは自律システムであり、制御されるものではなく制御するものである。

このような存在の仕方は、生命体の一つである我々自身にも当てはまる。ということは、先の観察の問題は、我々自身の問題でもある。我々は、我々自身が観察しているということを観察しなければならない。サイバネティクスを語るには、そのように語る我々自身についても語らなければならない。セカンド・オーダー・サイバネティクスという名称は、まさにこのことを指している。サイバネティクスのサイバネティクス、つまり、サイバネティクスそれ自体をサイバネティックに語るということである。

我々自身もまた観察者であることを直視するとき、我々が日常的に当たり前とみなしている現実についても再考しなければならなくなる。生命システムはそのそれぞれが自律的に世界を認知している。私の世界はその一つであり、観察者たる私と切り離すことができない。したがって現実は、観察者によってつくられている、構成されているという考え方に導かれる。

こうした構成主義的な現実観は、哲学の世界ではそれほど驚くようなものではないが、科学としてのサイバネティクスの文脈でこれが現れているということは注目に値する。この点を重視し、哲学と心理学、そしてサイバネティクスの知見を総合した認識論を、ラディカル構成主義という名で展開したのがグレーザーズフェルドである。

彼は伝統的な真理の概念を、知識の実行可能性という概念に置き換えてみせた。知識は唯一無二の真理ではなく、状況にフィットするかどうか、うまく機能するかどうかによって測るべきものである。科学的知識も例外ではない。違いがあるとすれば、それは厳格に管理された条件のもとで構築されるということ、そして科学者の共同体による承認というプロセスがあるということ、それだけである。

セカンド・オーダー・サイバネティクスとオートポイエーシス論、そしてこの現実構成主義の理論は、新しいサイバネティクスを代表する三つの理論である。こうして新しいサイバネティクスは、初期サイバネティクスとはまったく異なるもう一つのサイバネティクスとして結実している。サイバネティクスという同じ科学の潮流にありながら、生物と機械を峻別する思想として、サイバネティック・パラダイムとして、それは密かに結実しているのである。

ネオ・サイバネティクスとしての再評価

ここまで見てきたように、サイバネティクスは正真正銘の科学として出発したにもかかわらず、一九七〇年代の転回を経たあとは、正統派の科学とは一線を画す考え方の枠組みとして、すなわち新たなパラダイムとして成立するに至った。それは科学というにはあまりに哲学的で、通常の科学なるものの信奉者には近づきがたいものに感じられるかもしれない。

それに対して初期サイバネティクスは、シンプルで力強い。それは戦後アメリカが牽引した楽観的な時代精神ともマッチして、多くの技術的進歩の礎となった。今日のＡＩやロボットは明らかにその応用として存在している。さらにその基盤となっている情報処理という観点は、対象を情報処理機械として捉え、機械論的に制御しようとする科学的思想として、広く一般に浸透している。

しかし、新しいサイバネティクスもまた哲学というよりも、あくまで科学として成立しているということは強調されてよい。新しいサイバネティクスは科学でなくなったのではなく、むしろ科学として、サイバネティクスを徹底的に遂行することによって成立している。それによってサイバネティクスは、自身が属している科学という営みにすら新たな光を投げかけ、科学そのものの様相をも変えようとしているのである。

もちろんそのラディカルさは諸刃の剣である。既存科学の研究者たちが、自身の営みの基盤を揺るがしかねない思想に付き合う暇はないと考えたとしても無理はない。そのためもあってか、新しいサイバネティクスは科学的学問の一つとしてはもちろんのこと、限定的な理論ないし言説としても、これまで十分に評価されてきたとは言いがたい。

だが肯定的な評価や応用がまったくないわけではない。たとえばルーマンの社会学は、オートポイエーシスの応用として、本家の生物学としてのオートポイエーシス論よりもよく知られるようになっている。ルーマンは、社会は人間でできているのではなく、コミュニケーションを構成素とするオートポイエティック・システムであると考えた。オートポイエーシス論が本来の生命システムの理解を超えて、心的システムや社会システムの分析までをも射程に入れるようになったのは彼の功績が大きい。

さらに近年、新しいサイバネティクスは「ネオ・サイバネティクス（Neocybernetics）」という名のもとに再評価される動きがある。これはアメリカの文学者ブルース・クラーク（Bruce Clarke）とメディア学者マーク・ハンセン（Mark Hansen）の言葉で、本書が主題としたような新しいサイバネティクスに対して与えられている呼称である。[2] 彼らはそうして新しいサイバネティクスを再評価することで、文学やメディアに関する言説に新風を吹き込んでいる。

前章で扱った新しい情報学のいくつかも、新しいサイバネティクスの再評価を通じて台頭している学問であり、ネオ・サイバネティクスの一翼を担う学問である。ネオ・サイバネティクスは、初期サイバネティクスと比べると情報技術としての直接的な応用可能性には乏しく、サイボーグやアンドロイドといった魅力的なイメージを喚起するわけでもない。初期サイバネティクスの知的興奮を知る者には、その点でやや物足りなく感じられる部分もあるかもしれない。だがその代わりに、ネオ・サイバネティクスは我々自身やその社会について再考するための強力な武器となり得る。

ＡＩ時代とも言われる今日では、高度な機械と我々人間およびその社会との関係は、大きな問題となりつつある。ＡＩやロボットが身近になることで変わるのは、我々の生活だけではない。我々自身の考え方や、社会の見方も変容を迫られている。このままでは、第1章で論じた精神の機械化がますます進行することになりかねない。

今日描かれる未来像の多くは、初期サイバネティクスによって広められたコンピューティング・パラダイムに基づいている。だが我々はすでに、そのアンチテーゼとしてのサイバネティック・パラダイムの存在を知っている。それを学問として裏付けるネオ・サイバネティクスの知見に基づけば、これまでとはまったく異なる新たな未来像を描けるはずである。

そこで最後に、ネオ・サイバネティクスの知見がとくに注目されるテーマにしぼって、各章で示した関連する論点を振り返りつつ、最近の動向を概観することにしよう。

2　ネオ・サイバネティクスの応用領域

人間・機械複合系

まずは、現在ますます身近になりつつある高度に知的な機械と、我々人間との関係について考えてみよう。サイバネティクスにとってこれは古典的なテーマでもある。「機械―人間混成系」[3]という言葉で、いわゆるサイボーグ的システムについて論じたのは、ほかならぬウィーナーである。ネオ・サイバネティクスの文脈でも、AIのような知的な機械と人間が混交する環境を「システム―環境ハイブリッド」[4]としてハンセンが分析しているし、西垣もまた社会システムレベルで混在する人間と機械を「〝人間＝機械〟複合系」[5]として論じている。

とはいえフェルスターによる転回後のサイバネティクス、すなわちネオ・サイバネティクスは、人間・生物非機械論である。人間・生物と機械は、その作動メカニズムにおいてまったく異なるシステムである。前者は自律システムであり、後者は他律システムであるから、現代の高度な機械がいくら知的に見えるとしても、そうした機械は我々と同じ意味で自律的な知性をもっているわけではない。

第3章で論じた制御関係における閉じと開きの議論を思い出してみよう。制御関係において、システムは閉じているか、開いているかのどちらかである。現代の機械は、確かに人間による直接的な指示や操作なしに、それ自体で作動する時間が増えている。だがそれでもまだその制御関係は閉じてはいない。現代のいかなる機械も、それに与えられた物質的構造やプログラムによって、外部からその作動が制御されている。制御関係において閉じていなければ、それは自律的なのではなく、自律的に見えるだけである。[6]

現代の機械が自律的に見える要因には、その作動の予測不能性も関係しているだろう。とくに人間とのコミュニケーションが重要となる機械は、やりとりするたびに異なる反応を示すように設計されている場合もある。予測不能性は確かに魅力的である。ノーベル賞受賞者のジャック・モノーやフランソワ・ジャコブも、生物の特徴としてそれを見ていた。実際に機械が猫のように気まぐれであっては困るだろうが、予測不能性は確かにそれ自身が考えているかのような印象を我々に与える。

だがそれは、我々と機械を同一視する理由にはならない。これについては第2章後半で論じたノントリビアル・マシンの議論を思い出すとよいだろう。ノントリビアル・マシンは、その内部に循環的な計算過程を一つもつだけで、その作動を外部から推測することが極めて困難な機械となっていた。ノントリビアル・マシンの機械としてのメカニズムは比較的単純であり、外部から与えられた推移規則に従う従順なマシンである。にもかかわらず、その作動は簡単には予測不可能である。

ノントリビアル・マシンの予測不能性は、その作動パターンの可能性が膨大であることに起因する。それに対してオートポイエティックな生命システムは、自身の制御を制御する自律システムであることによって、根本的に予測不能な存在となっている。こうしたメカニズムに基づいて違いを指摘できるのは、サイバネティクスが機械論であるがゆえである。現在普及しつつあるAIやロボットの予測不能性は、すべてノントリビアル・マシンとしての予測不能性に該当する。

したがって、いくら知的に見えるとしても、そうした機械の出現によって我々自身の存在が脅かされていると考える必要はない。それらは我々とは異なるメカニズムで存在する異なるシステムであり、これまで存在したあらゆる機械と同じく他律的なシステムだからである。我々は、それらをあくまで高度な道具の一つとして使えばよい。

ただし、社会の中に埋め込まれた機械には注意が必要である。第6章で論じたように、社会システムのレベルでは、自律システムであるはずの我々もまた他律システムのように見える。したがってそこに他律的な機械が存在したとしても、コミュニケーションの連鎖が継続的に発生しているなら、社会システムとしては問題なく作動しているように見えてしまう。つまり社会システムの観察者には、人間と機械を区別することが困難である。

翻って考えれば、ネオ・サイバネティクスの工学的応用として、この方向には一つの可能性があるかもしれない。オートポイエティックな自律的機械の実現は困難でも、社会の中で我々と同程度に振る舞うことのできる知的エージェントの可能性を模索することはできる。実際、工学研究者の谷口忠大は、ネオ・サイバネティックな「認知的な閉じ」を意識しつつ、人間と記号的相互作用が可能なロボットの開発を目指している。[7] これは人間の認知という機能と社会的相互作用との関係を探る試みともなっている。

とはいえ我々は、社会システムに埋め込まれた他律的な機械が、我々と同じとは言わずとも、それに近い自律性を有する存在として安易に受容されてしまう危険性にも目を配らなければならない。第三次ＡＩブームの中で考えるべき問題として、そう警告するのが西垣である。[8]

ＡＩによって発生あるいは助長される性差別や人種差別の問題は、すでに社会的問題となっている。これは社会システムの作動にＡＩが関わることによって生じている問題である。個人の所業がＡＩによって数値化され、その得点に応じて人間が評価される、いわゆるスコア社会の問題もある。ＡＩはＡＩというだけで、我々より公平で完全な判断を下すイメージを人々に喚起する。だが実際には、それは他律システムとして制御されているシステムである。そこにさらにビッグデータの歪みが反映されている場合もある。決してそれ自身が自律的に判断しているわけではないのである。

こうしたネオ・サイバネティックな知見に基づいて、現代的な情報倫理の問題を論じているのが河島茂生である。[9] 彼は現在の人間・機械複合系が抱える倫理的問題を整理し、責任の帰属先について検討する一方で、そうした社会システム次元の倫理は正義の倫理であり、それとは別の、個人的次元にある心的システムへの配慮もまた、ケアの倫理として忘れてはならないと主張している。

このような倫理的問題は、人間・機械複合系の負の側面と言えるが、人間・機械複合系に期待される正の側面を明確にしようとする議論もある。原島大輔が提案する「メディア・アプローチ」はその一つで、ネオ・サイバネティックな観点から、機械を知的エージェントとして捉えるのではなく、社会システムのコミュニケーションを秩序づけるメディアとして活用すべきだと主張している。[10]

興味深いことに、これは企業等の組織におけるAI利用の実態とも、現時点では比較的近いようである。AIが導入された組織の構成員に対して意識調査を実施した辻本篤は、AIの判断は無条件に受け入れられているというよりも、意思決定のための材料の一つとして活用されていると報告している。[11] ただし、AIのさらなる高度化によってその見かけ上の自律性が増したときにどうなるかは、注視していく必要があるだろう。

一方、椋本輔(むくもとたすく)は、人々がAIに自律性を見てしまうことの背後にある、我々観察者の問題を提起している。[12] それはあくまで擬自律性であり、その背後には必ずそう判断する観察者がいる。この問題は、他者という存在と、我々がそれをいかに認識、あるいは構成するかという問題へと通じている。

第5章で見たように、他者は我々の現実構成とも深く関わっている。ならば我々と機械との関係の前に、我々と動物のような他者との関係やその倫理的問題について考察しておくことも有益だろう。[13]

人間・機械複合系は、現代的問題の集積点であると同時に、ネオ・サイバネティクスそれ自体をさらに発展させる可能性を秘めている。

構成主義的人間学

ネオ・サイバネティクスは、人間・生物非機械論の理論であるとともに、ラディカルな現実構成主義の理論でもある。ここでは構成主義の人間学的な応用領域について概観してみよう。

「構成主義」という言葉はさまざまな分野で用いられているが、対象をすでに与えられている実体的なものとしてではなく、何らかの意味でつくりだされているものとして捉える点は共通している。第3章で見たように、これは「何を」認知するかではなく、「いかに」認知するかへの転換に相当する。

構成主義の応用としてもっともわかりやすいのは、教育分野のそれだろう。従来の一般的な教育現場では、教師から学習者への知識の受け渡しが前提とされていた。その場合、重要となるのは「何を」教えるかということである。それに対して構成主義的な教育では、学習者自らが知識を構成する過程が重視される。教師は学習が「いかに」行われるかに注意して、教育方法を工夫することになる。

教育界では、実践レベルで構成主義が広く受け入れられていると言える。ディスカッションやグループワーク、演習等を多用するアクティブラーニングと呼ばれる授業手法はその典型である。コロナ禍で急激に需要が増したオンライン学習プラットフォームのＭｏｏｄｌｅも、構成主義的思想に基づいて設計されている。意外なことにプログラミング教育への応用にも歴史がある。ピアジェの共同研究者でもあったシーモア・パパート（Seymour Papert）は、構成主義的なプログラミング教育を意識して、子どものためのプログラミング言語LOGOを開発した。

構成主義的な教育は、従来のいわゆる詰め込み型教育に対する反省から推進されている面もある。近年ではさらに、一般にAIには難しいとされる「人間ならでは」と言われるような能力、たとえば創造力やコミュニケーション能力などを伸ばすための教育としても意識され始めている。

だがこうした手法や効果にフォーカスするような事例は、必ずしも本書が示したようなネオ・サイバネティックな知見に根ざしているわけではない。ラディカル構成主義を提唱したグレーザーズフェルド自身、構成主義の教育分野への応用に関心を示す一方で、その浅薄な受容には注意を促している。[14] 第5章で確認したように、認知は本質的に能動的であり、どんな教育手法であっても学習者は自ら知識を構成している。知識の小包的な授受はあり得ず、外部から詰め込むことはそもそも不可能である。さらにラディカルには、「認知は主体による経験世界の組織化の役目を果たすのであって、客観的な存在論的実在を発見しているのではない」[15]。

システム論的に言えば、これらはすべて、我々が機械とは異なるメカニズムで存在する、異なるシステムであることに起因している。ネオ・サイバネティックな知見は、まさにパラダイムとして渾然一体となったものである。したがって、教育界においてもそれが根本的に受容されたときには、構成主義はよりラディカルなものとして、いまとは異なる応用の形が模索されるかもしれない。

構成主義の応用としてもう一つ大きな領域は、心と身体の領域である。もともとサイバネティクスは心理学とは関わりが深く、メイシー会議の参加者にも著名な心理学者が複数人含まれていた。サイバネティクスとの関連で新たに生まれた心理療法も存在する。とくに家族療法は有名で、第2章で述べたように、その起源の少なくとも一部はベイトソンの思想にある。構成主義的に言えば、これは家族というコミュニケーション・システムによって構成される現実にアプローチする心理療法であると言える。

一方、行為者としてのオートポイエティック・システムに注目する河本英夫は、オートポイエーシスの身体論的問題への応用を試みている。[16]この方面では、オートポイエーシス論の共同提唱者であるヴァレラの議論もよく知られている。晩年のヴァレラは、心や認知の行為的産出を意味する「エナクション（enaction）」という概念を武器に、心と身体をつなぐことに腐心した。[17]こうした心や身体の領域は、従来の一元的、客観主義的な科学的視点では十分に迫ることが難しかった領域である。個々のシステムの視点を見出したネオ・サイバネティクスによる、多元的で、構成主義的な探究が期待される分野である。

構成主義の人間学的応用としては、社会との関わりも忘れることはできない。すでに述べたように、オートポイエーシス論を社会学に応用したのはルーマンであり、ルーマンの認識論的立場自体、ラディカル構成主義と呼ばれることもある。ただ彼はシステムとしての社会に注目したため、人間個人の認知的構成性を主として扱うグレーザーズフェルドの議論との関わりは強くない。そもそも社会学分野では、個人というより社会的に構成される現実を問う議論が存在し、社会構成主義や社会構築主義などといった名称のもとに探究されてきた。[18]そのそれぞれに対立点もあり、ネオ・サイバネティックな議論との関係性もさまざまだが、社会レベルの構成主義的な議論として類縁関係にあると言うことはできる。

とくに人間の心と身体に関する議論は、本来、こうした社会レベルの議論と密接な関係にある。たとえば家族の一員としての個人の心的システムは、家族というそれ自体一つの小さな社会システムとの関係のもとにあるはずである。複数のシステム間の関係性という問題はオートポイエティックなシステム論の鬼門だが、これを乗り越えることができるのが基礎情報学のＨＡＣＳという概念だった。

階層的自律コミュニケーション・システム（Hierarchical Autonomous Communication System）、略してＨＡＣＳと呼ばれるシステム概念は、観察者の視点を動的に切り替えることによってシステム間の拘束・制約関係の把握を可能にする。これによってシステム自身の自律的作動を前提としつつ、他のシステムとの階層的関係が分析できるようになる。複数のシステムが重層的に関わり合うような領域、とりわけ個人レベルと社会レベルとが必然的に関わり合う人間学的領域では、ＨＡＣＳは強力な分析ツールとして機能する。

ＨＡＣＳによって情報伝達という現象を一種のフィクションとして理解できることは、第6章で見た通りである。ほかにも西垣は、個人の反省的抽象によって得られる概念を素材として行われる「社会的抽象」や、個人レベルと社会レベルがある種の望ましい関係にある生命的組織などについて論じている。[19] ＨＡＣＳモデルによる現実の組織の分析は、辻本による先駆的な例もある。[20] 経営学的な組織論への応用は今後も期待される分野である。

極めて人間的な営みと言える芸術作品の創作やその批評も、個人レベルと社会レベルが密接に関わる領域である。とくに文学論は、構成主義の応用領域として先行してきた分野である。

文学論と言えば、これまでは書かれたものの分析、つまり、テクスト自体がどのような意味をもつかという分析が主流だった。しかし構成主義の立場では、テクスト自体のうちに与えられている客観的な意味なるものを前提とすることはできない。テクストの意味は、むしろシステムによって構成されると考えるべきである。システム論的文学論の先駆者であるシュミットは、これを「文学テクストから文学システムへ」[21]という標語によって簡潔に表現している。

文学に関わるシステムも、個人の心的システムと社会システムの両方が存在する。文学を直接的に創作、批評するのは心的システムだが、それは文学的な社会システムとの関係においてである。大井奈美はこの点に注目し、やや停滞気味の文学システム論は、個人レベルと社会レベルを架橋することのできるＨＡＣＳモデルによってその射程が拡張されると述べている。[22]必ずしもそれを意図するものではないが、実際に中村肇は、創作者の心的システムの自律性に着目し、社会システムの制約のなかで文学の共同性が立ち上がるダイナミクスをＨＡＣＳモデルによって分析している。[23]

一方で、近年はＡＩによる芸術創作がたびたび話題となっており、創作を人間的な行為として見ることに反対する動きもある。ネオ・サイバネティクスの観点からの創作論には、すでに河島の啓蒙的な取り組みがあり、著作権との関係も論じられている。[24]創造性に関しては、大井が代表をつとめる研究プロジェクトも進行中であり、機械との関係から我々の構成的な存在様式を再定位する議論が始まっている。

情報学の再構築に向けて

初期サイバネティクスのコンピューティング・パラダイムは、情報という概念から意味を引き剝がし、意味を置き去りにした情報学をもたらした。それは工学的領域においては大成功を収めたが、情報一般の学なるものを自称するにはあまりに偏ったものとなっている。第6章で見たように、最大の問題は情報の意味という難問が放置されていることである。

情報学の関連分野の中で、意味の問題がもっとも顕著に現れる分野の一つは図書館情報学だろう。日本語で「図書館情報学」と言うと、あくまで図書館を対象とする狭い学問という感じだが、英語では「library and information science」あるいは単に「information science（情報科学）」と呼ばれ、情報一般の科学、あるいはその一部というニュアンスがある。なお、それに対して日本語の「情報科学」は、その理念はともかく、実態としてはあくまでコンピュータに関する学問として理解されており、英語の「information science」とはねじれた関係にある。

図書館情報学ないしinformation scienceの分野では、コンピュータを用いた効率的な情報処理の方法が探究される一方で、それに還元できない問題として、情報の意味という問題が意識されてきた。たとえば現在の多くの図書館の目録は、以前よりも効率的なコンピュータ目録となっている。しかし目録によって効率的に資料を見つけることができたとしても、その資料が利用者の本当のニーズに合致しているとは限らない。書名と内容にズレがある資料は少なくないし、内容が適切でも書きぶりが難しくてわからないとか、逆に子ども向けで平易すぎるといった問題があることもある。[25] 資料探索の成否は、効率的な情報処理のみならず、情報の意味と関わる人間個人にも依存する。情報検索の分野では、前者を重視する技術中心的な研究法を「システム志向アプローチ」と呼び、後者のように人間の認知や解釈に焦点を当てる「利用者志向アプローチ」と対比されることもある。[26]

問題は、こうした二つのアプローチの関係性である。基本的に両者は相互補完的なものとみなされているが、それだけではバートラム・ブルックス（Bertram Brookes）がかつて危惧したように、情報学は「根本的な理論的一貫性のない、実践的スキルの収集物」[27]に過ぎなくなってしまう。二つのアプローチをともに重視することで、確かに図書館等の現場における実務的な有効性は確保されやすくなるだろう。だがそれは学問としては、安易な折衷主義に過ぎないと言える。

この状況を打破するには、情報学を基礎づける世界観や現実観、存在論や認識論といった哲学的な前提のレベルから改めて考える必要がある。[28] わかりやすく言えば、情報や意味といった事象をどう捉えるか、あるいは我々の存在様式をどのように捉え、人間ないし生物と機械をどう理解するかという問題である。これはまさに、人間と機械を同一視する初期サイバネティクスの思想的立場をとるか、人間と機械を峻別するネオ・サイバネティクスの思想的立場をとるかという問題である。

サイバネティクスの二つの思想、二つのパラダイムについてはすでに本書全体を通じて論じてきたから、ここではネオ・サイバネティクスの立場から描くことのできる新しい情報学に的を絞ろう。

第6章で述べたように、ネオ・サイバネティクスにおける情報は、生命システム自身の主観的な意味と不可分のものである。したがって、そこでは情報の意味は難問とはなり得ない。本来の情報はそもそも意味と不可分であり、意味のない「情報」を意味と結びつけようとする必要などないからである。

これは情報の意味と関わる者の役割を最大化するということでもある。重要なのは存在物としての「情報」ではなく、その解釈者である。哲学的には、これはラファエル・カプーロ（Rafael Capurro）の提唱する「解釈学的情報学」の立場と通じる一方で、フロリディの情報倫理とは対照的な立場となる。フロリディは、人間や生物中心的な従来の倫理を、機械やデジタルデータなどまで含めた存在物中心的な倫理に転換すべきであると主張し、あらゆる情報的な存在物(エンティティ)それ自体の価値を認めようとする。[29] それに対してカプーロは、ハイデッガーの存在論やガダマーの解釈学に基づいて、現存在としての人間の存在様式との関係から情報倫理学を基礎づけようとしている。[30] カプーロにしてみれば、フロリディのデジタル存在論は、存在論というよりも形而上学であるということになる。

このカプーロに近い立場から、基礎情報学の応用としての情報倫理学を構想しているのが竹之内禎である。[31] これはさらに精神医学者のヴィクトール・フランクルの説く「生きる意味」の議論とも接続され、スキルやマナーとは異なる次元から一人ひとりの「生きる意味」へとアプローチする情報倫理学が模索されている。[32]

情報の解釈者が重要であるとの認識は、情報検索における「利用者志向アプローチ」と共通している。図書館情報学の世界では、ブルックスによって提唱された情報の基本方程式が有名だが、それも同様に解釈者の重要性を示すものとなっている。[33] だがそうした従来の議論は、人間やその認知に関する特定の信念の上に成り立っており、一般に科学的と考えられてきた機械論的世界観との矛盾という問題を抱えてきた。安易な折衷主義にならざるを得なかった理由はここにあるが、ネオ・サイバネティクスはこうした信念を異なる意味で科学的に正当化することができる。

もちろんネオ・サイバネティクスに基づくことは、機械的な情報処理を否定することではない。基礎情報学では、機械が扱う情報は本来の生命的情報の意味が潜在化した情報であり、両者の間に根本的な断絶はないから、これは単なる折衷主義でもない。むしろ機械情報が社会情報の効率的処理のために出現してきたことを思えば、情報の形式的な処理で十分なもの、図書館業務で言えば、たとえば資料の貸出処理や返却処理などは、積極的に機械に任せた方がよいということになる。

　逆に、情報の意味が重要となるような業務、典型的には、情報資源の利用に関する相談に応じるレファレンスサービスなどは、本質的に機械には代替不可能な業務であり、人間である司書の役割が重要となることがわかる。ただしこの場合の解釈者とは、第一に相談しているその利用者であり、司書はあくまでその代理に過ぎないということには注意が必要である。もしこれが司書ではなくて教師や医師なら、客観的な第三者の視点を意識する必要があるかもしれない。だがこの場合の司書に求められているのは、利用者の主観的な意味に可能な限り寄り添うことである。

　これは言うほど簡単なことではない。実際、レファレンスサービスの難しさは、利用者自身によって言語化された相談内容でさえ、その本来の主観的な意味にとって重要であるとは限らない点にある。言語による表現力は人それぞれであるし、書名の記憶違いや知りたい事柄に関する思い違いもある。相談内容を直接言いたくないとか、できれば自分で調べたいといった心理も存在する。だからと言ってその背後に、医師にとっての病名のような、それなりに「客観的」な正解があるわけでもない。相談の成否はあくまで利用者の主観によって判断される。専門職としての司書に求められているのは、情報的閉鎖系である他者の意味にアプローチするという、本質的に困難な能力である。

　あらゆる情報系の学問はネオ・サイバネティクスの知見に基づく再構築が可能だが、意味と密接に関わってきた図書館情報学は、とくにそれがプラスに働きやすい分野だろう。昨今では、ＡＩによって消える職業ランキングに司書が登場することも少なくないが、これは従来の図書館情報学が確固とした足場の上に築かれていないことの証左である。

情報学は、サイバネティクスの最も直接的な応用領域である。二〇世紀中葉、初期サイバネティクスとともに誕生した機械論的な情報学は、二一世紀のいま、ネオ・サイバネティクスによって生命論的な情報学へと書き換えられようとしている。

注

[第1章]

1 IBMは、「ワトソン」を人工知能（artificial intelligence）ではなく、拡張知能（AI：augmented intelligence）と呼んでいる。IBM (2017, January 16).「IBM Watson の仕組み」（参照 2022-08-31）。

2 Kurzweil, R. (2005).（井上健監訳『ポスト・ヒューマン誕生——コンピュータが人類の知性を超えるとき』日本放送出版協会、二〇〇七年）

3 Cellan-Jones, R. (2014, December 2).（参照 2022-08-31）

4 Sample, I. (2011, May 15).（参照 2022-08-31）

5 Dupuy, J.-P. (1994).

6 Rosenblueth, A., Wiener, N., & Bigelow, J. (1943). pp.18-24.

7 Wiener, N. (1948 and 1961).（池原止戈夫他訳『サイバネティックス——動物と機械における制御と通信』岩波書店、二〇一一年、三三頁）

8 Rid, T. (2016).（松浦俊輔訳『サイバネティクス全史——人類は思考するマシンに何を夢見たのか』作品社、二〇一七年、五〇—五五頁）

9 Wiener, N. (1954).（鎮目恭夫、池原止戈夫訳『人間機械論——人間の人間的な利用』第二版新装版、みすず書房、二〇一四年、一九—二〇頁）

10 Wiener, N. (1948 and 1961). op.cit.（前掲訳書、三九頁）

11 同訳書、三九頁。

12 同訳書、五頁。

13 Rosenblueth, A., Wiener, N., & Bigelow, J. (1943). op. cit., pp.18-24 : 19, 23.

14 McCulloch, W. S. (1955). pp.35-39. (In: (2016). *Embodiments of mind.* The MIT Press, pp.163-170 : 163)

[第2章]

1 McCulloch, W. S., & Pitts, W. (1943). pp.115-133.

2 もちろん研究に紆余曲折はつきものである。当初は単純に精神＝デジタルコンピュータと考えられていたが、次第にコンピュータそのものではなく、コンピュータ上で脳神経系の作動をシミュレートする研究がニューラルネット研究として本格化していった。

3 なお、その影響力ゆえに、個別学問としてのサイバネティクスの実体は、現代ではすでに失われているという皮肉な状況にある。

4 Heims, S.J. (1993).（忠平美幸訳『サイバネティクス学者たち――アメリカ戦後科学の出発』朝日新聞社、二〇〇一年）。杉本舞「ウィーナーの「サイバネティクス」構想の変遷――1942年から1945年の状況」『科学哲学科学史研究』第二号、二〇〇八年、一一七―一二八頁。

5 Wiener, N. (1954).（鎮目恭夫、池原止戈夫訳『人間機械論――人間の人間的な利用』第二版新装版、みすず書房、二〇一四年、一四四頁）

6 たとえば、Rid, T. (2016).（松浦俊輔訳『サイバネティクス全史――人類は思考するマシンに何を夢見たのか』作品社、二〇一七年、一一〇―一一二頁）。

7 Vonnegut, K. (1952).（浅倉久志訳『プレイヤー・ピアノ』早川書房、二〇〇五年、五二四頁）

8 メイシー会議における人間科学者や社会科学者たちの様子は、Heims, S. J. (1993) に詳しい。

9 Wiener, N. (1954). op. cit.（前掲訳書、一七〇頁）

10 同訳書、一二三頁（初版からの再録箇所）。

11 Wiener, N. (1948 and 1961).（池原止戈夫他訳『サイバネティックス――動物と機械における制御と通信』岩波書店、二〇一一年、七六頁　ただし、訳文中の「サイバネティックス」は「サイバネティクス」に改めてある）

12 Wiener, N. (1954). op. cit.（前掲訳書、一二三頁（初版からの再録箇所））

13 同訳書、一二四頁（初版からの再録箇所）。

14 Wiener, N. (1948 and 1961). op. cit.（前掲訳書、四〇頁　ただし、訳文中の「通報」は「メッセージ」に改めてある）

15 Wiener, N. (1954). op. cit.（前掲訳書、九―一〇頁）

16 西垣通「ネオ・サイバネティクスの源流――ノーバート・ウィーナーとウィリアム・ジェイムズの交叉点」『思想』第一〇三五号、二〇一〇年、四〇―五五頁。

17 Wiener, N. (1954). op. cit.（前掲訳書、六頁）

18 西垣通　二〇一〇、前掲論文、四五頁。

19 近年の理論物理学における多元宇宙論には興味深い部分もあるが、一般に科学において、我々が経験しているこの世界それ自体の多元性が認められているわけではない。

20 Wiener, N. (1948 and 1961). op. cit.（前掲訳書、三〇七頁）

21 Bateson, G. (1972a).（佐藤良明訳「ヴェルサイユからサイバネティックスへ」『精神の生態学』改訂第二版、新思索社、二〇〇〇年、六二二―六三二：六三二頁　ただし、訳文中の「サイバネティックス」は「サイバネティクス」に改めてある）

22 Bateson, G., Jackson, D. D., Haley, J., & Weakland, J. (1956). pp.251-264.（佐藤良明訳「精神分裂症の理論化に向けて」『精神の生態学』前掲訳書、二八八―三一九頁）

23 Bateson, G. (1991). p.202.

24 Bateson, G. (1971). pp.1-18.（佐藤良明訳「「自己」なるもののサイバネティックス――アルコール依存症の理論」『精神の生態学』前掲訳書、四二〇―四五五：四三二頁）

25 同論文（同訳書内）、四四六―四五二頁。

26 Bateson, G. (1979).（佐藤良明訳『精神と自然――生きた世界の認識論』普及版、新思索社、二〇〇六年、一二五頁）

27 Bateson, G. (1971). op. cit.（前掲論文（前掲訳書内）、四三〇頁）

28 Bateson, G. (1970). pp.5-13.（佐藤良明訳「形式、実体、差異」『精神の生態学』前掲訳書、五九六―六一七：六〇六頁）

29 Bateson, G. (1971). op. cit.（前掲論文（前掲訳書内）、四三一頁）

30 Bateson, G. (1972b).（佐藤良明訳「ダブルバインド、１９６９」『精神の生態学』前掲訳書、三七二―三八一：三七三頁）

31 Bateson, G. (1970). op. cit.（前掲論文（前掲訳書内）、六〇五頁）

32 同論文（同訳書内）、六〇五頁。

33 橋本渉「ハインツ・フォン・フェルスターの思想とその周辺――ネオ・サイバネティクスの黎明期を中心に」『思想』第一〇三五号、二〇一〇年、九八―一一四頁。

34 同論文、一〇五頁。

35 von Foerster, H. (1970a). pp.213-248. (In: (2003). *Understanding Understanding*. Springer, pp.133-167)

36 von Foerster, H. (1984). pp.2-24.（徳安彰訳「自己組織化の諸原理——社会的‐マネジメント的状況への適用」『自己組織化とマネジメント』東海大学出版会、一九九二年、二一—三三頁）

37 同論文（同訳書内）、一八頁。

38 ちなみに、将棋や囲碁のＡＩでは「ヒューリスティック」と形容される発見的、経験的方法によってこの問題の解決を図っている。いや、解決というよりも、試行錯誤によって何とかしのいでいると言った方が正確である。

39 von Foerster, H. (1970a=2003). op. cit., p.152.

40 Ibid., p.141.

［第3章］

1 von Foerster, H. (1973). pp.35-46. (In: (2003). *Understanding Understanding*. Springer, pp.211-227)

2 橋本渉「ハインツ・フォン・フェルスターの思想とその周辺——ネオ・サイバネティクスの黎明期を中心に」『思想』第一〇三五号、二〇一〇年、九八—一一四：一〇八頁。

3 von Foerster, H. (1970a). pp.213-248. (In: (2003). *Understanding Understanding*. Springer, pp.133-167 : 153)

4 Ibid., p.153.

5 von Foerster, H. (1973=2003). op. cit., pp.224-225.

6 用語は以下のものを採用。von Foerster, H. (1993). (German version in *Teoria Soziobiologica*, 2/93, Franco Angeli, pp.61-88.) (translated by Richard Howe, In: (2003). *Understanding Understanding*. Springer, pp.305-323)

7 von Foerster, H. (1973=2003). op. cit., p.225.

8 Ibid., p.226. なお、ここでは制御を regulation の訳語として採用しているが、ウィーナーの書 *Cybernetics*（サイバネティクス）では control という言葉が用いられている。

9 したがって、フェルスターの思想の純粋に学説史的な展開に興味のある読者は、ぜひ原典に当たってみて欲しい。彼の主要な論文は *Understanding understanding*, Springer, 2003 に年代順に収録されている。ただし、彼の思想の変遷にわかりやすい一本線を引くことは容易ではないだろう。

10 von Foerster, H. (1970b). pp.25-48. (In: (2003).

Understanding Understanding. Springer, pp.169-189 : 189)

11 von Foerster, H. (1973=2003). op. cit., p.214.

12 なお、「コード化」はそもそも通信工学や計算機科学の用語だから、そのニュアンスには注意が必要である。この言葉によって、直接的に作用しないという「間接性」を強調することもできるし、ある表現体系を別の表現体系に変換するだけであるという「直接性」を強調することもできる。ここでは一貫して前者の意味である。

13 実のところ、この原則に関するフェルスターの説明(von Foerster, H. (1973=2003). op. cit., p.215) は不十分に思われるため、ここでは彼の基本思想との整合性を意識しつつ、筆者の解釈で補っている。

14 Ibid., p.215.

15 Ibid., p.212.

16 von Foerster, H. (1984). pp.2-24 : 5.

17 von Foerster, H. (1973=2003). op. cit., p.212.

18 von Foerster, H. (1984). op. cit., p.4.(強調引用者)

19 von Foerster, H. (1973=2003). op. cit., p.216.

20 von Foerster, H. (1974). pp.401-417. (Notes on an epistemology for living things. In: (2003). *Understanding Understanding*. Springer, pp.247-259 : 248)

21 von Foerster, H. (1984). op. cit., pp.2-24 : 13.(徳安彰訳「自己組織化の諸原理――社会的 - マネジメント的状況への適用」『自己組織化とマネジメント』東海大学出版会、一九九二年、二―三三:一九頁)

22 念のため付言すれば、当時はまだサイバネティクスという学問は誕生していない。しかし、ベイトソンが現地社会を分析するにあたって用いたツールは明らかにサイバネティックな概念だった。

23 von Foerster, H. (1991). pp.41-55. (In: (2003). *Understanding Understanding*. Springer, pp.287-304 : 289)

24 von Foerster, H. (1979). pp.5-8. (In: (2003). *Understanding Understanding*. Springer, pp.283-286 : 285)

25 筆者に直接この見解を授けたのは橋本渉であり、日本語での訳し分けも彼との議論を参考にしている。

26 なおフェルスター自身が、私がこれから示すようなかたちで明示しているわけではないということは、

27　念のため付言しておく。
実際、フェルスターの論考には時折マトゥラーナの名が現れる。フェルスターの思想とマトゥラーナの関係については、橋本の前掲論文も参照のこと。

[第4章]

1　正確には、母国チリでの出版が一九七二年、その英語版の執筆年表記が一九七三年、英語版が実際に出版されたのが一九八〇年である。

2　それでもこれは、私という存在の基盤もまたオートポイエティック・システムとして規定されるがゆえに、本書なりの解釈を提示するものとならざるを得ず、その解釈に疑念を抱く読者も当然現れることだろう。しかしここで私が意図しているのは、各論者の違いを強調したり、その対立を煽ったりすることではなく、提唱者であるマトゥラーナとヴァレラ自身の以降の議論との整合性に目を配りつつ、オートポイエーシス論の核心部分をわかりやすく提示すること、そしてそれがサイバネティクスという、より大きな流れの中にあることを明らかにすることである。

3　河本英夫による邦訳（『オートポイエーシス――生命システムとはなにか』国文社、一九九一年）は、日本におけるオートポイエーシス論の受容と展開に多大な貢献をなしているが、ここでは本章の目的に合わせ、あえて原文から改めて訳出することとする（以下同様）。

4　Maturana, H. R., & Varela, F. J. (1973). (In: (1980). *Autopoiesis and cognition: the realization of the living.* D. Reidel Pub., pp.63-134 : 78-79)（河本英夫訳「オートポイエーシス――生命の有機構成」『オートポイエーシス――生命システムとはなにか』前掲訳書、四五―一五九：七〇―七一頁（訳文一部改変））

5　Ibid., p.77.（同訳書、六八頁（訳文一部改変））

6　原文では、両者は関係代名詞thatによって結び付けられている。"a network of processes of production (transformation and destruction) of components that produces the components"

7　Maturana, H. R., & Varela, F. J. (1984). (translated into English by R. Paolucci (1992). *The tree of knowledge : the biological roots of human understanding* (Rev.). Shambhala. p.46)（管啓次郎訳

『知恵の樹』筑摩書房、一九九七年、五四頁）

8 これはあくまで構成の話であって、構造と構成の間の相互依存関係ではない。

9 Maturana, H. R., & Varela, F. J. (1984). (English version, (1992). op. cit., p.25)（前掲訳書、二六頁）。ただし、この本ではむしろ、認識論的円環のイメージとしてこの作品が掲載されている。

10 生命システムでは冗長性のあるメカニズムが多く採用されているから、ある一つのプロセスを停止させても、別のプロセスによってバックアップされることは珍しくない。しかしここで言いたいのは、そうしたプロセスの全体的な連鎖をどこかで断ち切ってしまう場合である。

11 実のところ、この部分は後に述べるオートポイエーシスの帰結としての「単位体であること」とかなり近いことを述べており、さらに言えば、本章3節で取り上げるシステムの「構造」が重要な論点として関わるところであるのだが、ここではあくまでオートポイエーシスの定義が述べられているものとして、あえてこのように解釈している。

12 Maturana, H. R., & Varela, F. J. (1973=1980). op. cit., pp.80-81.（前掲訳書、七三―七五頁）

13 Maturana, H. R., & Varela, F. J. (1984). (English version, (1992). op. cit., p.48)（前掲訳書、五六頁）

14 Maturana, H. R., & Varela, F. J. (1973=1980). op. cit., p.80.（前掲訳書、七三頁）

15 筆者もその一部執筆を担当した書『AI時代の「自律性」』では、現在のAIやロボットのような機械が示す見かけ上の「自律性」に対し、フェルスターとマトゥラーナ&ヴァレラが提起する生命的な自律性を「ラディカル・オートノミー」と呼んだ。詳しくは、河島茂生編著『AI時代の「自律性」――未来の礎となる概念を再構築する』勁草書房、二〇一九年を参照。

16 Maturana, H. R., & Varela, F. J. (1973=1980). op. cit., p.80.（前掲訳書、七三頁（訳文一部改変））

17 より詳細なメカニズムは、西田洋平「生命の自律性と機械の自律性」『AI時代の「自律性」――未来の礎となる概念を再構築する』前掲書、四五―六八：五五―五六頁を参照。

18 これはアロポイエーシスにおける「産出」を広く捉えた場合である。物質的なものの産出に限定すれば、自動車の構成がアロポイエーシスであるとは言いがたいが、少なくとも自動車は自己を産出するシステムではないから、非オートポイエティックなシステムである。

19 Maturana, H. R., & Varela, F. J. (1984). (English version, (1992). op. cit., p.49) (前掲訳書、五七頁)

20 Maturana, H. R., & Varela, F. J. (1973=1980). op. cit., p.80.

21 Ibid., p.80.

22 Ibid., p.81.

23 Maturana, H. R. (1970). (In: (1980). *Autopoiesis and cognition: the realization of the living.* D. Reidel Pub., pp.5-58 : 9) (河本英夫訳「認知の生物学」『オートポイエーシス——生命システムとはなにか』前掲訳書、一六一—二四一 : 一六九頁(訳文一部改変))

24 したがって、他者によってつくられたかとか、単位体としてのそれの由来を知ることができるかといった事実的な事柄は、オートポイエティック・システムを識別するためのわかりやすいポイントとしてしばしば語られはするが、それ自体はオートポイエーシス論として本質的な論点であるとは言いがたい。

25 Maturana, H. R., & Varela, F. J. (1973=1980). op. cit., p.81.

26 河本英夫『オートポイエーシス——第三世代システム』青土社、一九九五年、一五六頁。

27 同書、一六一頁。

28 生物個体にも「親」が必要だし、細胞にも細胞分裂を行う「母細胞」が必要だから、その存在が他者に委ねられているではないかという反論が聞こえてきそうである。だがそうした意味での再生産は生物にとって二次的な現象であり、むしろオートポイエティックなシステムの作動を前提とする現象であるというのがオートポイエーシス論の見解である。詳しくは次節参照。

29 Maturana, H. R., & Varela, F. J. (1973=1980). op. cit., p.82. (前掲訳書、七七頁(訳文一部改変))

30 マトゥラーナとヴァレラも当初から予期していたことであるが、オートポイエーシス論の継承者たちは、のちに心的システムや社会システムといった非物理的なオートポイエティック・システムへと議論を展開させていくことになる。

31 Maturana, H. R., & Varela, F. J. (1973=1980). op.

32 cit., p.96.（前掲訳書、九八頁）
これは自己複製や進化という現象が生命現象として重要でないということでは必ずしもない。この後すぐ見るように、それらはあくまで生命システムにとっては二次的であり、非本質的であるということが示されることになる。

33 オートポイエーシス論では、任意の単位体が再生産される現象は、そのメカニズムから「複製（replication）」、「コピー（copy）」、「自己再産出（self-reproduction）」に大別される。彼らの表現に従えば、ここで論じたいのは「自己再産出」であるが、ここでは一般的な表現として、同様の意味で「自己複製」を用いる。

34 Maturana, H. R., & Varela, F. J. (1984). (English version, (1992). op. cit., p.96)（前掲訳書、一〇九頁）

35 Ibid., (English version p.96)（同訳書、一一〇頁（強調原文、訳文一部改変））

36 Ibid., (English version p.97)（同訳書、一一一頁）

37 Ibid., (English version p.97)（同訳書、一一一頁（訳文一部改変））

38 Ibid., (English version p.97)（同訳書、一一一頁（訳文一部改変））

39 橋本渉「システム論における「情報的閉鎖系」概念」『情報学研究』七五、二〇〇八年、六九―八二：七四頁。

40 環境決定論は、環境を構造決定論的に考えるのと同じではない。後者は、環境の振る舞いは環境が決めるという考え方であって、非環境の振る舞いを環境が決めるという考え方ではない。誤解を恐れずに言えば、環境決定論とは他者決定論であり、構造決定論とは自己決定論である。

41 次節を先取りして言えば、さらに観察者自身もオートポイエティックな自律システムであるから、観察者はみな自身の経験を通じて、自身にとっては必然的なものとして構造決定論へと導かれるとも言えそうである。

42 Maturana, H. R., & Varela, F. J. (1984). (English version, (1992). op. cit., p.74)（前掲訳書、八五頁）

43 Ibid., (English version p.102)（同訳書、一一七頁）

44 Ibid., (English version p.136)（同訳書、一五八頁）。行動はときに「行為（action）」とも描写されるが、ここでは両者を厳密に区別せずに用いる。

45 マトゥラーナとヴァレラがこれを説明するために用いたのが、有名な潜水艦のアナロジーである。外部の観察者には、暗礁をうまく避けた見事な操縦に見えても、ずっと潜水艦の中だけで生きてきた人にとっては、その計器のあいだにつねにある種の関係を作り出してきただけのことである。詳細は、Ibid., (English version pp.136-137)（同訳書、一五六―一五八頁）を参照のこと。

46 ワニの描写としては違和感があるだろうが、ワニも十分、認知的に高度な生物であり、我々に近いということに留意されたい。

47 Maturana, H. R., & Varela, F. J. (1984). (English version, (1992). op. cit., p.173)（前掲訳書、二〇四頁）

48 Maturana, H. R. (1970=1980). op. cit., p.10.（前掲訳書、一七一頁）、および、Maturana, H. R., & Varela, F. J. (1973=1980). op. cit., p.119.（前掲訳書、一三六頁）。

49 Maturana, H. R. (1970=1980). op. cit., p.13.（前掲訳書、一七五頁（強調原文、訳文一部改変））

50 橋本は「オートポイエーシス理論とは彼の理論体系全体の一部にすぎない。本来の目的は認知現象の妥当な説明」（二〇〇八、前掲論文、七三頁）にあると強調している。

51 Maturana, H. R. (1970=1980). op. cit.（前掲訳書）

52 実際、本項目における引用のいくつかは、この論文「認知の生物学」からである。

53 マトゥラーナの後期を代表する書は、Maturana, H. R., & Verden-Zöller, G. (2008). である。

54 Maturana, H. R., & Varela, F. J. (1984). (English version, (1992). op. cit., p.174)（前掲訳書、二〇六頁（訳文一部改変））

55 Ibid., (English version pp.148-149)（同訳書、一七〇―一七二頁）

56 Ibid., (English version p.74)（同訳書、八六頁）

57 Ibid., (English version p.164)（同訳書、一九〇頁）、および、Maturana, H. R. (1970=1980). op. cit., p.56.（前掲訳書、二三九頁）。

58 Maturana, H. R., & Varela, F. J. (1984). (English version, (1992). op. cit., p.176)（前掲訳書、二〇八頁）

59 「合意領域」と訳されることもあるが、ここでは橋本（二〇〇八、前掲論文）の指摘に従って「共感的領域」と訳す。

60 Maturana, H. R., & Varela, F. J. (1984). (English version, (1992). op. cit., p.193)（前掲訳書、二二八頁）

61 Ibid., (English version p.209)（同訳書、二五二頁）、その領域は「言語的領域（linguistic domain)」（または言語域）と呼ばれる（Maturana, H. R., & Varela, F. J. (1973=1980). op. cit., p.120.（前掲訳書、一三八頁））。

62 Maturana, H. R., & Varela, F. J. (1984). (English version, (1992). op. cit., pp.194-201)（前掲訳書、二二九―二四三頁）

63 Ibid., (English version p.210)（同訳書、二五四頁（強調原文））

64 Maturana, H. R., & Varela, F. J. (1973=1980). op. cit., p.121.（前掲訳書、一四〇頁）

65 Maturana, H. R., & Varela, F. J. (1984). (English version, (1992). op. cit., p.210)（前掲訳書、二五四頁）

66 Maturana, H. R. (1970=1980). op. cit., p.8.（前掲訳書、一六七頁（訳文一部改変））

67 実際には、さらに観察者による説明、とくに科学的説明についての議論があり、円環的に議論が閉じるかたちになっているが、ここでは省略している。

[第5章]

1 von Foerster, H. (1973). pp.35-46. (In: (2003). *Understanding Understanding*. Springer, pp.211-227 : 211)

2 なお、本章における「構成」はすべて「construct」の訳語としてのそれであり、オートポイエーシス論における「organization」の訳語としての「構成」ではない。

3 Schmidt, S. J. (1992). pp.295-311 : 296.（大井奈美、橋本渉訳「観察の論理――構成主義概論」『思想』第一〇三五号、二〇一〇年、五六―七五：六〇頁）

4 von Foerster, H. (1984). pp.2-24.（徳安彰訳「自己組織化の諸原理――社会的‐マネジメント的状況への適用」『自己組織化とマネジメント』東海大学出版会、一九九二年、二一―三三：二四―二五頁）

5 多くのスマートフォンに付属の標準的な電卓アプリ

でも、大抵は可能である。

6　もちろんこれは典型的な自己言及の構造であり、オーソドックスな科学では、論理階型の混同として禁止されなければならない事態だが、これをそのまま受け入れるのが新しいサイバネティクスの特徴だった。詳細は第2章および第3章参照。

7　von Foerster, H.（1977）.（In:（2003）. *Understanding Understanding*. Springer, pp.261-271）

8　Piaget, J.（1950）.

9　von Glasersfeld, E.（1974）. pp.1-24.（In:（2007）. *Key works in radical constructivism*. M. Larochelle（ed.）, Sense Publishers, pp.73-87）

10　von Glasersfeld, E.（1995）.（橋本渉訳『ラディカル構成主義』NTT出版、二〇一〇年）

11　Ibid., p.56.（同訳書、一三九頁）。なお、ピアジェの用語としては、「図式」は「シェマ」や「スキーム」と呼ばれることもある。

12　Ibid., p.64.（同訳書、一五五頁）

13　Ibid., p.65.（同訳書、一五六頁）

14　Ibid., p.62.（同訳書、一五一頁（強調原文））

15　Piaget, J.（1970）.（滝沢武久訳『発生的認識論』白水社、一九七二年、七六頁）

16　von Glasersfeld, E.（1995）. op. cit., p.51.（前掲訳書、一二四頁）

17　Ibid., p.51.（同訳書、一二四頁）

18　Ibid., p.22.（同訳書、六〇頁）

19　Ibid., p.22.（同訳書、六一頁）

20　Ibid., p.56.（同訳書、一三九頁）

21　Ibid., p.52.（同訳書、一二八頁）

22　Ibid., p.14.（同訳書、四五頁）

23　von Glasersfeld, E.（1984）. pp.17-40 : 21.

24　von Glasersfeld, E.（1995）. op. cit., p.22.（前掲訳書、六二頁）

25　von Foerster, H.（1960）. pp.31-50.（In:（2003）. *Understanding Understanding*. Springer, pp.1-19 : 5）このイラストを描いたのはフェルスターではなく、同じサイバネティクス学者のゴードン・パスクである。

26　Ibid., p.4.

27　von Foerster, H.（1973=2003）. op. cit., p.227.

28　von Glasersfeld, E.（1995）. op. cit., p.119.（前掲訳書、二七六頁）

29 Schmidt, S. J.（1992）. op. cit., p.303.（前掲論文、六六—六七頁）

30 von Foerster, H.（1979）. pp.5-8.（In:（2003）. *Understanding Understanding*. Springer, pp.283-286 : 283（強調原文））

31 Ibid., pp.283-284.

32 von Glasersfeld, E.（1995）. op. cit., p.117.（前掲訳書、二七一頁）

33 Schmidt, S. J.（1992）. op. cit., p.304.（前掲論文、六七頁）

34 von Glasersfeld, E.（1995）. op. cit., p.119.（前掲訳書、二七五頁）

35 ただし、他者もまた認知主体によって構成される構成物であるという点を考慮すれば、この他者にとっての実行可能性もまた、実は最初の認知主体によって判断されるものである。つまり厳密に言えば、それは他者の行動を観察する中で推測される、他者が有すると思われる知識の実行可能性である。グレーザーズフェルドはそれを「第二次の実行可能性」(Ibid., p.120.（同訳書、二七七頁））と表現している。

[第6章]

1 ただし、近年は情報産業の拡大があまりに激しく、周知のように電力問題にまで発展しつつある。

2 Wiener, N.（1948 and 1961）.（池原止戈夫他訳『サイバネティックス——動物と機械における制御と通信』岩波書店、二〇一一年、二五三—二五四頁）

3 同訳書、四四頁。

4 Shannon, C. E., & Weaver, W.（1949）.（植松友彦訳『通信の数学的理論』筑摩書房、二〇〇九年、六二頁）

5 von Foerster, H.（1970b）. pp.25-48.（In:（2003）. *Understanding Understanding*. Springer, pp.169-189 : 189）

6 Varela, F. J.（1981）. pp.36-48.

7 Maturana, H. R.（1970）.（In:（1980）. *Autopoiesis and cognition: the realization of the living*. D. Reidel Pub., pp.5-58 : 55）（河本英夫訳「認知の生物学」『オートポイエーシス——生命システムとはなにか』国文社、一九九一年、一六一—二四一 : 二三七頁）

8 Brier, S.（1992）. pp.71-94. ほか。

9 Brier, S.（1995）. pp.3-14 : 4.

10 Winograd, T., & Flores, F.（1987）.（平賀譲訳『コン

ピュータと認知を理解する――人工知能の限界と新しい設計理念』産業図書、一九八九年）

11 Brier, S. (2008).

12 Floridi, L. (2011). や Floridi, L. (2010).（塩崎亮、河島茂生訳『情報の哲学のために――データから情報倫理まで』勁草書房、二〇二一年）を参照。

13 Hofkirchner, W. (2010).

14 西垣通『基礎情報学――生命から社会へ』NTT出版、二〇〇四年ほか。

15 こうした新しい情報学のいくつかについては、以下で比較検討している。西田洋平「情報学の哲学的前提と生命観――メタ理論としての情報学と生命論の表裏一体性」『情報メディア研究』一〇（一）、二〇一一年、六三―七四頁。

16 Brier, S. (2008). op. cit., p.21.

17 西垣通　二〇〇四、前掲書、二〇頁。

18 同書、二六頁。

19 同書、二七頁。

20 同書、一九頁。ほかに、西垣通『続　基礎情報学――「生命的組織」のために』NTT出版、二〇〇八年、一三―二一頁なども参照のこと。

21 近い将来、脳神経活動をスキャンすることで意味内容を直接確認できるようになるのではないか、と反論したい読者がいるかもしれない。だがそれこそが一元的な神の視点を騙（かた）ろうとすることであり、特定の形而上学的な信念にほかならない。思い出すべきは、我々が不可避的に置かれているパラドキシカルな認識論的状況である（第3章4節参照）。

22 Maturana, H. R. (1970=1980). op. cit., pp.5-58: 5.（河本英夫訳「認知の生物学」『オートポイエーシス――生命システムとはなにか』前掲訳書、一六一―二四一：一六三頁（訳文一部改変、強調原文））

23 本書第4章4節参照。

24 初期のオートポイエーシス論では、自らを存在せしめるというオートポイエティック・システムの性質を強調するあまり、こうしたシステムの観察という側面が軽視されてしまった感は否めない。だが認知の生物学という、より大きな全体像に注目すれば、観察者と独立の議論がなされたわけではないことは明らかであり、彼ら自身ものちにそれを明確にしている。システムそのものに関する現象と、観察者の記述領域に関する現象の関係については、以下も参照されたい。西田洋平「ネオ・サイバネティクスと生命記号論——その交点における情報論／生命論」『思想』第一〇三五号、二〇一〇年、一一五—一三〇頁。

25 記号解釈とシステムについては、以下を参照。西田洋平「記号解釈者としての生命とシステムの階層性——生命記号論における記号論的次元の基礎付け」『新記号論叢書［セミオトポス6］』慶應義塾大学出版会、二〇一一年、二四五—二六二頁。

26 西垣通「オートポイエーシスにもとづく基礎情報学——階層概念を中心として」『思想』第九五一号、二〇〇三年、五—二二：一二頁。

27 Luhmann, N. (1984). Suhrkamp.（佐藤勉監訳『社会システム理論』上・下、恒星社厚生閣、一九九三、一九九五年）をはじめとしてルーマンの著作は数多く存在するが、ここでは本書の議論に関連する部分だけを手短に紹介するにとどめる。

28 西垣通 二〇〇四、前掲書、一〇七—一一一頁、西垣通 二〇〇八、前掲書、二五—三三頁、および、西垣通『新基礎情報学——機械をこえる生命』NTT出版、二〇二一年、八八—九三頁を参照。

29 なお、オートポイエティック・システムに対してHACSは、観察者の視点の明確化と階層性の許容という性質が付加されていると言うこともできる。その意味でHACSは、オートポイエティック・システムの下位概念とも説明される。

30 誤解されやすい点であるので再度忠告しておきたい。こうした議論における自律的な心的システムの介在を、忌避すべきパラドックスとして捉えてはならない。もとより我々はこの認識論的パラドックスの中にいる。それを明確化したのがフェルスターのセカンド・オーダー・サイバネティクスである。

31 繰り返しになるが、心的システムそれ自体は自律的であり、この拘束・制約と無関係にある。つまり、これはあくまで心的システムにとって外的な観察者によって把握される拘束・制約関係である。人間の心的システムは観察者になれるため、我々自身がこの拘束・制約を感じ取ることができるという特殊な状況にある。

［第7章］

1 なお、ヴァレラも類似の整理をしており、前者をフォン・ノイマンの他律型パラダイム、後者をウィーナーの自律型パラダイムと呼んでいる。Varela, F. J. (1989).

2 Clarke, B., & Hansen, M. B. N. (2009). pp.83-99.（大井奈美訳「ネオ・サイバネティックな創発――ポストヒューマンの再調律」西垣通他編『基礎情報学のヴァイアビリティ』東京大学出版会、二〇一四年、一七三―二〇四頁）。なお、工学分野でも一部に「ネオ・サイバネティクス」と呼ばれている研究領域があるが、そちらはファースト・オーダーのサイバネティクスである。

3 Wiener, N. (1964).（鎮目恭夫訳『科学と神――サイバネティックスと宗教』みすず書房、一九六五年）

4 Hansen, M. B. N. (2009). pp.113-142.

5 西垣通『続　基礎情報学――「生命的組織」のために』ＮＴＴ出版、二〇〇八年。なお、西垣によるハンセンの主張の批判的検討については、以下を参照。西垣通「基礎情報学の射程――知的革命としてのネオ・サイバネティクス」『情報学研究』八三、二〇一二年、一―三〇頁。

6 物質的な産出関係によって定義されるオートポイエーシス概念の真価はこの点にあると言える。詳しくは、以下を参照。西田洋平「生命の自律性と機械の自律性」河島茂生編著『ＡＩ時代の「自律性」――未来の礎となる概念を再構築する』勁草書房、二〇一九年、四五―六八頁。

7 谷口忠大『記号創発ロボティクス――知能のメカニズム入門』講談社、二〇一四年、谷口忠大「ロボットの自律性概念」『ＡＩ時代の「自律性」――未来の礎となる概念を再構築する』前掲書、九七―一三〇頁などを参照。

8 西垣通『ＡＩ原論――神の支配と人間の自由』講談社、二〇一八年。

9 河島茂生『未来技術の倫理――人工知能・ロボット・サイボーグ』勁草書房、二〇二〇年。

10 原島大輔「階層的自律性の観察記述をめぐるメディア・アプローチ」西垣通編著『基礎情報学のフロンティア――人工知能は自分の世界を生きられるか？』東京大学出版会、二〇一八年、一三七―一五七頁。

11 辻本篤「組織構成員の自律的思考とＡＩをめぐる実証的分析」『ＡＩ時代の「自律性」――未来の礎と

なる概念を再構築する』前掲書、一八五―二〇六頁。

12 椋本輔「擬自律性はいかに生じるか」『AI時代の「自律性」――未来の礎となる概念を再構築する』前掲書、一三一―一六五頁。

13 Nishida, Y., & Takenouchi, T. (2017). p.195.

14 グレーザーズフェルド自身の教育論については、von Glasersfeld, E. (1995). (橋本渉訳『ラディカル構成主義』NTT出版、二〇一〇年) の Chapter 10 (第一〇章) を参照。

15 Ibid., p.51. (同訳書、一二四頁)

16 河本英夫『システム現象学――オートポイエーシスの第四領域』新曜社、二〇〇六年ほか。

17 Varela, F. J., Thompson, E., & Rosch, E. (1991). (田中靖夫訳『身体化された心――仏教思想からのエナクティブ・アプローチ』工作舎、二〇〇一年)

18 たとえば、Berger, P. L., & Luckmann, T. ([1966] 1967). (山口節郎訳『現実の社会的構成――知識社会学論考』新曜社、二〇〇三年)。なお、社会構成主義と社会構築主義はしばしば対立的に語られるため、このようにまとめて言及されることに憤る方もいるかもしれないが、ここでは深入りしない。

19 西垣通 二〇〇八、前掲書、九〇―一一五頁。

20 辻本篤 二〇一九、前掲論文。

21 Schmidt, S. J. (1992). pp.295-311 : 308. (大井奈美、橋本渉訳「観察の論理――構成主義概論」『思想』第一〇三五号、二〇一〇年、五六―七五 : 七一頁)

22 大井奈美「ネオ・サイバネティクスと文学研究――ラディカル構成主義派とルーマン社会理論派の射程とその拡張について」『思想』第一〇三五号、二〇一〇年、一三一―一四七頁。なお、基礎情報学では通常の社会システムの上位にさらにマスメディア・システムが想定される。詳しくは、西垣通『基礎情報学――生命から社会へ』NTT出版、二〇〇四年、一四二―一七六頁を参照。

23 中村肇「階層的自律コミュニケーション・システム(HACS)モデルを用いた小説の共同性付与メカニズムに関する基礎情報学的考察」『こころの科学とエピステモロジー』二(一)、二〇二〇年、九―二九頁。

24 河島茂生、久保田裕『AI×クリエイティビティ――情報と生命とテクノロジーと。』高陵社書店、二〇一九年。

25 なお、書名と内容のズレの問題は、内容に対して与えられる「件名標目」によって解決が図られている。

26 Ingwersen, P., & Järvelin, K. (2005).（細野公男、緑川信之、岸田和明訳『情報検索の認知的転回――情報捜索と情報検索の統合』丸善、二〇〇八年）。なお、「システム志向アプローチ」の「システム」とは、コンピュータのような機械的システムのことである。

27 Brookes, B. C. (1989). pp.115-117 : 117.

28 西田洋平「情報学の哲学的前提と生命観――メタ理論としての情報学と生命論の表裏一体性」『情報メディア研究』一〇（一）、二〇一一年、六三―七四頁、および、Nishida, Y. (2011). pp.424-433.

29 Floridi, L. (2007). 西垣通訳「情報倫理の本質と範囲」『情報倫理の思想』NTT出版、二〇〇七年、四七―九八頁（(2008). Information ethics : its nature and scope. *Information technology and moral philosophy*. Jeroen van den Hoven, & John Weckert (eds.), Cambridge University Press, pp.40-65.)

30 Capurro, R. (2006). pp.175-186.（竹之内禎訳「情報倫理学の存在論的基礎づけに向けて」『情報倫理の思想』NTT出版、二〇〇七年、九九―一三九頁）

31 竹之内禎「情報エコロジーとしての情報倫理学――デジタル還元主義を超えて」『情報倫理の思想』NTT出版、二〇〇七年、二〇九―二三〇頁。

32 竹之内禎、河島茂生編著『情報倫理の挑戦――「生きる意味」へのアプローチ』学文社、二〇一五年、および、竹之内禎編著『生きる意味の情報学――共創・共感・共苦のメディア』東海大学出版部、二〇二二年。

33 Brookes, B. C. (1980). pp.125-133.

参考文献一覧

外国語文献

Bateson, G. (1970). Form, substance and difference. *General Semantics Bulletin*, no.37.（佐藤良明訳「形式、実体、差異」『精神の生態学』改訂第二版、新思索社、二〇〇〇年）

——(1971). The cybernetics of "self" : a theory of alcoholism. *Psychiatry*, 34 (1).（佐藤良明訳「「自己」なるもののサイバネティックス——アルコール依存症の理論」『精神の生態学』改訂第二版、新思索社、二〇〇〇年）

——(1972a). From Versailles to cybernetics. *Steps to an ecology of mind*. Chandler Pub. Co. [Lecture to the "Two Worlds Symposium" at Sacramento State College, California, April 21, 1966].（佐藤良明訳「ヴェルサイユからサイバネティックスへ」『精神の生態学』改訂第二版、新思索社、二〇〇〇年）

——(1972b). Double bind, 1969. *Steps to an ecology of mind*. [Paper given at the annual meeting of the American Psychological Association, 1969].（佐藤良明訳「ダブルバインド、１９６９」『精神の生態学』改訂第二版、新思索社、二〇〇〇年）

——(1979). *Mind and nature : a necessary unity*. Wildwood House.（佐藤良明訳『精神と自然——生きた世界の認識論』普及版、新思索社、二〇〇六年）

——(1991). *A sacred unity : further steps to an ecology of mind* (1st ed.). edited by R. E. Donaldson, Cornelia & Michael Bessie Book.

Bateson, G., Jackson, D. D., Haley, J., & Weakland, J. (1956). Toward a theory of schizophrenia. *Behavioral Science*, 1.（佐藤良明訳「精神分裂症の理論化に向けて」『精神の生態学』改訂第二版、新思索社、二〇〇〇年）

Berger, P. L., & Luckmann, T. ([1966] 1967). *The social construction of reality.* [Doubleday], Anchor Books.（山口節郎訳『現実の社会的構成――知識社会学論考』新曜社、二〇〇三年）

Brier, S. (1992). Information and consciousness : a critique of the mechanistic concept of information. *Cybernetics & Human Knowing,* 1 (2/3).

――(1995). Cyber-semiotics : on autopoiesis, code-duality and sign games in bio-semiotics. *Cybernetics & Human Knowing,* 3 (1).

――(2008). *Cybersemiotics : why information is not enough!.* University of Toronto Press.

Brookes, B. C. (1980). The foundations of information science. Part I. Philosophical aspects. *Journal of Information Science,* 2.

――(1989). Personal transferable skills for the modern information professional. *Journal of Information Science,* 15 (2).

Capurro, R. (2006). Towards an ontological foundation of information ethics. *Ethics and information technology,* 8 (4).（竹之内禎訳「情報倫理学の存在論的基礎づけに向けて」『情報倫理の思想』ＮＴＴ出版、二〇〇七年）

Cellan-Jones, R. (2014, December 2). *Stephen Hawking warns artificial intelligence could end mankind.* BBC News. https://www.bbc.com/news/technology-30290540（参照 2022-08-31）

Clarke, B., & Hansen, M. B. N. (2009). Neocybernetic emergence : retuning the posthuman. *Cybernetics & Human Knowing,* 16 (1-2).（大井奈美訳「ネオ・サイバネティックな創発――ポストヒューマンの再調律」西垣通他編『基礎情報学のヴァイアビリティ』東京大学出版会、二〇一四年）

Dupuy, J.-P. (1994). *Aux origines des sciences cognitives.* Éditions La Découverte. (translated by M. B.

DeBevoise (2009). *On the origins of cognitive science : the mechanization of the mind.* The MIT Press)

Floridi, L. (2007). 西垣通訳「情報倫理の本質と範囲」『情報倫理の思想』NTT出版、二〇〇七年（(2008). Information ethics : its nature and scope. *Information technology and moral philosophy.* J. van den Hoven, & J. Weckert (eds.), Cambridge University Press)

——(2010). *Information : a very short introduction.* Oxford University Press.（塩崎亮、河島茂生訳『情報の哲学のために——データから情報倫理まで』勁草書房、二〇一二年）

——(2011). *The philosophy of information.* Oxford University Press.

von Foerster, H. (1960). On self-organizing systems and their environments. *Self-organizing systems.* M. C. Yovits, & S. Cameron (eds.), Pergamon Press. (In: (2003). *Understanding Understanding.* Springer)

——(1970a). Molecular ethology, an immodest proposal for semantic clarification. *Molecular mechanisms in memory and learning.* G. Ungar (ed.), Plenum Press. (In: (2003). *Understanding Understanding.* Springer)

——(1970b). Thoughts and notes on cognition. *Cognition : a multiple view.* P. Gavin (ed.), Spartan Books. (In: (2003). *Understanding Understanding.* Springer)

——(1973). On constructing a reality. *Environmental Design Research,* 2, F.E. Preiser (ed.), Dowden, Hutchinson & Ross. (In: (2003). *Understanding Understanding.* Springer)

——(1974). Notes pour une épistémologie des objets vivants. *L'Unité de L'Homme : Invariants Biologiques et Universaux Culturels.* E. Morin & M. Piattelli-Palmarini (eds.), Éditions du Seuil. (Notes on an epistemology for living things. In: (2003). *Understanding Understanding.* Springer)

——(1977). Objects : tokens for (Eigen-)behaviors. (French version in *Hommage à Jean Piaget : Épistémologie génétique et équilibration.* B. Inhelder, R. Garcia, J. Vonéche (eds.), Delachaux et Niestlé

Neuchâtel) (In: (2003). *Understanding Understanding*. Springer)

——(1979). Cybernetics of cybernetics. *Communication and Control in society*. K. Krippendorff (ed.), Gordon and Breach. (In: (2003). *Understanding Understanding*. Springer)

——(1984). Principles of self-organization : in a socio-managerial context. *Self-organization and management of social systems*. H. Ulrich, & G. J. B. Probst (eds.), Springer. (徳安彰訳「自己組織化の諸原理——社会的-マネジメント的状況への適用」『自己組織化とマネジメント』東海大学出版会、一九九二年)

——(1991). Ethics and second-order cybernetics. (French version in *Systèmes, éthigue, perspectives en thérapie familiale*. Y. Rey et B. Prieur (eds.), ESF éditeur) (In: (2003). *Understanding Understanding*. Springer)

——(1993). For Niklas Luhmann : "How recursive is communication?" (German version in *Teoria Soziobiologica*, 2/93, Franco Angeli) (translated by Richard Howe, In: (2003). *Understanding Understanding*. Springer)

von Glasersfeld, E. (1974). Piaget and the radical constructivist epistemology. *Epistemology and education*. C. D. Smock & E. von Glasersfeld (eds.), Follow Through Publications. (In: (2007). *Key works in radical constructivism*. M. Larochelle (ed.), Sense Publishers)

——(1984). An introduction to radical constructivism. *The invented reality : how do we know what we believe we know? : contributions to constructivism*. P. Watzlawick (ed.), Norton.

——(1995). *Radical constructivism*. RoutledgeFalmer. (橋本渉訳『ラディカル構成主義』NTT出版、二〇一〇年)

Hansen, M. B. N. (2009). System-environment hybrids. *Emergence and embodiment*. B. Clarke & M. B. N. Hansen (eds.), Duke Univ. Press.

Heims, S.J.（1993）. *Constructing a social science for postwar America : the cybernetics group, 1946-1953.* MIT Press.（忠平美幸訳『サイバネティクス学者たち――アメリカ戦後科学の出発』朝日新聞社、二〇〇一年）

Hofkirchner, W.（2010）. *Twenty questions about a unified theory of information.* Emergent Publications.

IBM（2017, January 16）.「IBM Watson の仕組み」IBM. https://www.ibm.com/blogs/solutions/jp-ja/watson-machinelearning-1/（参照 2022-08-31）

Ingwersen, P., & Järvelin, K.（2005）. *The turn : integration of information seeking and retrieval in context.* Springer.（細野公男、緑川信之、岸田和明訳『情報検索の認知的転回――情報捜索と情報検索の統合』丸善、二〇〇八年）

Kurzweil, R.（2005）. *The singularity is near : when humans transcend biology.* Viking.（井上健監訳『ポスト・ヒューマン誕生――コンピュータが人類の知性を超えるとき』日本放送出版協会、二〇〇七年）

Luhmann, N.（1984）. *Soziale systeme.* Suhrkamp.（佐藤勉監訳『社会システム理論』上・下、恒星社厚生閣、一九九三、一九九五年）

Maturana, H. R.（1970）. Biology of cognition.（In:（1980）. *Autopoiesis and cognition: the realization of the living.* D. Reidel Pub.）（河本英夫訳「認知の生物学」『オートポイエーシス――生命システムとはなにか』国文社、一九九一年）

Maturana, H. R., & Varela, F. J.（1973）. Autopoiesis : the organization of the living.（In:（1980）. *Autopoiesis and cognition: the realization of the living.* D. Reidel Pub.）（河本英夫訳「オートポイエーシス――生命の有機構成」『オートポイエーシス――生命システムとはなにか』国文社、一九九一年）

――（1984）. *El árbol del conocimiento.* Editorial Universitaria.（translated into English by R. Paolucci（1992）. *The tree of knowledge : the biological roots of human understanding*（Rev.）. Shambhala）（管啓次郎訳『知恵

の樹』筑摩書房、一九九七年）

Maturana, H. R., & Verden-Zöller, G. (2008). *The origin of humanness in the biology of love*. Imprint Academic.

McCulloch, W. S. (1955). Mysterium iniquitatis of sinful man aspiring into the place of God. *The Scientific monthly*, 80. (In: (2016). *Embodiments of mind*. The MIT Press)

McCulloch, W. S., & Pitts, W. (1943). A logical calculus of the ideas immanent in nervous activity. *Bulletin of Mathematical Biophysics*, 5.

Nishida, Y. (2011). The relationship between autopoiesis theory and biosemiotics : on philosophical suppositions as bases for a new information theory. *TripleC*, 9 (2).

Nishida, Y., & Takenouchi, T. (2017). Approach to ethical issues based on fundamental informatics : *School days with a pig* as a clue. *Proceedings*, 1 (3).

Piaget, J. (1950). *Introduction à l'épistémologie génétique*. Presses universitaires de France.

——(1970). *L'épistémologie génétique*. Presses universitaires de France.（滝沢武久訳『発生的認識論』白水社、一九七二年）

Rid, T. (2016). *Rise of the machines : a cybernetic history* (First). W.W. Norton & Company.（松浦俊輔訳『サイバネティクス全史——人類は思考するマシンに何を夢見たのか』作品社、二〇一七年）

Rosenblueth, A., Wiener, N., & Bigelow, J. (1943). Behavior, purpose and teleology. *Philosophy of Science*, 10 (1).

Sample, I. (2011, May 15). *Stephen Hawking: 'There is no heaven; it's a fairy story'*. The Guardian. https://www.theguardian.com/science/2011/may/15/stephen-hawking-interview-there-is-no-heaven（参照 2022-08-31）

Schmidt, S. J. (1992). The logic of observation: an introduction to constructivism. *The Canadian review of comparative literature*, 19 (3).（大井奈美、橋本渉訳「観察の論理——構成主義概論」『思想』第一〇三五号、二〇一〇年）

Shannon, C. E., & Weaver, W. (1949). *The mathematical theory of communication*. The University of Illinois Press.（植松友彦訳『通信の数学的理論』筑摩書房、二〇〇九年）

Varela, F. J. (1981). Describing the logic of the living : the adequacy and limitations of the idea of autopoiesis. *Autopoiesis : a theory of living organization*. M. Zeleny (ed.), Elsevier-North Holland.

——(1989). *Autonomie et connaissance*. Éditions du Seuil.

Varela, F. J., Thompson, E., & Rosch, E. (1991). *The embodied mind : cognitive science and human experience*. MIT Press.（田中靖夫訳『身体化された心——仏教思想からのエナクティブ・アプローチ』工作舎、二〇〇一年）

Vonnegut, K. (1952). *Player piano*. Charles Scribner's sons.（浅倉久志訳『プレイヤー・ピアノ』早川書房、二〇〇五年）

Wiener, N. (1948 and 1961). *Cybernetics : or control and communication in the animal and the machine*. John Wiley.（池原止戈夫他訳『サイバネティックス——動物と機械における制御と通信』岩波書店、二〇一一年）

——(1954). *The human use of human beings : cybernetics and society* (2nd ed. rev.). Anchor Books.（鎮目恭夫、池原止戈夫訳『人間機械論——人間の人間的な利用』第二版新装版、みすず書房、二〇一四年）

——(1964). *God & golem, Inc. : a comment on certain points where cybernetics impinges on religion*. MIT Press.（鎮目恭夫訳『科学と神——サイバネティックスと宗教』みすず書房、一九六五年）

Winograd, T., & Flores, F. (1987). *Understanding computers and cognition : a new foundation for design*.

Addison-Wesley.（平賀譲訳『コンピュータと認知を理解する――人工知能の限界と新しい設計理念』産業図書、一九八九年）

日本語文献

大井奈美 二〇一〇「ネオ・サイバネティクスと文学研究――ラディカル構成主義派とルーマン社会理論派の射程とその拡張について」『思想』第一〇三五号。
河島茂生編著 二〇一九『ＡＩ時代の「自律性」――未来の礎となる概念を再構築する』勁草書房。
河島茂生 二〇二〇『未来技術の倫理――人工知能・ロボット・サイボーグ』勁草書房。
河島茂生、久保田裕 二〇一九『ＡＩ×クリエイティビティ――情報と生命とテクノロジーと。』高陵社書店。
河本英夫 一九九五『オートポイエーシス――第三世代システム』青土社。
――二〇〇六『システム現象学――オートポイエーシスの第四領域』新曜社。
杉本舞 二〇〇八「ウィーナーの「サイバネティクス」構想の変遷――１９４２年から１９４５年の状況」『科学哲学科学史研究』第二号。
竹之内禎 二〇〇七「情報エコロジーとしての情報倫理学――デジタル還元主義を超えて」『情報倫理の思想』ＮＴＴ出版。
竹之内禎編著 二〇二二『生きる意味の情報学――共創・共感・共苦のメディア』東海大学出版部。
竹之内禎、河島茂生編著 二〇一五『情報倫理の挑戦――「生きる意味」へのアプローチ』学文社。
谷口忠大 二〇一四『記号創発ロボティクス――知能のメカニズム入門』講談社。
――二〇一九「ロボットの自律性概念」河島茂生編著『ＡＩ時代の「自律性」――未来の礎となる概念を再

構築する』勁草書房。

辻本篤　二〇一九「組織構成員の自律的思考とＡＩをめぐる実証的分析」河島茂生編著『ＡＩ時代の「自律性」――未来の礎となる概念を再構築する』勁草書房。

中村肇　二〇二〇「階層的自律コミュニケーション・システム（ＨＡＣＳ）モデルを用いた小説の共同性付与メカニズムに関する基礎情報学的考察」『こころの科学とエピステモロジー』二（一）。

西垣通　二〇〇三「オートポイエーシスにもとづく基礎情報学――階層概念を中心として」『思想』第九五一号。

――二〇〇四『基礎情報学――生命から社会へ』ＮＴＴ出版。

――二〇〇八『続　基礎情報学――「生命的組織」のために』ＮＴＴ出版。

――二〇一〇「ネオ・サイバネティクスの源流――ノーバート・ウィーナーとウィリアム・ジェイムズの交叉点」『思想』第一〇三五号。

――二〇一二「基礎情報学の射程――知的革命としてのネオ・サイバネティクス」『情報学研究』八三。

――二〇一八『ＡＩ原論――神の支配と人間の自由』講談社。

――二〇二一『新基礎情報学――機械をこえる生命』ＮＴＴ出版。

西垣通編著　二〇一八『基礎情報学のフロンティア――人工知能は自分の世界を生きられるか？』東京大学出版会。

西田洋平　二〇一〇「ネオ・サイバネティクスと生命記号論――その交点における情報論／生命論」『思想』第一〇三五号。

――二〇一一「記号解釈者としての生命とシステムの階層性――生命記号論における記号論的次元の基礎付け」『新記号論叢書［セミオトポス6］』慶應義塾大学出版会。

――二〇一一「情報学の哲学的前提と生命観――メタ理論としての情報学と生命論の表裏一体性」『情報メディア研究』一〇（一）。
――二〇一九「生命の自律性と機械の自律性」河島茂生編著『AI時代の「自律性」――未来の礎となる概念を再構築する』勁草書房。
橋本渉 二〇〇八「システム論における「情報的閉鎖系」概念」『情報学研究』七五。
――二〇一〇「ハインツ・フォン・フェルスターの思想とその周辺――ネオ・サイバネティクスの黎明期を中心に」『思想』第一〇三五号。
原島大輔 二〇一八「階層的自律性の観察記述をめぐるメディア・アプローチ」西垣通編著『基礎情報学のフロンティア――人工知能は自分の世界を生きられるか？』東京大学出版会。
椋本輔 二〇一九「擬自律性はいかに生じるか」河島茂生編著『AI時代の「自律性」――未来の礎となる概念を再構築する』勁草書房。

おわりに

シンギュラリティへの到達が予想されている二〇四五年という年は、サイバネティクスが学問としての姿を見せ始めたちょうど一〇〇年後にあたる。サイバネティクスの誕生後、およそ五〇年間は、その機械論的世界観に圧倒された時代だったと言えるだろう。その綻びが見え始めた近年、ようやく再評価されつつあるのが、本書が主題とした新しいサイバネティクス、ネオ・サイバネティクスであり、その生命論的世界観である。二〇四五年に向けていま読者が夢想するのは、どちらの未来だろうか。

どうか本書の結論だけを取り出して、単なるAI批判や生命礼賛の議論として受け止めないでいただきたい。本書の言葉のほとんどすべては、そのために費やしたと言っても過言ではない。結果としてそういう側面がないわけではない。だが本書は、むしろその根拠となる科学的理論を語ってきたのである。

オートポイエーシスとは、生命システムを生命システムたらしめているメカニズムである。それは機械論的に明らかにされた非機械論的メカニズムであり、それ自体に神秘性は一切ない。にもかかわらず、客観的に定義されるそのメカニズムは、ほかならぬ我々自身の自律的な存在様式でもあり、観察者としての我々と、我々によって観察される世界という関係性の基盤となっている。オートポイエーシスという概念は、そうした我々の観察によって規定される概念でもある。

ここにあるのは、もはや主観や客観といった言葉でむやみに切断することのできない、認識論的円環である。サイバネティクスによって語られるシステムは、サイバネティクスを語るシステムでもある。オーソドックスな科学の立場では、これはパラドックス以外のなにものでもない。しかし我々はすでにそうしたシステムとして存在しているし、サイバネティクスを遂行する限り、この事実を無視することはできない。

こうしてサイバネティクスを徹底的に遂行した結果として出現しているのが、セカンド・オーダー・サイバネティクスであり、ネオ・サイバネティクスである。それは生物や人間のイメージを刷新するだけでなく、我々が逃れることのできない観察という問題系を直視して、現実の構成性や共同的な現実構成について語り、科学という営みの再定義にまで及ぶ。この議論の一部だけを取り出してしまうと、形而上学的な信念の一つにしか見えなくなってしまうだろう。ネオ・サイバネティクスは全体として円環を成してこそ完結する。それは我々の考え方の枠組みをまるごと変えるよう、まさにパラダイムを転換するよう求めるのである。

サイバネティック・パラダイムとしてこの全体を理解し、それを受容することは容易ではない。オーソドックスな科学の擁護者、とくに自然科学の信奉者は、自らの信念との対決を迫られる分、余計に苦しく感じるだろう。だが科学の目的が、形而上学的な真理や実在の発見にあるのではなく、現実の経験とその組織化に根ざした共同的な知の構成にあるならば、ネオ・サイバネティクスこそまさしく科学である。従来の自然科学やそれに近い分野であっても、生物学や情報学のように、我々自身の存在様式がその問いと深く関わるような分野では、サイバネティクスがたどり着いたこの境地を無視することはできないはずである。

本書執筆中に迎えた新型コロナウイルス感染症による社会的混乱は、これを間接的ながら示していたように私には見える。ウイルス自体というよりも、我々自身が自律システムであることによって、生物学的現象を制御することはそもそも不可能である。にもかかわらず、我々はそれができると思い込んできたのではないだろうか。いわゆる自粛警察やマスク警察、ワクチン接種に関する過激な意見など、自らの考える理想とは異なる行動をとる他者に対して、必要以上に攻撃的になってしまうのはその証だろう。我々自身の生命的、人間的自律性から目を背け、自ら従順で完璧な機械になることで身を守ろうとしているかのようである。

もちろん完全な制御や予測が不可能だとしても、事後的に得られたデータを解析して、統計学的な傾向を捉えることは重要である。生物は環境を単純（トリビアル）化し、なんとか生き延びようと苦闘する。人間はそれを科学という武器を駆使して行うことができる。我々は、我々自身のトリビアル化ではなく、環境のトリビアル化のために力を尽くさなければならない。

サイバネティクスとは、制御できない水の流れに、制御できる舵によって立ち向かっていく方法だった。生命の神秘として描かれるものの正体は、オートポイエティックな生命の自己言及的な創造性から生じる、こうした現実と向き合う力ではないだろうか。サイバネティクスという学問は、まさにそうした力の一つであると同時に、そのような生命論的世界観の中に自らを位置づけている。ウィーナーの思想は、まぎれもなくサイバネティック・パラダイムの起源だったのである。

本書の目的は、人間・生物機械論として知られるサイバネティクスのもう一つの顔、人間・生物非機械論としての顔を明らかにすることだった。

この主題と関連はするが、取り上げられなかった人物はたくさんいる。混乱を避けるため、あえて言及しなかった話題も少なくない。ポストモダン思想や新しい実在論など、サイバネティクスにとって外部的な思想との関係が気になる読者もいるかもしれない。それらの一部については本論中に示した参考文献の中で言及されているが、そうでないものも少なくない。本書をきっかけとして、読者自身による探究が始まるのであれば、著者としてこれほど嬉しいことはない。

多くの割愛にもかかわらず、執筆中は正確性とわかりやすさのトレードオフにつねに悩まされた。責任はすべて著者個人にあるが、本書の内容が多くの方々との議論の上に成り立っていることもまた事実である。とくに恩師である西垣通先生と、ネオ・サイバネティクス研究会の方々、その幹事の河島茂生氏には多大なるご支援をいただいた。ここに心からの感謝を申し上げたい。また個人的には、本書は橋本渉氏のガイドがあって初めて可能となったものである。本書の企画自体、氏の存在がなければあり得なかった。ここに記して、感謝申し上げる次第である。

最後になってしまったが、ひどく遅れた執筆を根気よく待っていただき、編集の労をとってくださった講談社の互盛央氏、武居満彦氏にも、あわせて深く感謝の意を表したい。

二〇二三年一月

西田洋平

＊　本書の内容の一部は、科学研究費補助金（研究課題番号：20K12553）の支援を受けた研究に基づいている。

西田洋平（にしだ・ようへい）

一九八〇年生まれ。東海大学講師。東京大学大学院学際情報学府博士課程単位取得退学。専門は情報学。

著書に『情報資源組織論』（東海大学出版部、共編著）、『ＡＩ時代の「自律性」――未来の礎となる概念を再構築する』（勁草書房、共著）など。

人間非機械論（にんげんひきかいろん）

サイバネティクスが開く未来（ひらくみらい）

二〇二三年　六月　八日　第一刷発行

著者　西田洋平（にしだようへい）

発行者　鈴木章一
発行所　株式会社　講談社
東京都文京区音羽二丁目一二―二一　〒一一二―八〇〇一
電話（編集）〇三―三九四五―四九六三
（販売）〇三―五三九五―四四一五
（業務）〇三―五三九五―三六一五

KODANSHA

装幀者　奥定泰之
本文データ制作　講談社デジタル製作
カバー・表紙印刷　半七写真印刷工業株式会社
本文印刷　信毎書籍印刷株式会社
製本所　大口製本印刷株式会社

ISBN978-4-06-531778-5　Printed in Japan　N.D.C.100　325p　19cm

講談社選書メチエの再出発に際して

講談社選書メチエの創刊は冷戦終結後まもない一九九四年のことである。長く続いた東西対立の終わりはついに世界に平和をもたらすかに思われたが、その期待はすぐに裏切られた。超大国による新たな戦争、吹き荒れる民族主義の嵐……世界は向かうべき道を見失った。そのような時代の中で、書物のもたらす知識が一人一人の指針となることを願って、本選書は刊行された。

それから二五年、世界はさらに大きく変わった。特に知識をめぐる環境は世界史的な変化をこうむったとすら言える。インターネットによる情報化革命は、知識の徹底的な民主化を推し進めた。誰もがどこでも自由に知識を入手でき、自由に知識を発信できる。それは、冷戦終結後に抱いた期待を裏切られた私たちのもとに差した一条の光明でもあった。

その光明は今も消え去ってはいない。しかし、私たちは同時に、知識の民主化が知識の失墜をも生み出すという逆説を生きている。堅く揺るぎない知識も消費されるだけの不確かな情報に埋もれることを余儀なくされ、不確かな情報が人々の憎悪をかき立てる時代が今、訪れている。

この不確かな時代、不確かさが憎悪を生み出す時代にあって必要なのは、一人一人が堅く揺るぎない知識を得、生きていくための道標を得ることである。

フランス語の「メチエ」という言葉は、人が生きていくために必要とする職、経験によって身につけられる技術を意味する。選書メチエは、読者が磨き上げられた経験のもとに紡ぎ出される思索に触れ、生きるための技術と知識を手に入れる機会を提供することを目指している。万人にそのような機会が提供されたとき初めて、知識は真に民主化され、憎悪を乗り越える平和への道が拓けると私たちは固く信ずる。

この宣言をもって、講談社選書メチエ再出発の辞とするものである。

二〇一九年二月　野間省伸

講談社選書メチエ　社会・人間科学

METIER

日本語に主語はいらない　金谷武洋
テクノリテラシーとは何か　齊藤了文
どのような教育が「よい」教育か　苫野一徳
感情の政治学　吉田　徹
マーケット・デザイン　川越敏司
「社会(コンヴィヴィアリテ)」のない国、日本　菊谷和宏
権力の空間／空間の権力　山本理顕
地図入門　今尾恵介
国際紛争を読み解く五つの視座　篠田英朗
易、風水、暦、養生、処世　水野杏紀
丸山眞男の敗北　伊東祐吏
新・中華街　山下清海
ノーベル経済学賞　根井雅弘編著
日本論　石川九楊
丸山眞男の憂鬱　橋爪大三郎
危機の政治学　牧野雅彦
主権の二千年史　正村俊之

機械カニバリズム　久保明教
暗号通貨の経済学　小島寛之
電鉄は聖地をめざす　鈴木勇一郎
日本語の焦点　日本語「標準形(スタンダード)」の歴史　野村剛史
ワイン法　蛯原健介
MMT　井上智洋
快楽としての動物保護　信岡朝子
手の倫理　伊藤亜紗
現代民主主義　思想と歴史　権左武志
やさしくない国ニッポンの政治経済学　田中世紀
物価とは何か　渡辺　努
SNS天皇論　茂木謙之介
英語の階級　新井潤美
目に見えない戦争　イヴォンヌ・ホフシュテッター　渡辺　玲訳
英語教育論争史　江利川春雄
人口の経済学　野原慎司

MÉTIER

講談社選書メチエ　心理・科学

MÉTIER

最新情報は公式twitter　→@kodansha_g
公式facebook　→https://www.facebook.com/ksmetier/